シリーズ脳科学 ❷

甘利俊一 ◆監修 ｜ 田中啓治 ◆編

認識と行動の脳科学

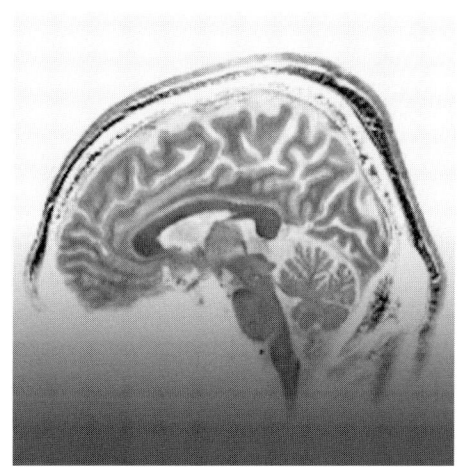

東京大学出版会

Brain Science 2
Shun-ichi AMARI, Supervising Editor
Brain Science of Cognition and Behavior
Keiji TANAKA, Editor
University of Tokyo Press, 2008
ISBN978-4-13-064302-3

シリーズ脳科学発刊に寄せて

　脳は人の最も精妙で複雑な器官である．人が人たる由縁は，脳の働きにある．脳はこころを宿し，そのこころが私たちの行動を律しているように見える．人を理解するには，こころを，そしてその物質的な基盤である脳を理解する必要がある．

　脳は昔から医学の研究対象として，重視されてきた．しかし今では，脳の科学は生命科学だけでなく，情報科学，人間科学その他多くの学問に支えられた総合科学となっている．この10年，その傾向は特に著しい．

　脳は物質で出来ている．したがって，その仕組みを知るには，まず脳の中の物質の働きを理解しようとするのは当然であろう．分子のレベルまで遡って脳の仕組みを物質の観点から解明する，分子生物学が大いに発展した．

　しかし，脳の機能は情報処理である．それは脳を個々の要素に分解してみれば分かるわけではなくて，全体が結合したネットワーク，すなわちシステムとしてその働きを見なければならない．この観点からは，システム科学，情報科学が脳研究の主役になる．

　こころの働きのレベルで考えれば，認知，言語，コミュニケーション，教育，哲学などの，多くの学問分野を総合して考えなければならない．精神疾患も，物質的な基礎と同時に，心の働きの不具合というように，こころの問題と密接に関係してくる．

　10年ほど前に，脳にかかわる広い範囲の研究者の総意に基づき，これからの脳研究に必要な総合的な研究を行う機関として，理化学研究所の脳科学総合研究センターが誕生した．これにより，脳の研究を支える多くの学問分野が手を携えて，協力しながら研究を進めていく体制が日本に整いつつある．

　脳科学総合研究センター発足10周年に当たるこの年に，脳科学の最近のすばらしい発展を見ていただこうと企画したのが本シリーズである．理化学研究所脳センターの研究者のみならず，日本の広い分野の研究者に協力いただいて，脳科学の広がりと将来の発展方向がよく分かるように試みたつもりである．専門家ばかりでなく，社会人，学生にもその実情が分かるように配慮されている．

第1巻は「脳の計算論」と題し，理論からの導入とした．ここでは，脳の中で情報がどのように表現されているかに焦点を当て，ニューロンの発火スパイク系列の確率論的な解析，神経回路のダイナミックス，さらに学習の問題が扱われている．最近のこの分野の動向を知る良い手がかりであろう．

　第2巻は「認識と行動の脳科学」である．これはシステム脳科学の本道を行く研究を集めたもので，認識，運動，記憶，そしてそれらを行動と結びつける脳のメカニズムに焦点を当てている．システム脳科学の最新の成果が示されている．

　第3巻は「言語と思考を生む脳」とした．ここでは幼児の言語の獲得と発達に始まり，動物のコミュニケーションと音声の利用を論じ，これを人の言語の一つの起源として取り上げる．これはさらに，概念の形成や思考の仕組み，そして生物の社会形成にかかわる問題に発展する．

　第4巻は，「脳の発生と発達」である．脳の発生と発達の過程は，脳の設計図を遺伝情報に基づいて実現していく過程である．これによって，脳の物質的な基礎とそれに基づく構造が示される．さらに，近年注目を浴びている，神経細胞の再生が扱われる．

　第5巻では「分子・細胞・シナプスからみる脳」を扱う．ゲノムが脳をどのように支配するのか，細胞の仕組み，その中での情報の伝達の仕組みを調べさらに記憶と学習を支える分子機構を明らかにする．

　第6巻は「精神の脳科学」を取り上げる．精神はこころと直接に結びついているから，脳の仕組みの不具合は，直接に精神にかかわる病として現れる．その症状には多種多様なものがあり，現象として何が現れるのか，物質的な基礎であるゲノムは，ここにどう絡まるのか，人格とどう関係するのかなど，精神医学の最前線が論じられている．

　各巻の順番に意味があるわけではない．このなかから，好みの順番で読んでいただき，脳科学の壮大な広がりを見ていただくとともに，これらが次第に融合していく様を理解していただければ幸いである．

2007年10月

甘利俊一

まえがき

　私達が物を見る，体を動かす，記憶する，行動する，これらはすべて脳のはたらきである．本書では，このような脳のさまざまなはたらきを，システム，神経回路，神経細胞，そして場合によってはシナプスのはたらきに分解して理解することを試みる．

　人の脳には約1000億個の神経細胞があり，100兆個の結合によって相互に情報をやり取りしている．この情報のやり取りの中からすべての精神作用が現れてくる．神経細胞は多くの分子が信号を伝え合う複雑な分子機械である．またシナプスと呼ばれる神経細胞間の結合には，記憶を可能にする分子的しくみが備わっている．脳神経系の分子機械としての側面を理解することなしには脳神経系の総合的理解は成立しない．しかし，1つ1つの神経細胞のはたらき，シナプスのはたらきを明らかにしても，全体としての脳のはたらきはわからない．脳神経系の臓器としての特徴は深い階層性である．シナプス，神経細胞のはたらきを個体の機能につなげるためには，局所神経回路，大規模神経回路，システムのレベルを通り，それぞれのレベルで初めて現れる現象のしくみを明らかにしていかなければならない．

　40年前は，神経科学といえば神経細胞とシナプスの科学であった．個体のはたらきは心理学や行動学の対象であって，脳神経系の中のしくみを実験的に検討することはできなかった．計測法をはじめとする実験手法の進歩によって，いまや脳神経系階層のすべてのレベルが実験的研究の対象になった．心理学の対象でしかなかった，私達が物を見る，体を動かす，記憶する，行動するなどの精神過程の脳内メカニズムの解明が急速に進んでいる．

　本書ではすべての機能，システムを網羅することは試みない．それには本書の厚みでは不十分である．その代わりに，主な4つの機能系に絞って，問題の捉え方，理解の仕方，研究の進め方を解説する．システムレベルでの代表的な分野について理解を深めれば，同じシステムレベルの他の分野での理解は容易になる．知識を網羅的に得ることよりも，問題の捉え方を深く理解することが大事である．4つの機能系を4人の著者により分担した．脳神経系の知識がな

くても読むことができるように，第1章の後半では，脳神経系の構造と神経細胞のはたらきを概説した．

　発展の速い研究領域であるので，理論的完全性は期待しないで欲しい．いろいろな異なる見方によって，いろいろな側面から理解が進んでいる．読者は，記述を鵜呑みにせず，むしろ批判的に読んで欲しい．

2008年5月

田中啓治

目次

脳科学シリーズ発刊に寄せて .... *iii*
まえがき .... *v*
執筆者紹介 .... *xiii*

第1章　総論 *1*
1.1　脳機能の局在論と全体論 *2*
1.2　学習万能論と生得論 *4*
1.3　脳神経系の構造 *6*
1.4　神経細胞とシナプス *8*
1.4.1　神経細胞のかたちとはたらき *9*
1.4.2　活動電位とは *10*
1.4.3　シナプスのかたちとはたらき *10*
1.4.4　情報のコード *12*
1.5　脳科学の方法 *13*
1.5.1　生化学的方法 *13*
1.5.2　形態学的方法・トレーシング法 *13*
1.5.3　微小電極法 *14*
1.5.4　光イメージング法 *15*
1.5.5　非侵襲計測法 *16*
1.5.6　遺伝子操作法 *17*

第2章　知覚・認識・選択的注意 *19*
2.1　要素情報の抽出 *20*
2.1.1　網膜での空間コントラストの検出 *20*

		2.1.2	大脳の第一次視覚野における輪郭の検出	25
	2.2	情報の統合		29
		2.2.1	大脳の高次視覚野	30
		2.2.2	第一次視覚野と V2 野を貫く並列構造	32
		2.2.3	動きの情報の統合	33
		2.2.4	MT 野と視野局所の動き方向の表出	34
		2.2.5	MST 野と広視野動きパターンの表出	37
		2.2.6	形や色などの物体情報の統合	40
		2.2.7	V2 野と主観的輪郭の表出	40
		2.2.8	V4 野と色の恒常性，曲率の表出	42
		2.2.9	TE 野における中程度に複雑な図形特徴の表出	44
		2.2.10	物体カテゴリーの表現	48
	2.3	ヒトの大脳視覚野		53
	2.4	選択的注意		55
		2.4.1	早期選択モデルと後期選択モデル	56
		2.4.2	空間，物体，モダリティーへの選択的注意	58
	2.5	選択的注意の脳内メカニズム		62
		2.5.1	選択的注意に関わる脳活動	62
		2.5.2	頭頂葉損傷による半側空間無視	65
		2.5.3	注意移動の 3 つのステップ	65
		2.5.4	無視の範囲を決める座標	69
	2.6	まとめ		70
	参考文献			72
第 3 章	運動の制御			79
	3.1	運動制御の脳システム		79
		3.1.1	運動の階層性	79
		3.1.2	運動のシステム制御	81
	3.2	脊髄・脳幹系による運動制御		83
		3.2.1	脊髄運動ニューロン	83
		3.2.2	脊髄反射	84

		3.2.3	脊髄下行系による運動制御	*86*

- 3.2.3 脊髄下行系による運動制御 *86*
- 3.2.4 随伴発射（遠心性コピー） *87*
- 3.2.5 運動のパターン発生装置 *88*
- 3.2.6 脳幹による眼球運動制御 *90*

3.3 大脳運動皮質の運動機能 *94*
- 3.3.1 大脳皮質運動野の構造 *94*
- 3.3.2 一次運動野と随意運動 *96*
- 3.3.3 高次運動野と運動制御 *98*

3.4 小脳による運動制御 *101*
- 3.4.1 小脳の構造と神経回路 *101*
- 3.4.2 小脳神経回路のシナプス伝達可塑性 *103*
- 3.4.3 小脳皮質核複合体のオペレーション *105*
- 3.4.4 小脳による運動学習 *107*
- 3.4.5 小脳による運動記憶の生成と貯蔵機構 *109*
- 3.4.6 大脳—小脳ループと随意運動制御モデル *110*

3.5 大脳基底核と運動制御 *114*
- 3.5.1 大脳基底核の構造 *114*
- 3.5.2 基底核と運動制御 *116*

3.6 運動制御の脳機構のまとめ *118*

参考文献 *119*

第4章　記憶 *123*

4.1 今日の記憶研究 *123*
- 4.1.1 記憶の分類方法 *123*
- 4.1.2 研究手法 *124*

4.2 記憶研究の歴史 *126*
- 4.2.1 記憶研究のはじまり *126*
- 4.2.2 記憶障害の研究と2つの記憶システム *126*
- 4.2.3 動物行動を指標にした研究 *128*
- 4.2.4 学習モデルとしてのシナプス可塑性 *129*

4.3 短期記憶 *131*

  4.3.1 「記憶の貯蔵庫」モデルと短期記憶 *131*
  4.3.2 短期記憶と長期記憶の違い *132*
  4.3.3 ワーキングメモリー *134*
  4.3.4 ワーキングメモリーと長期記憶の相互作用 *137*
  4.3.5 げっ歯類を用いた作業記憶の研究 *138*
4.4 長期記憶 *140*
  4.4.1 ヒトの長期記憶の分類 *140*
  4.4.2 エピソード記憶と意味記憶 *142*
  4.4.3 回想性想起と親近性想起 *146*
  4.4.4 側頭葉性健忘と間脳性健忘――AggletonとBrownの仮説 *148*
  4.4.5 長期記憶と前頭前野 *151*
4.5 海馬研究と2つの仮説 *154*
  4.5.1 海馬と「宣言的記憶仮説」 *154*
  4.5.2 海馬と「認知マップ仮説」 *160*
4.6 海馬の特性とエピソード記憶――Marrの「Simple Memory」理論 *165*
  4.6.1 動物を用いたエピソード記憶の研究の現状 *165*
  4.6.2 海馬歯状回，CA3領域，CA1領域の記憶における役割 *168*
  4.6.3 海馬発火活動による記憶情報の再活性化 *174*
4.7 記憶の獲得と固定――Morrisの「神経生物学仮説」 *177*
  4.7.1 海馬での記憶の獲得と長期増強現象 *177*
  4.7.2 海馬での記憶の固定化メカニズム *179*
  4.7.3 海馬から皮質への記憶の固定 *182*
  4.7.4 記憶の再固定化現象 *185*
4.8 扁桃体と前頭前野 *186*
  4.8.1 扁桃体での恐怖学習 *186*
  4.8.2 前頭前野皮質による情動記憶の抑制 *189*
4.9 今後の展望――学際的アプローチ *191*
参考文献 *192*

第 5 章　行動の認知科学 …………………………………………… 203
- 5.1　認知制御とは ……………………………………………… 203
- 5.2　前頭連合野の構造と機能 ………………………………… 204
  - 5.2.1　前頭連合野の成り立ち ……………………………… 205
  - 5.2.2　フィネアス・ゲージの例と前頭葉ロボトミー手術 …… 206
  - 5.2.3　前頭連合野の機能 …………………………………… 208
- 5.3　ワーキングメモリーとその脳メカニズム ……………… 210
  - 5.3.1　ワーキングメモリーとは …………………………… 211
  - 5.3.2　ヒトにおける損傷研究 ……………………………… 212
  - 5.3.3　ヒトにおける非侵襲的脳活動計測研究 …………… 213
  - 5.3.4　課題遂行と前頭連合野の活性化 …………………… 215
  - 5.3.5　動物による実験 ……………………………………… 217
  - 5.3.6　ワーキングメモリーに関する前頭連合野外側部の機能分化 ……………………………………………………… 219
- 5.4　プラニング，推論，概念，ルールに関係した脳活動 …… 220
  - 5.4.1　プラニングと前頭連合野 …………………………… 221
  - 5.4.2　推論と前頭連合野 …………………………………… 222
  - 5.4.3　概念，範疇化と前頭連合野ニューロン活動 ……… 225
  - 5.4.4　抽象的ルールに関係した前頭連合野ニューロン活動 … 227
- 5.5　行動の抑制とスイッチング ……………………………… 228
  - 5.5.1　Go-NoGo 課題の障害と前頭連合野 ……………… 228
  - 5.5.2　Stroop 課題の障害と前頭連合野 ………………… 230
  - 5.5.3　反応の切り替えと前頭連合野 ……………………… 232
  - 5.5.4　フィードバックと前部帯状皮質 …………………… 235
  - 5.5.5　セルフコントロール ………………………………… 236
- 5.6　トップダウン的注意と前頭連合野 ……………………… 237
  - 5.6.1　トップダウン的注意とボトムアップ的注意 ……… 238
  - 5.6.2　動物実験にみられるトップダウン的注意と前頭連合野 … 239
  - 5.6.3　情動・動機づけとトップダウン処理 ……………… 240
  - 5.6.4　認知制御と情動・動機づけ ………………………… 240
- 5.7　意思決定，道徳的判断，経済的判断と脳活動 ………… 243

- 5.7.1 意思決定と前頭連合野腹内側部 *244*
- 5.7.2 ソマティック・マーカー仮説 *245*
- 5.7.3 道徳的判断と脳活動 *246*
- 5.7.4 経済的判断と脳活動 *248*
- 5.7.5 購買行動と脳活動 *250*
- 5.7.6 慈善行為と脳活動 *251*
- 5.7.7 不公正なものを罰する行為と脳活動 *253*

5.8 行動の認知科学と非侵襲的脳活動計測法 *254*

参考文献 *256*

索引 *265*

執筆者紹介

編者
田中啓治　　理化学研究所脳科学総合研究センター　　　　第1章，第2章

執筆者（五十音順）
永雄総一　　理化学研究所脳科学総合研究センター　　　　第3章
中沢一俊　　アメリカ国立精神衛生研究所　　　　　　　　第4章
渡邊正孝　　東京都神経科学総合研究所　　　　　　　　　第5章

第1章

総論

　私たちはどうやって外界の事象を知覚するか．私たちはどうやって運動を制御するか．私たちはどうやって記憶するか．そして，私たちはどうやって行動を制御し，思考するか．今日では，これらの精神機能が脳神経系によって行われていることに疑問を挟む人はほとんどいない．しかし，脳神経系の記述の仕方にはいろいろある．

　脳神経系の記述の仕方がいろいろあるのは，脳神経系は他の臓器と比べて格段に深い階層性を持つからである．そこには，細胞内外でタンパク質などの生体高分子が機能する分子のレベルから，シナプス，細胞，小規模神経回路，大規模神経回路，システム，そして個体，さらに社会まで多くの階層がある．それぞれの階層には，そこで主に現れる独自の現象があり，脳機能の統合的理解にはすべての階層での現象の理解が必要である．分子レベルを解明しつくすことで脳神経系の統合的理解に到達することはない．

　しかしながら，近年の脳科学では，異なる階層における現象の間の関係が明らかになりつつある．それぞれの階層での現象の解明が進んだことで，異なる階層での現象の関係を解明することができるようになってきた．そもそも「わかる」というのは，ある階層の現象を下の階層での規則性に還元し，またさらに上の階層での現象に関連づけてその意味を理解することである場合が多い．

　本書は，そのタイトルである「認識と行動の脳科学」からわかるように，主に個体およびシステムのレベルで記述される認知や行動を，神経回路レベルと細胞レベルに還元しようという脳科学の分野を解説する．個体，システムレベルの現象を網羅することは目指さずに，主な研究分野について研究のスタイルを紹介することに重点をおいた．本書の内容をよく理解すれば，類推が効いて，同じレベルでの他の分野の話題を聞いたとき，あるいは読んだときに，比較的

楽に理解できるはずである．

本論に入る前に，この章では，まず脳神経科学の歴史を概括し，次に本書を理解するために必要な最低限の基礎知識を解説する．

1.1 脳機能の局在論と全体論

脳の機能局在論の考えは，18世紀末にFranz Gallによって始められた骨相学に遡ることができる．ウィーンの開業医であったドイツ人医師Gallは，精神機能が脳に局在し，よく使う部位は大きくなって頭蓋骨を下から広げるとの仮説を持ち，幼児と成人，各種の病気の人の脳，天才と呼ばれた人たちの脳，動物の脳を比較して，脳は言語，名誉，友情，芸術，謙虚，高慢などの27個の精神過程を行う器官の集まりであると主張した．Gallは錐体路の交叉の発見と動眼・三叉・外旋神経の同定などの正しい貢献もしたが，骨相学はまったくの似非科学であった．ところが，その単純さが素人受けするためか，社会にはかなり広まり，20世紀の初めまで影響が残った．

本当の脳機能局在の本格的な指摘は，フランスのPaul Brocaにより1861年になされた運動性失語（ブローカ(Broca)失語）の発見，ドイツのCarl Wernickeによって1876年になされた感覚性失語（ウェルニッケ(Wernicke)失語）の発見である．Brocaは発話の理解は正常であるが，発話をすることができない患者を観察し，死後に脳損傷が大脳の左半球前頭葉の下部後方（この発見をもとにブローカ野と名づけられた）にあることを見いだした．一方で，Wernickeの患者は流暢に発話するがその内容は意味をなさず，また発話を理解することもできなかった．この患者の損傷は大脳左半球の外側の，側頭葉と頭頂葉の境界付近にあった．言語機能の，しかもその特定の側面が大脳の特定の部位に局在するというこれらの発見は大きな影響を与え，その直後には，イヌの大脳を刺激することによって引き起こされる運動の刺激部位特異性なども研究された．

脳機能局在の考えが広まると，機能局在の基礎には構造の違いがあるはずであるという考えを引き起こし，大脳の微細構造の研究が起こった．ドイツのKorbinian Brodmannは，Franz Nisslによって開発された神経細胞の染色法（ニッスル(Nissl)染色法）を使って，大脳皮質のいろいろな部位から切り出した脳切片を染色して比較検討し，大脳皮質を1から52の領野に分割した．この領

野の多くは，後の研究でそれぞれ独自の機能を持つことが示された．Brodmannは主たる結果を1909年の著書に著している．

　この時期の脳神経系の微細構造の研究は，神経細胞の同定とその一方向性の情報伝達の示唆を生み出した．イタリアのCamillo Golgiは銀を使った神経細胞の染色法を開発した．後からゴルジ (Golgi) 染色法と呼ばれるようになったこの方法は，軸索と樹状突起を含めた神経細胞全体を黒く染め出す．しかも，今でもわかっていない理由により，数%以下の比率の神経細胞をランダムに選んで染色し，他の神経細胞は染まらない．そのために，染色された1つ1つの神経細胞の突起を長い距離にわたって追跡することができる．Golgiらは神経線維は長くつながって網をなすという網状説を主張した．しかし，スペインのSantiago Ramon y Cajalはゴルジ染色法を使いつつも，神経系は非連続の細胞（ニューロン）から構成され，1つ1つの神経細胞は樹状突起，細胞体，軸索という極性のある構造を持ち，独特の接合部で連絡するというニューロン説を主張した．神経細胞の接合部は，同時代に活躍したCharles Sherintonによりシナプスと名づけられた．ニューロン説は，後に電子顕微鏡による観察で確認された．

　しかし，機能局在説とニューロン説がすんなりと受け入れられたわけではない．20世紀初頭にはドイツを中心にゲシュタルト心理学が盛んになり，神経科学へも影響を与えた．ゲシュタルト心理学は，個が集まってできる全体には個の性質に還元できない新しい性質が現れることを，視覚などの知覚現象で強調した心理学の流れである．全体として初めて出現する性質をゲシュタルトと呼んだ．

　ゲシュタルト心理学の影響で，脳における部分間の相互作用が重視された．脳の一部の損傷は無傷の他の部位の働きにも影響を及ぼし，脳全体が新しい機能状態へ移行すると主張された．この考えによれば，脳の特定部位の損傷が特定の機能障害を引き起こすことは認めても，障害された機能が損傷部位で行われていたとは限らない．これらは，現在でも破壊症状から脳機能局在を議論する際には考慮する必要がある問題である．患者の破壊症状や動物での破壊行動実験の結果は，因果関係を示すほとんど唯一の方法で貴重ではあるが，神経細胞活動記録法やイメージング法による活動の結果と合わせて解釈する必要がある．

　米国のKarl Lashleyは，心理学者James Watsonの影響を受け，ラットの大脳の部分破壊による迷路学習への影響を調べ，学習能力の低下は破壊した脳

の量によって決まり，破壊した部位の位置には関係ないとの結論を得た．そして，大脳は全体として機能を果たす，大脳には破壊された部位の機能補償をする能力が備わっていると主張した．Lashley の実験は，迷路学習という複雑な行動だけを使った点に問題があった．餌の置かれた迷路上の位置を覚え到達するという目的遂行のために，ラットはいろいろな行動戦略を使うことができる．たとえば，視覚手がかりが使えなくなれば筋肉の自己受容器の手がかりを使うというようにである．行動と機能との区別が明確でなかった．しかし，Lashley の影響は大きかった．

1930 年代になって，米国の Clinton Woolsey らが，大脳感覚野の感覚マップや運動野の運動マップを見いだすと，ようやく機能局在論が確立していった．さらに，1970 年代から 1980 年代にかけて，高次視覚領域がたくさんの領野に区分され，機能局在の研究は新しい展開に入った．

1.2 学習万能論と生得論

個体およびシステムレベルでの脳科学における思想潮流を理解するには，18 世紀以降の哲学と心理学の流れを概観する必要がある．そこには，大きく言って，大陸合理主義の流れとイギリス経験論の流れがあった．大陸合理主義は，フランスの Descartes に始まり，オランダの Spinoza，ドイツの Leibniz や Wolff らによって展開された．イギリス経験論が，経験を重視し，人間は経験を通じてさまざまな観念と概念を獲得すると考えるのに対し，大陸合理主義は，人間は生得的に理性を与えられ，基本的な観念・概念を持つ，あるいはそれを獲得する能力を持つと考える．大陸合理主義は，理性による内省を重視した点で，近代科学への展開性は乏しかった．

イギリス経験論の中心人物である John Locke の「人間は生まれたときは白紙である」という言葉に現れるように，経験主義はすべての知識は経験により獲得されると考える．

米国に渡って経験論は大きな流れになった．Edward Thorndike はネコを用い，紐を引くと扉が空いて箱の外にある餌を取れるという箱に入れたとき，ネコが外に出るまでの時間を測り，それが学習により短縮する学習曲線を解析する方法をつくって，実験的学習心理学を確立した．ネコは箱の外にある餌に到達

しようとしていろいろな無駄な動作を繰り返すが，たまたま偶然に紐を引いたときに外へ出て餌を取ることができる．これを繰り返しているとだんだんに外へでるまでの時間が短縮していく．Thorndike はこれらの結果から，行為の結果起こった良い結果（たとえば餌の獲得）は状況刺激（箱）と行為（紐を引く）との連合を強め，悪い結果は連合を弱めるという「効果の法則」を提唱した．

Thorndike の考えは Burrhus Skinner に引き継がれ，動物学習理論の体系がつくられた．これらの心理学者は，実験心理学が成り立つのは刺激と行為の関係の記述だけであるとし，内部モデルの考察を排した．この立場は行動主義と呼ばれる．経験論は，アメリカンドリーム（誰でも努力さえすれば大きな富を得ることができる）という社会的信仰とも結びついて，米国の心理学を席巻した．その中心人物の1人である John Watson は「どの赤ん坊も学習次第でどんな人にでもなれる」と主張した．

経験論と行動主義への最初の痛烈な批判はゲシュタルト心理学からきた．仮現運動，幻視輪郭などは誰でも初めて見たときからそのように見える．学習の必要はない．ゲシュタルト心理学者によって次々と示される脳に埋め込まれた能力の実証の前に，経験がすべてとする論は声を失っていった．

新しい流れは，脳には生まれつき高度な能力を獲得するしくみがあるとする立場である．この立場での際立った成功は，Noam Chomsky による生成文法の提唱である．Chomsky はすべての言語に普遍的な文法の法則性があるとし，これを生成文法と名づけた．さらに生成文法は人間に生得的であると主張した．この言語生得説は，Chomsky の影響を受けた Steven Pinker による移民の2世による新しい文法形成の研究などを通じて，次第に支持を獲得していった．

幸いにしてこのような歴史を経た現代に生きる我々は，過去の行き過ぎた議論から自由になることができる．生まれつきの脳のしくみと生後の学習が果たす役割は，どちらかだけが正しいとして議論すべきものではなく，むしろそれぞれの影響の範囲と相互作用を見きわめていくべきものである．また，機能局在と部分の間の相互作用による新しい機能の出現は，現象の解釈において偏ることなく検討すべき可能性である．研究者社会の中に生きる研究者は，知らず知らずの間に歴史の影響を受ける．したがって，歴史を知らずして歴史から自由になることはできない．自分の頭の中に浮かぶ考えの背景を知り，複数の考え方を十分に吟味することによって初めて，歴史の呪縛から解かれ，新しい創

造へ向かうことができる．さて，歴史はここまでにし，以下では，脳神経系の構造を概観し，細胞レベルでの基礎知識をまとめる．

1.3 脳神経系の構造

脳神経系は頭蓋骨の中にある大脳，小脳，脳幹と脊椎の中にある脊髄，そして脳幹と脊髄から体のいろいろな部位にある感覚器および筋肉などの効果器に伸びている末梢神経から構成される（図 1.1）．脳神経系は，感覚器からの感覚入力を得て外界を知覚し，また運動神経を通じて筋肉を収縮させて外界にはたらきかける．また，思考し，悲喜などの感情を抱くのも脳神経系のはたらきである．

頭蓋骨に覆われたヒトの脳の大部分は大脳である．大脳の深部には大脳基底核が，大脳基底核のさらに内側には視床と視床下部からなる間脳と呼ばれる部位がある．間脳は脳幹から脊髄につながる．脳幹は上から中脳，橋，延髄に区分される（図 1.2(a)）．中脳から脊髄に至る各区分の間には物理的なくびれがあるわけではなく，これらは学問的な整理のためにつけられた名前である．脳幹の後ろには小脳があり，小脳は橋で脳幹とつながっている．脳幹には多くの核（神経細胞の細胞体が固まって存在する部位）と神経細胞の軸索が走る白質があり，機能は核ごとに異なる．大脳と小脳には多くの溝がある．小脳の溝は大脳の溝より数が多く，主に左右方向に伸びている．大脳の溝の方向には目立った

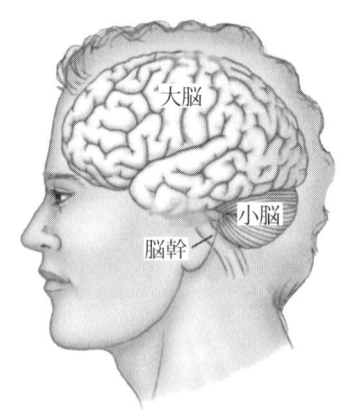

図 1.1　脳の構成①

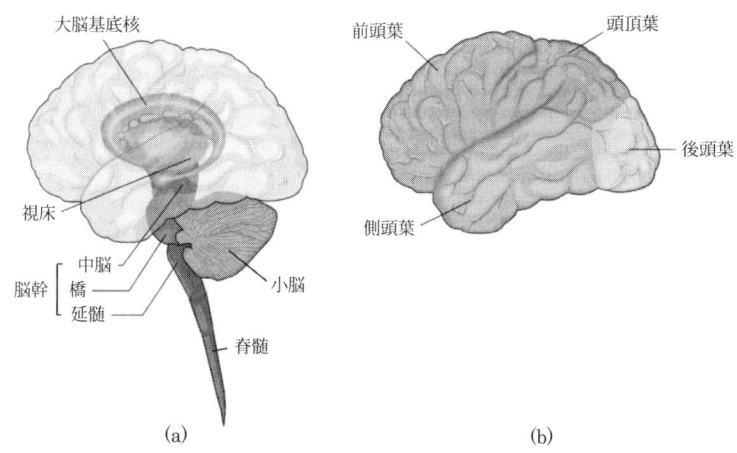

図 1.2 脳の構成②
大脳基底核，視床，中脳は大脳に囲まれていて，図では透視している．脳部位や大脳区分は表示の便宜のために濃淡を付けてある．

規則性はない．

　大脳は前頭葉，頭頂葉，後頭葉，側頭葉に分けられる（図1.2(b)）．前頭葉と頭頂葉の境界には中心溝，前頭葉と側頭葉の境界には外側裂という，それぞれはっきりした溝があるが，後頭葉と頭頂葉，後頭葉と側頭葉の間には必ずしもはっきりした溝があるわけではない．前頭葉，頭頂葉，後頭葉，側頭葉はさらに細かい領野に分けられ，領野ごとに機能が異なる．

　後頭葉の一番後ろから内側面に沿って前に伸びた鳥距溝の壁には第一次視覚野がある（図1.3）．第一次視覚野は，視床の外側膝状体を介して網膜から視覚入力を受け取り，これを処理する視覚性の領野である．第一次視覚野の周りには高次視覚野があり，第一次視覚野から視覚入力を受け取ってさらに処理を進める．第一次視覚野と高次視覚野で後頭葉は覆われている．脳幹のいくつかの核と視床の内側膝状体を介して耳から聴覚入力を受け取る第一次聴覚野は，側頭葉の一番背側，外側裂の腹側壁に位置する．第一次聴覚野の周りには高次聴覚野が広がる．体の皮膚感覚および筋肉の自己受容器からの体性感覚入力は頭頂葉の一番前，中心溝の後壁から表面にかけて広がる．第一次体性感覚野の後ろには高次体性感覚野がある．

　後頭葉，側頭葉，頭頂葉に感覚入力を処理する感覚性の領野が存在するのに

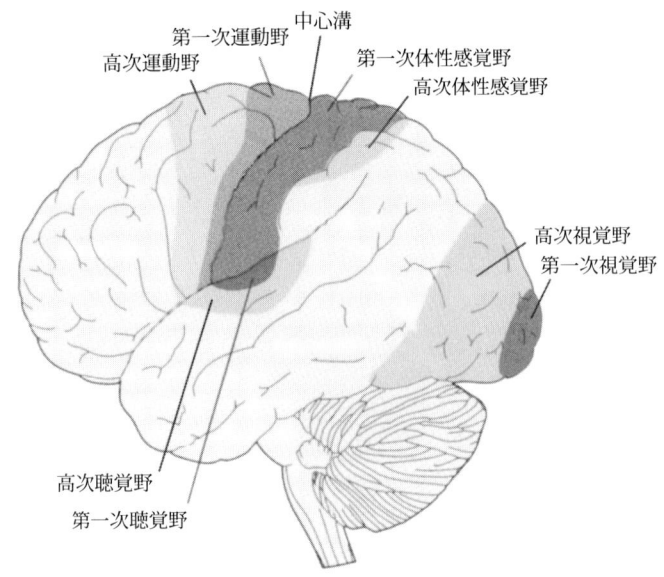

図 1.3 大脳皮質のいくつかの領野
表示の便宜のためにを濃淡を付けてある．

対し，前頭葉には筋肉を動かす運動性の領野がある．前頭葉の一番後ろ，中心溝の前壁から表面には第一次運動野がある．第一次運動野には，軸索を脊髄まで伸ばし脊髄運動細胞に結合する錐体路細胞が多数存在する．第一次運動野の前には第一次運動野への結合によって間接的に運動を制御する高次運動野がある．

第一次および高次の感覚性領野と運動性領野以外の側頭葉，頭頂葉，前頭葉の領域は大脳連合野と呼ばれる．大脳連合野は異なる感覚モダリティーの情報の統合や，高次感覚領野や高次運動領野よりもさらに高次の機能を行う．前頭連合野は前頭前野とも呼ばれる．

1.4 神経細胞とシナプス

ヒトの脳神経系には約 1000 億個の神経細胞が存在し，神経細胞の間の結合であるシナプスの数は 10 兆個を超える．神経細胞は電気信号を発し，シナプスでは化学的なプロセスで信号を伝え合う．1000 億個や 10 兆個はとんでもなく

大きな数であり，そこに脳の優れた機能を生み出す1つの秘密がある．しかし逆にいえば，1000億個の神経細胞が10兆個のシナプスによって電気信号を伝え合うことが脳のすべてである．この過程からどうやって，私たちが外界を知覚し，はたらきかけ，思考し，感動するなどの精神過程が生まれてくるのだろうか．

1.4.1　神経細胞のかたちとはたらき

　神経細胞（ニューロン）は多くの突起を持つ（図1.4）．これらの突起の中で出力を伝える軸索は1本だけで，他の突起は他の神経細胞からの入力を受ける樹状突起である．軸索は根元では1本であるが，途中でいくつにも枝分かれする．軸索末端は他の神経細胞の樹状突起（または細胞体）に接し，シナプスと呼ばれる構造をつくる．神経細胞の信号はシナプスによって他の神経細胞へ伝えられる．軸索の長さはさまざまである．第一次運動野の5層にある錐体細胞は脊髄まで軸索を送る．数百 μm 程度の短い軸索だけを持つ神経細胞もある．

　神経細胞のかたちはさまざまである．大脳皮質の神経細胞は，錐体細胞と非錐体細胞に分けられる．錐体細胞の名前の由来は細胞体のかたちであり，錐体型をしている．錐体のてっぺんから根元は1本の尖頭樹状突起が伸び，錐体の

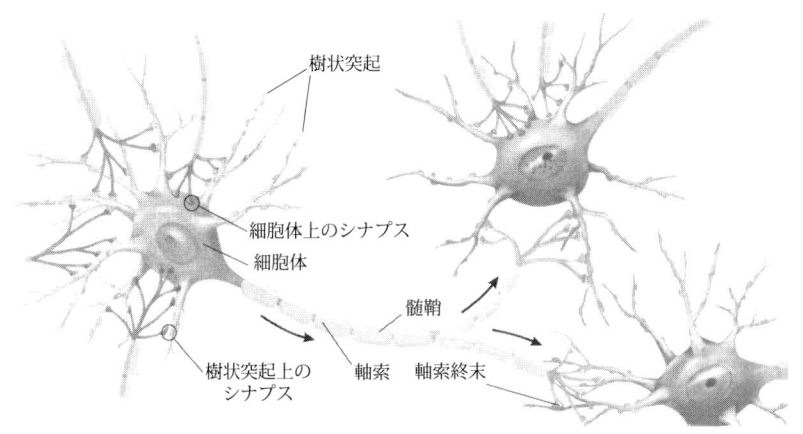

図 1.4　神経細胞とシナプス
神経細胞の表示の便宜のために濃淡を付けてある．細胞体は突起に比べてずっと拡大して示してある．

底部から複数本の基底樹状突起が伸びる．錐体細胞は，大脳皮質の他の領野または皮質下の脳部位へ軸索を送るという意味で，局所神経回路からの出力細胞である．錐体細胞以外の非錐体細胞は，軸索を 2, 3 mm 以下の局所にだけ送る介在細胞である．大脳皮質の介在細胞の形態的特徴はさまざまである．

大脳皮質，海馬皮質，小脳皮質は層構造をしている．層ごとに存在する神経細胞の形態的特徴が異なる．海馬皮質と小脳皮質の場合は，層によってまったく異なる種類の神経細胞が存在し，層の境界がはっきりしているが，大脳皮質の層の間の違いは相対的であり，層の境界もぼやっとしていることが多い．

1.4.2 活動電位とは

神経細胞は，電気信号によって情報を伝える．神経細胞を囲む細胞膜には，いろいろなイオンをそれぞれ選択的に透過するたくさんの種類のイオンチャネルが埋め込まれている．このイオンチャネルのはたらきで，神経細胞の中の電位は細胞外の電位に比べて約 70 mV 負に保たれている（静止膜電位）．

軸索には，活動電位という一定の形をした電位変化を伝えるイオンチャネルのしくみがある．活動電位は，約 1 ms（ミリ秒）の時間経過と約 100 mV の振幅を持った一過性の信号である．膜電位がある一定の値（閾値）を超えて正の側に振れると，膜電位に依存したナトリウムイオンチャネルが開き，ナトリウムイオンの流入によって膜電位がさらに正の側に振れる．つづいて膜電位依存的カリウムチャネルが開き，カリウムイオンの流出およびナトリウムチャネルの不活性化によって膜電位が元の静止膜電位に戻っていく（図 1.5）．神経スパイクや神経インパルスは活動電位の俗語である．また，活動電位が生じることを神経細胞が「発火する」，または「活動電位を発射する」という言い方をすることもよくある．

ある軸索の部位で起こった活動電位に起因する電流は，軸索の隣の部位に受動的（電気緊張的）に流れて，その部位の膜電位を正にずらし，活動電位を引き起こす．このように，活動電位が軸索の隣り合った部位に次々と引き起こされ，細胞体から軸索末端へ向かって進行していく．

1.4.3 シナプスのかたちとはたらき

活動電位が軸索末端まで伝わると，シナプスによって次の神経細胞に電気信

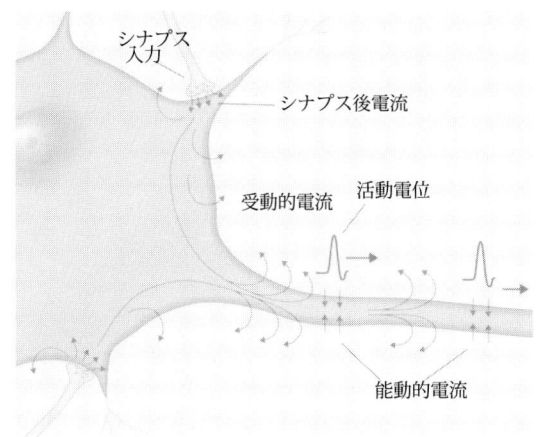

図 1.5　シナプス電位と活動電位

号が伝えられる．シナプスでは化学的な過程によって信号が伝達される．軸索末端に活動電位が引き起こされると，シナプス小胞が生体膜に融合した後，細胞外に向けて開口し，中に溜まっていた伝達物質がシナプス間隙に放出される．入力を受ける側の神経細胞（シナプス後細胞）のシナプス直下の生体膜には，伝達物質のレセプター（受容器）がたくさん埋め込まれている．レセプターに伝達物質がくっつくと，レセプターは形態変化を起こして，特定のイオンの透過性を上昇させる．この選択的イオン透過性上昇によって，シナプス後細胞のシナプス直下の部位にシナプス後電位が引き起こされる．興奮性のシナプスでは，シナプス後電位は正の極性を持つ．

シナプス後電位が受動的（電気緊張的）に軸索の細胞体に一番近い部位に伝わって，膜電位が閾値を超えると活動電位が引き起こされる．引き起こされた活動電位は軸索を伝わっていく．

シナプス電位は 10 ms 以上のゆっくりした時間経過を持つ．1 つの神経細胞の樹状突起と細胞体には 1000 個以上のシナプスがあり，複数のシナプスでシナプス電位が引き起こされる．異なるシナプスで引き起こされた多くのシナプス電位の影響が足し合わさって，活動電位が引き起こされるかどうかが決定される．

シナプスには興奮性シナプスと抑制性シナプスがある．興奮性シナプスは正のシナプス電位を引き起こすが，抑制性シナプスは負のシナプス電位を引き起

こす．抑制性シナプスは興奮性シナプスのはたらきを打ち消すことによってはたらく．抑制性シナプスには，静止膜電位に膜電位を短絡することによって興奮性シナプスのはたらきを打ち消すものもある．

中枢神経系におけるほとんどの興奮性シナプスの伝達物質はグルタミン酸であり，ほとんどの抑制性シナプスの伝達物質は γ アミノ酸である．1つの神経細胞は，基本的には，どの軸索末端でも同じ伝達物質を放出する．したがって，神経細胞はグルタミン酸を放出する興奮性の神経細胞と，γ アミノ酸を放出する抑制性の神経細胞に二分される．

脳幹の核から大脳皮質を含む脳の広い領域に軸索を送る投射系がある．これらの投射系の神経細胞はそれぞれ独特の伝達物質を放出する．前脳基底部に始まりアセチルコリンを放出する投射系，大脳基底核の黒質緻密部とそのすぐ腹側の腹側被蓋部に始まりドーパミンを放出する投射系，青斑核に始まりノルアドレナリンを放出する投射系，縫線核に始まりセロトニンを放出する投射系などがある．これらの投射系は，グルタミン酸と γ アミノ酸による信号伝達や可塑性を調整する特殊な役割を果たしていると考えられている．

1.4.4　情報のコード

感覚系の大脳皮質では，入力がない状態では神経細胞の活動電位発射頻度は低く（たとえば1回/秒程度），強い刺激が入力されると，たとえば50回/秒程度まで頻度が上がる．また，筋肉を駆動する脊髄の運動細胞，およびこれにシナプス1個で興奮結合する第一次運動野の錐体細胞は，筋肉が収縮する直前から収縮中にかけて高頻度に活動電位を発射する．筋肉の収縮の強さと錐体細胞の活動電位発射頻度の間には正の相関がある．そこで，脳神経系では活動電位の発射頻度が情報を伝えているとする考えが一般的である．高頻度の活動電位発射を引き起こす情報の内容は神経細胞ごとにさまざまであるので，この考えは，高頻度発射がどの神経細胞群に起こっているかという空間的なパターンが情報を伝えているとする考えにもなる．高頻度の活動電位発射がいつ開始し終わるかという時間情報ももちろん重要である．

これに対して，活動電位発射の細かい時間パターンによってもまた情報が伝えられている（たとえば，刺激開始後 40, 55, 70 ms に活動電位が起こるのと，40, 60, 70 ms に活動電位が起こるのでは，別の情報を伝える可能性を考える）

とする考えもある．しかし，1個のシナプスにより細胞体に引き起こされる電位変化の大きさは一般に小さく，同じシナプス，および異なる複数のシナプスに起因する電位変化がたくさん重なり合ってはじめて活動電位の閾値を超えることが多い．このようなシナプスの性質を鑑みると，活動電位発射の正確な時間パターンがシナプスを越えて伝わっていくことは考えにくい．

この難点を解決するために，たくさんの神経細胞に活動電位の発射が同期して起こり，シナプスを経て次の別の神経細胞集団に同期した活動電位発射を引き起こす．これを繰り返して，活動電位の同期発射が異なる神経細胞集団をまわっていくという同期発火連鎖 (syn-fire-chain) が起こり，情報を伝えるという考えも提案されている．しかし，その証拠はまだ少ない．

1.5 脳科学の方法

神経細胞とシナプスに関する基礎知識を解説し終わったところで，次に脳科学の方法論を概観する．科学的結論はそれを検証する方法があってはじめて意味がある．検証する方法のない結論は，それがどんなに美しい体系をなしていても，科学の一部ではありえない．脳神経系が深い階層性を持つことに対応して，脳科学の方法は多岐にわたる．

1.5.1 生化学的方法

神経細胞が複雑な分子機械であることを反映して，脳科学においては生化学的方法が重要な方法である．特定の脳部位で発現している遺伝子を特定するために特定の RNA の量を測ったり，特定の酵素の阻害剤を投与したときの特定のタンパク質の量を測ったりする．

1.5.2 形態学的方法・トレーシング法

神経細胞を染色していろいろな種類の神経細胞の形態および局所神経回路の形態的特徴を調べることに加えて，マクロおよびミリのレベルでの神経結合を調べる方法が神経回路と経路の基本的な性質を決めるうえで重要な働きをしてきた．神経結合を調べるにはトレーサー剤を用いる．脳組織に注入されたトレーサー剤は神経細胞に取り込まれ，軸索を経由する物質輸送によって軸索を順行

性(細胞体から軸索末端へ)または逆行性(軸索末端から細胞体へ)に運ばれる.蛍光物質で標識されたトレーサー剤を使う場合は蛍光顕微鏡による観察によって,また免疫組織化学的方法でトレーサー剤を間接的に標識して顕微鏡で観察することにより,トレーサー注入部位に結合する神経細胞の細胞体あるいは軸索末端を観察する.

1.5.3 微小電極法

神経細胞の電気信号は脳の中に細い先端の微小電極を刺入して記録することができる(図1.6).微小電極は,先端を細くしたガラス管に電解質溶液を満たしたものや,タングステンなどの金属線の先端を電解研磨で細くし,絶縁剤を塗った後,先端だけ絶縁を剥がしたものなどが使われる.細胞の中まで微小電極の先端を刺入して細胞内の電位を記録する場合(細胞内記録法)と,1つの細胞の近傍まで先端を近づけて活動電位の減衰した信号を記録する場合(細胞外記録法)がある.ガラス管電極に引圧を与えて外から細胞膜を吸い付け,さらに吸い付けた膜を破って細胞内の電位を記録する方法は特にパッチ記録法と呼ばれる.

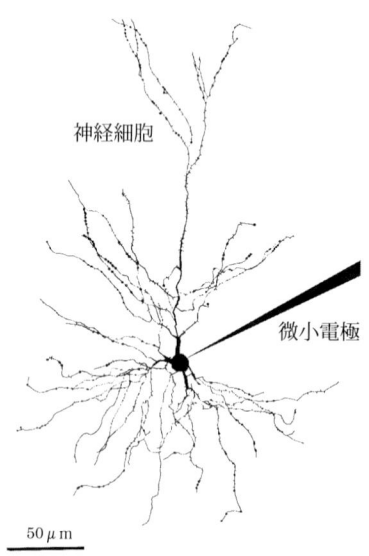

図 1.6 微小電極法

微小電極による神経細胞の活動記録は，回路，シナプスの性質，機能の調査などに用いられる．入力の元にある部位や入力経路の神経線維を電極で電気刺激し，引き起こされる細胞内電位変化を観察することで，入力からその神経細胞への結合の「ある/なし」と経路にあるシナプスの数などを決めることができる．入力経路の電気刺激を高頻度で行うことによるシナプス信号伝達効率の変化を調べることもできる．また，技術的にはずっと困難であるが，互いに近くにある複数の細胞から細胞内記録を行い，それらの間の神経結合を調べる研究も行われている．

局所回路の配線を決める実験，またシナプスの性質を調べる実験は，脳の薄い（たとえば $300\,\mu m$ の厚みの）切片で，あるいは麻酔した実験動物全体の標本で行うことが多い．これに対し，無麻酔の実験動物に特定の行動課題を訓練し，課題遂行中に神経細胞の活動を細胞外記録する実験によって，特定の脳部位が行動の中で行う機能を推定する研究も行われている．最近では，微小電極の配列を刺入して，同時に多くの神経細胞の活動を記録する研究も盛んになりつつある．

1.5.4 光イメージング法

微小電極配列による記録の場合よりもさらに多くの神経細胞の活動を同時に記録するためには，細胞イメージング法が用いられる．細胞内電位に依存して蛍光を発生する色素を組織に加えておき，蛍光を2次元的に測定する方法がよく用いられる．培養細胞の系に適用すれば1つずつの神経細胞を見分けることができる．スライス標本あるいは動物全体の標本であっても，共焦点顕微鏡や二光子顕微鏡を使えば1つの神経細胞を見分けることができる．

個々の神経細胞の活動を分離しなくても，脳組織の中にある神経細胞の平均的活動の空間分布をイメージング法で計測することにより，大脳皮質などのコラム構造などの $100\,\mu m$ から $1\,mm$ の間を単位とした機能構造を調べることができる．またこのような空間精度での計測の場合は，色素を用いずに神経細胞の活動レベルの変化に伴う毛細血管内のヘモグロビンの酸素結合度の変化など内因性の信号を光計測する方法も用いられる（内因性信号イメージング法）．内因性信号イメージング法の長所は色素の毒性による脳組織への影響が少ないことである．

1.5.5 非侵襲計測法

ヒトの脳活動は，頭皮の外から非侵襲的に記録する非侵襲計測法で記録する．古くから脳波の測定が行われてきた．神経細胞の電気活動は基本的には細胞外の組織を等方向性に伝わり，神経細胞間で打ち消し合うために頭皮の外から記録することはできない．しかし，大脳皮質の錐体細胞のように同じ方向に大きな樹状突起を伸ばした神経細胞が並んで存在する場合は，シナプス電位が細胞外に引き起こす電流がある程度一定の方向に流れる．このように何らかの理由で異方向性がある場合には，神経細胞集団の活動の上昇に伴って 1 mm 程度の空間を単位として局所電流が流れ，その影響を頭皮の外から測ることができる．局所電流は磁界を引き起こすので，頭皮の外から磁場変化を測る脳磁測定も行われている．骨は伝導性は低いが磁気的には透明である．そのため，脳波測定より脳磁測定の方が，信号の減衰が少なく，測定感度も高い．いずれの場合も頭皮上での測定から信号源の位置と分布を決めることは複雑な問題であり，議論がつきまとう．

脳波測定と脳磁測定が神経細胞集団の電気的活動そのものを測るのに対し，神経細胞集団の活動変化が引き起こす局所的な脳血流量変化を測定する方法も行われている．最初に陽電子放出断層撮影 (positron emission tomography: PET) という方法が開発された．PET では，陽子（ポジトロン）を発生する放射性同位元素を血管に注射して，脳組織に流れ込んだ陽子が電子と衝突するときに発生するガンマ線の対を検出して像を構成する．その後，磁気共鳴画像装置を用いる機能的磁気共鳴画像法 (fMRI) が開発され広く普及した．いくつかある機能的磁気共鳴画像法の測定原理のうちで，最もよく使われているのは血液酸化度レベル測定法（BOLD 法）である．BOLD 法では，局所脳血流量の増加によって毛細血管およびその下流の静脈内の血液の脱酸素ヘモグロビンの濃度が減少し，それに伴ってプロトンの磁気共鳴信号が増大することを利用する．

神経細胞集団の活動の増加が局所脳血流量の増加をもたらすメカニズムはまだ十分に明らかにされていない．神経細胞活動の局所平均値が，グリア細胞または特殊な神経結合によって，動脈が毛細血管に分かれるすぐ前の細動脈の周りを囲む筋肉に伝わり，この筋肉が弛緩して血管が広がり，局所的に血液流量が増加すると考えられている．毛細血管にも血流量を調整するメカニズムがあ

るとする説もある．PETと機能的磁気共鳴画像法では信号源の位置と空間分布の決定に原理的な問題はない．機能的磁気共鳴画像法は，現在ある非侵襲計測法のなかでは最も空間分解能が高い．しかし，神経細胞集団の活動変化が局所脳血流量変化に反映されるまでに1秒以上の時間がかかるために，時間分解能は脳波計測や脳磁計測に劣る．

1.5.6 遺伝子操作法

　遺伝子操作技術の進歩によって特定の機能タンパク質をコードする遺伝子を欠落させたミュータント動物を比較的容易につくることができるようになった．しかし，遺伝子操作技術が確立している動物種は限られていて，マウスが最もヒトに近い種である．ミュータント動物のいろいろな行動課題での行動を正常動物と比較したり，脳切片でのシナプスの性質を比較したりすることにより，欠落させたタンパク質の回路および行動上の機能を調べることができる．遺伝子発現の性質を利用して，特定の脳部位さらに特定のタイプの神経細胞にだけ変位遺伝子を発現させる場所特異的遺伝子操作技術，さらに個体発生の終わった後の特定の時期にだけ変位遺伝子を発現させる時間特異的遺伝子操作技術も発達しつつある．また，標的動物の操作遺伝子の導入したウイルスを成体の動物の脳に感染させ，操作遺伝子を導入する方法が開発され，サルなどの大型動物での遺伝子発現を操作することもできるようになりつつある．

　この他，脳科学には多くの方法が用いられる．心理学的方法，行動学的方法は心を科学する脳科学には基本的な方法で，微小電極，光イメージング，非侵襲計測法による測定では心理学的・行動学的な枠組みの中で測定を行う．遺伝子操作の効果も行動学的な枠組みの中ではじめて評価できる．複雑な階層的構造をした脳神経系を解析するには理論的考察の果たす役割が他の生物学分野よりずっと大きい．理論的考察の検討のためにシミュレーションを行う必要もある．そして，脳科学が進めば進むほど，いろいろな技術の統合が必要になる研究場面が増えている．ブレークスルーのためには新しい実験技術の開発が必要である．

第2章

知覚・認識・選択的注意

　私たちは外界にある多種多様の物体を見て一瞬のうちに認識することができる．これはすごい能力である．本章ではこのような素晴らしい視覚システムの能力のしくみを脳の中に探る．本章では感覚システムの代表として視覚システムを取り上げる．聴覚，体性感覚，嗅覚など他の感覚系の情報処理メカニズムは，それぞれの刺激モダリティーの物理的特徴や情報の使われ方を反映して少しずつ異なるが，基本原理は相当に共通である．視覚システムを取り上げるのは，一番研究が進んでいるのが，視覚システムだからである．

　視覚システムの入り口である網膜では，視細胞によって受容された明るさと色の2次元像から，物体の知覚のために有用な空間コントラストを抽出する．網膜で抽出された視野の各点における空間コントラストは，後の処理の出発点となる要素情報である．視覚情報が大脳皮質へ伝わると情報の統合が進む．まず，第一次視覚野では，視野の各点での空間コントラストが統合されて特定の傾きの輪郭が検出される．高次視覚野では情報の統合がさらに進み，1つ1つの神経細胞が，動物にとってより直接に意味をもつ特徴に対応して活動する．

　視覚システムでは，侵襲的実験法を使えるサルでの研究がヒトでの研究に比べてはるかに進んでいるので，特に断りのない限りマカク属サルでの結果で内容を統一した．マカク属サルは侵襲的実験法を適用することのできる実験動物の中で最もヒトに近い種である．本章では主に形と動きを使って脳における情報処理の原理を述べる．色覚や左右眼視差の検出と表出についての詳説はしない．

　感覚システムでの情報処理は基本的には並列に進み，入力されたすべての情報は高次感覚野に到達する．しかし，日常生活の中で受け続ける莫大な感覚刺激のすべてが，行動に影響を与えたり，記憶されたりするわけではない．受容された情報の一部が選ばれ，より深い処理に入っていく．本章の後半では選択

的注意の知覚・認識に対する影響と選択的注意のメカニズムを検討する．選択的注意に関する研究については，ヒトでの研究がよく進んでいるので，特に断りのない限りはヒトでの結果で内容を統一した．

それでは，網膜と第一次視覚野における要素情報の抽出過程からみることにしよう．

2.1 要素情報の抽出

網膜の神経回路では視野の各点における空間コントラストが検出され，2次元に広がった神経節細胞の活動により，視野の各点における空間コントラストの有無と方向を脳へ伝える．空間コントラストの分布は脳での視覚情報統合の出発点である．第一次視覚野では点から線を構成して，特定の傾きの輪郭が神経細胞活動により表出される．点から線を構成したという点ではすでに情報の統合が始まっている．しかし，視野の各点での輪郭は，その後の情報処理のかなり共通した要素であるという意味では，輪郭の抽出までを要素情報抽出の過程と捉えることもできる．この節では，網膜における空間コントラスト抽出のしくみ，第一次視覚野における特定の傾きの輪郭の抽出のしくみを中心に，網膜と第一次視覚野における情報処理を見る．

2.1.1 網膜での空間コントラストの検出

視覚入力は眼球の網膜で受容される（図 2.1(a)）．網膜は眼球の底に広がっている．光は瞳孔を通って眼球に入力し，外界の像はレンズで網膜に結像する．瞳孔は虹彩の穴で，虹彩を構成する筋肉が伸び縮みすることによって瞳孔の大きさが変わり，眼球に入る光の量が調整される．カメラでいえば，虹彩は絞りである．レンズは周りから筋肉で引っ張られていて，厚みが変わることにより，異なった距離にある物体の像に焦点を合わせる．網膜の中の一番奥に位置する視細胞が光を電気信号に変える（図 2.1(a)）．光が当たるとロドプシンなどの視物質が化学変化を起こし，膜の性質が変わって細胞内の電位に変化が生じる．脊椎動物では，視細胞に生じた電気信号は双極細胞を経由して神経節細胞へ伝えられ，神経節細胞の軸索によって脳へ伝えられる（図 2.1(b)）．神経節細胞が網膜の出力細胞である．網膜には視細胞，双極細胞，神経節細胞の他に水平細

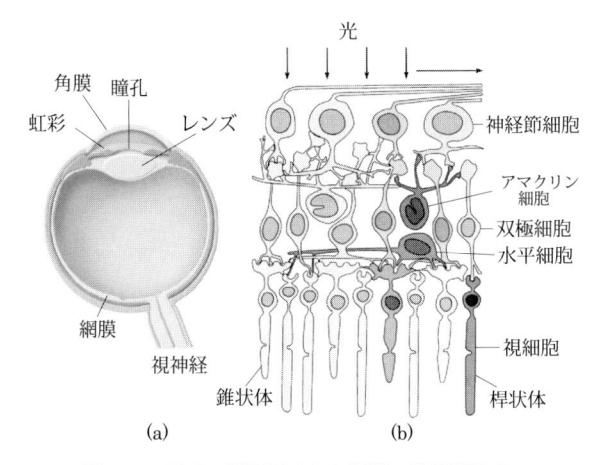

図 2.1 眼球の断面図 (a) と網膜の神経回路 (b)

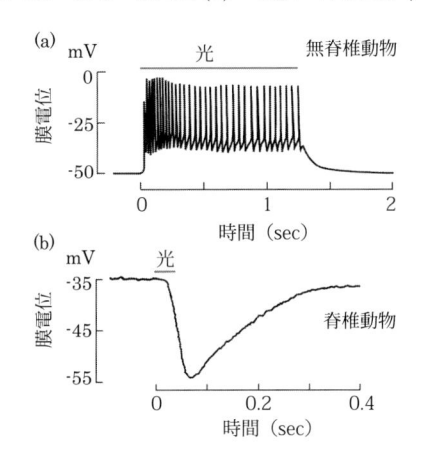

図 2.2 光の照射により視細胞に引き起こされる反応
無脊椎動物の場合は正の電位と活動電位が起きる (a)，脊椎動物の場合は負の電位が起きる (b)．

胞とアマクリン細胞がある（図 2.1(b)）．水平細胞とアマクリン細胞は網膜の中で横方向に突起を伸ばし，横方向での情報処理に関わっている．

　無脊椎動物では網膜の神経回路は存在せず，視細胞が軸索を直接脳へ送る．光が当たると無脊椎動物の視細胞は脱分極して正の方向の電位を生じ，活動電位を引き起こす（図 2.2(a)）．脊椎動物の視細胞は光が当たると過分極して負の電位を生じる．無脊椎動物の場合と異なり視細胞は活動電位を発生しない（図 2.2(b)）．

脊椎動物では視細胞は脳へ軸索を送らない．網膜の神経回路を経て，網膜神経回路の出力細胞である神経節細胞が軸索を脳へ送る．網膜の神経回路の最も重要な機能は明るさの空間コントラストを検出することである．まず，神経節細胞の光刺激に対する反応を調べることによって，空間コントラストの検出とは何かを見る．神経節細胞は，空間コントラストを持たない刺激，すなわち光が視野の広い部分を一様に照らすような刺激が与えられてもほとんど反応しない．視野の一部が周りより明るい，または暗い刺激に強く反応する．

刺激がその神経細胞の活動に影響を与えることのできる視野の範囲を受容野と呼ぶ．神経節細胞の受容野にはオン中心型のものとオフ中心型の2種類がある（図2.3；Kuffler, 1953）．オン中心型の受容野を持った神経節細胞の場合は，受容野の中心部だけを光で照らすと活動電位の発射頻度が増加し，光を消した後では活動電位の発射が一時的に止まる（図2.4(a)）．受容野の周辺部のリング状の領域を光で照らすと活動電位発射が抑制されて止まり，光を消した後で一

(a) オン中心型受容野　　(b) オフ中心型受容野

図 **2.3**　オン中心型の受容野とオフ中心型の受容野

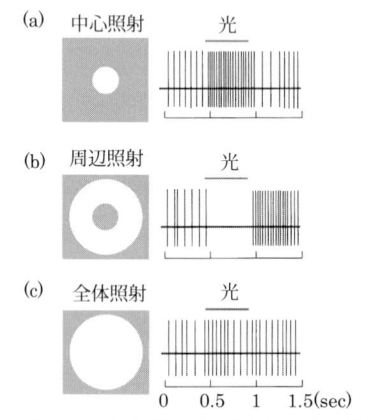

図 **2.4**　光照射により，オン中心型の受容野を持った網膜神経節細胞に引き起こされる反応
受容野中心部への光スポットの照射はオン反応 (a)，受容野周辺部への光リングの照射はオフ反応 (b) を引き起こす．受容野全体への光照射は反応を引き起こさない (c)．

時的に増加する（図2.4(b)）．このように，受容野の中心部と周辺部で反応の方向が逆である．受容野全体を光で照らすと，受容野中心部からの影響と周辺部からの影響が互いに打ち消し合うために，反応がほとんど生じない（図2.4(c)）．

　光を照射している間に活動電位の発射頻度が増加する反応をオン反応と呼ぶ．受容野中心部でオン反応の引き起こされることが，オン中心型という名前の意味である．オフ中心型の受容野は正反対の構造を持っている（図2.3(b)）．オフ中心型の受容野の細胞は受容野中心部を照らした光を消したときに活動電位を発射するが，背景より暗い点が受容野中心部に現れたときも活動電位を発射する．オン中心型の細胞は背景より明るい点を検出し，オフ中心型の細胞は背景より暗い点を検出する．

　このような受容野中心部と周辺部が互いの影響を打ち消し合う拮抗作用は視細胞にはない．視細胞はただ網膜のその部分に到達した光の強さを反映した電位を生じるだけで，周りの部分の明るさには影響されない．

　図2.1で見たように視細胞は双極細胞にシナプス結合し，双極細胞が神経節細胞にシナプス結合する．この縦の結合経路は横に広がっておらず，神経節細胞はほとんど1つの視細胞とだけつながっている．この縦の結合が，神経節細胞の受容野中心部を構成する．網膜にはこの縦の結合経路の他に，水平細胞とアマクリン細胞による横方向に広がった結合がある．視細胞は双極細胞だけでなく，水平細胞にもシナプス結合する．水平細胞は横方向に広がった突起によって多くの視細胞から入力を受け，網膜の広い部分に広がった光に強く反応する．水平細胞は視細胞が双極細胞に結合する突起の部分に抑制性に結合していて，視細胞から双極細胞への信号伝達を抑制する（図2.5）．この水平細胞からの影響が受容野周辺部のはたらきのもとである．

　自然界では隣り合った点は物理的に同じ性質を持つことが多く，そこから反射される光の性質も同じであることが多い．性質に変化が起こり，反射光に変化が起こる点は少ない．そこで視野の各点の明るさで視野の情報を表現するやり方には無駄が多い．変化のある点だけを表示するほうが効率的である．網膜の神経回路が，視野の各点の明るさを空間コントラストに変換するのは，眼から脳へ送る情報を圧縮する意味がある．ヒトなど色覚を持った動物種の網膜には異なった光波長に感受性を持った3種類の錐状体があり（図2.6），網膜の神経回路は色のコントラストをも検出して，神経節細胞の活動により脳へ伝える．

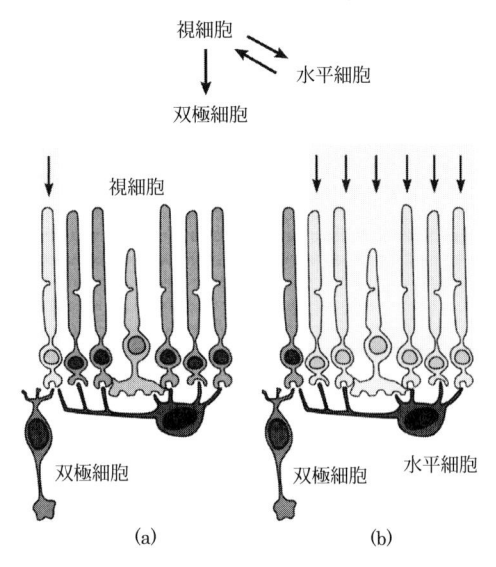

図 2.5 受容野中心部と周辺部を伝える神経回路
視細胞から双極細胞への縦の結合が受容野中心部の反応を双極細胞へ伝える (a). 水平細胞が受容野周辺部の広い範囲の視細胞の信号を集め, 受容野中心部の視細胞の軸索末端に抑制性結合することによって, 受容野周辺部の反応を双極細胞へ伝える (b).

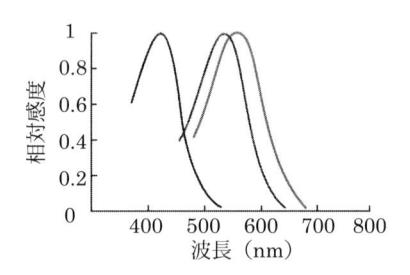

図 2.6 ヒトやサルの網膜にある 3 種類の錐状体 (視覚細胞の一種) の波長・感度曲線

受容野中心部と周辺部の間の拮抗作用による空間コントラストの検出は進化の過程で自然界に順応し, 効率的に情報を脳へ伝えるようになったものと考えられる. しかし, 視覚環境は一定ではない. たとえば, 森の中にいるときと砂漠の中にいるときでは背景の物理的特徴がかなり異なる. 背景と異なる物体を検出するためには, 背景に順応し, 背景と異なる物理特性を持った刺激により

強く反応すると有利である．サンショウウオとウサギの網膜を使った実験では，網膜神経節細胞の反応に，空間周波数成分，縦縞と横縞，時間周波数成分に特異的な順応が起こることが示された．これらの順応は，どうやらアマクリン細胞のはたらきによって起こるらしい．

2.1.2 大脳の第一次視覚野における輪郭の検出

網膜神経節細胞の軸索は視床の外側膝状体へ投射し，シナプスを介した後，後頭葉の主に内側面に位置する第一次視覚野へ投射する．網膜から第一次視覚野への結合では，網膜での幾何学的位置関係が結合先の第一次視覚野の上で保存される規則性がある．そのために神経細胞の受容野の視野の中での位置によって，第一次視覚野には視野のマップが表現されていると考えることができる．図 2.7 はヒトの第一次視覚野の視野マップを示す．左半球の第一次視覚野には右視野がマップされ，右半球の第一次視覚野には左視野がマップされている．視野の中心部は後ろにマップされ，周辺部は内側面に沿って前にマップされる．視野の上半分は脳の下に，視野の下半分は脳の上にマップされる．

第一次視覚野の視野マップの特徴の 1 つは，視野の中心部の脳の上で不均等に大きな領域を占めてマップされていることである (Van Essen et al., 1984)．視野中心部は物体の弁別のために重要で，また実際に私たちの視力，空間分解

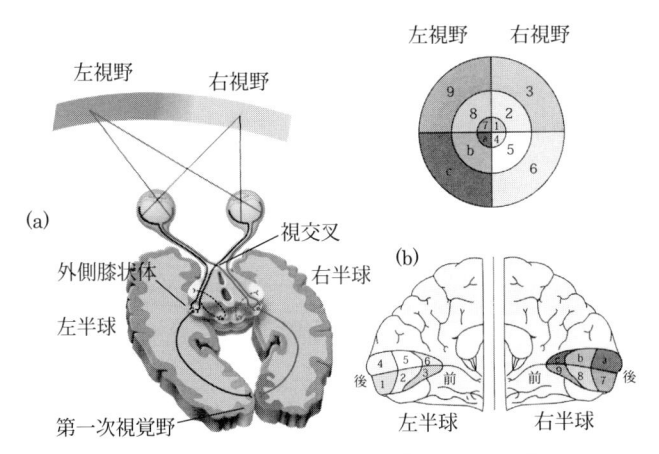

図 2.7 視野のヒト第一次視覚野へのマップ
(a) は脳と眼球の水平断面．(b) は脳半球後部を内側から見た図．

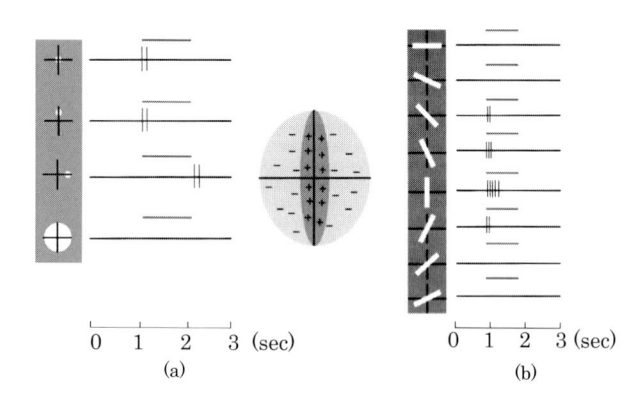

図 2.8 第一次視覚野の単純型受容野の一例
刺激と活動電位発射の反応を対で示す．真ん中の受容野の中の + はオン領域を，− はオフ領域を示す．

能は視野中心部の方が周辺部より高いことと対応している．

　第一次視覚野の神経細胞は特定の方向に伸びた細長い光のスリットに強く反応する (Hubel & Wiesel, 1962)．たとえば縦のスリットに反応する細胞の図 2.8 の左に示した神経細胞の場合は，小さい光スポットがオン反応（光を点けたときに活動電位発射が出る反応）を引き起こす視野部位は縦に細く伸びていて，その両脇では光スポットはオフ反応を引き起こす（図 2.8(a)）．受容野全体を含む大きい光スポットでは反応は生じない（図 2.8(a)）．オン反応を引き起こすオン領域にピタリとはまるように縦の光スリットを提示すると，光スポットによる反応よりもずっと強い反応が引き起こされる（図 2.8(b)）．斜めまたは横のスリットはオン領域とオフ領域のそれぞれ一部ずつ刺激するので，それぞれの影響が打ち消し合って反応が出ないと考えられている（図 2.8(b)）．このように，第一次視覚野の細胞の反応は刺激の傾き，方位に選択的である（方位選択性）．

　図 2.8 に示したような真ん中にオン領域があってその左右にオフ領域がある受容野の他に，真ん中にオフ領域のある受容野（図 2.9(a)），また左にオン領域，右にオフ領域がある受容野もある（図 2.9(b)）．図 2.9(a) の受容野を持った細胞を一番強く活動させる刺激は背景より暗い縦棒で，図 2.9(b) の受容野を持った細胞を一番強く活動させる刺激，最適刺激は明るい領域と暗い領域が左右に接しあったエッジである．この図では縦に伸びた刺激に反応する細胞の受容野だけを示しているが，すべての方位の刺激にそれぞれ反応する細胞が第一次視

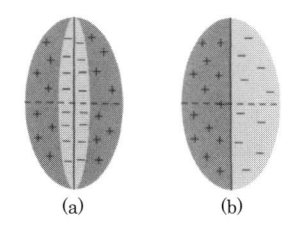

図 **2.9** 単純型受容野の他の 2 例

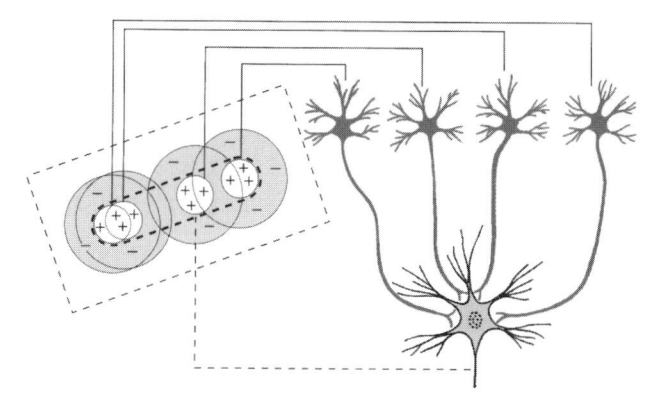

図 **2.10** 同心円状の受容野から単純型受容野をつくる結合のモデル
同心円状の受容野は第一次視覚野の第 IVC 層の細胞，または外側膝状体の細胞を想定する．

覚野にはある．

　同心円型の網膜神経節細胞の受容野から，どのようにしてオン領域とオフ領域が特定の方位に伸びた第一次視覚野の受容野がつくられるのだろうか．外側膝状体での中継ではほとんど新しい受容野の性質は付け加わらず，外側膝状体の細胞は網膜神経節細胞と同じ同心円型の受容野を持っている (Hubel & Wiesel, 1961)．特定の方向に伸びた受容野の基礎は，外側膝状体細胞から第一次視覚野細胞への結合の集まり，収束にあるとするモデルが提案されている．視野の中で 1 つの方向に少しずつずれた位置にオン中心部を持つ数個の外側膝状体細胞から入力を集めて受ける細胞は，細長いオン領域とその両脇をオフ領域が囲む受容野を持つことになる（図 2.10）．外側膝状体細胞の集め方を変えれば，前の図に示したいろいろな空間配置の受容野をつくることができる．このモデルはまだ証明されたわけではないが，有力な説である．

　図 2.8 から図 2.10 に示した第一次視覚野の受容野はオン領域とオフ領域が分

かれている．このような受容野を持った神経細胞は，外側膝状体からの入力が強く入る第 IV 層と第 III 層下部に多い．このようにオン領域とオフ領域が分かれる受容野は，単純型受容野と名づけられた．これとは別に，受容野のどこにスリットを提示してもオン反応とオフ反応の両方が生じる受容野もある．受容野全体が一様であるのに，スリットの傾きに対する選択性は持ち，受容野全体を覆う刺激ではほとんど反応しない．このような受容野は複雑型受容野と名づけられた．同じ傾きの，少しずつずれた位置のスリットに反応する，複数の単純型受容野の細胞が収束して結合することによって，複雑型受容野を持った細胞ができ上がるとするモデルが提唱されている．複雑型受容野を持った細胞は第 IV 層には少なく，第 IV 層以外の層に広く存在する (Gilbert, 1977).

　第一次視覚野には全体として視野がマップされているが，その中の一部を取り出してくると刺激の傾き，方位がマップされている (Hubel & Wiesel, 1977). 大脳皮質は 2 mm 程度の厚みを持った薄いシートで，厚み方向に 6 個の層から構成されている．大脳皮質の表面に垂直に 6 個の層を貫く細長い領域には同じ方位の刺激に反応する細胞が集まっている．この細長い領域を一般にコラムと呼び，同じ方位の刺激に反応する細胞が集まったコラムを方位コラムと呼ぶ．

　光計測法という計測方法で方位コラムの構造が詳しく調べられてきた．光計測法では血液の酸化度を測定することで神経細胞の平均的活動の度合いを測定する (Grinvald et al., 1988). 神経細胞の活動が増えるとエネルギーが消費され，酸素を使ってブドウ糖を分解してエネルギーを補う．酸素は血液の赤血球のヘモグロビンにより運ばれているので，神経細胞の活動が増えた脳の領域では毛細血管の中のヘモグロビンの酸素結合度が減少する．酸素を結合したヘモグロビンに比べて酸素を失ったヘモグロビンは赤い光をより多く吸収するので，赤い光で脳の表面を照らして反射光を測定すると，神経細胞の活動が増えた脳の領域は暗くなる．

　刺激の方位を変えながら神経細胞の平均的活動を光計測法で測定すると，異なった方位の刺激に反応する方位コラムの配置を調べることができる．図 2.11(b) はサルの第一次視覚野の一部の中での方位コラムの配置を示したものである．サルの第一次視覚野は後頭葉の内側面から外側面に広がっている．方位コラムは脳のところどころで風車型の構造をつくっている (Bonhoeffer & Grinvald, 1991). 似た方位に反応する方位コラムは隣り合った位置に位置して，風車の中

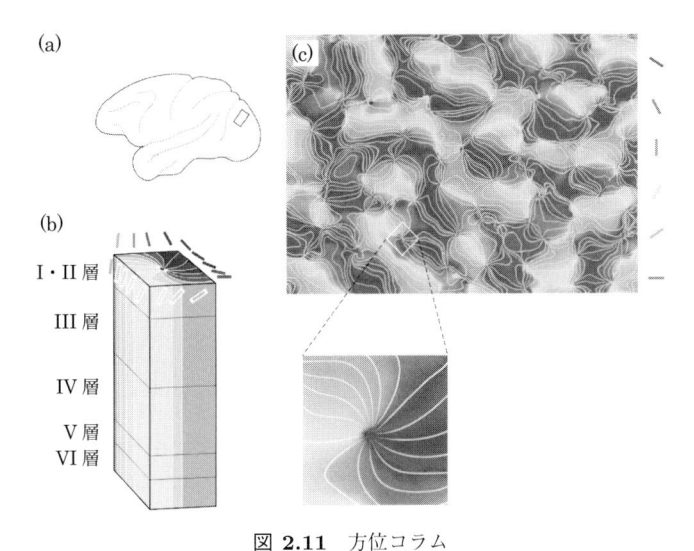

図 2.11 方位コラム
(a) の脳の四角の領域を拡大したのが (c). 脳の表面を上から眺める. (b) は風車中心を中心に 180 度の全方位をカバーする方位コラムの 1 セットを表す.

心の周りを 1 回転すると方位も 180 度回転する. 風車の中心の間隔は 1 ないし 2 mm である. 風車の中心を囲んだ幅約 1 mm の領域の細胞の受容野の位置はほとんど同じである. この 1 mm の領域は視野のこの部位における刺激の方位を表現するのに十分な神経細胞のセットを含んでいる (図 2.11(a)). 第一次視覚野には全体としては視野がマップされていて, 視野マップの単位である 1 mm 幅の領域には刺激の方位がマップされている.

2.2 情報の統合

　後頭葉の一番後ろに位置する第一次視覚野の前に, 高次の視覚領野があることは以前からわかっていたが, 領野の区分, 領野間の結合, 各領野の機能が明らかになってきたのは 1970 年以降のことである. いろいろなトレーサー法が開発され, 微小電極法による研究と相まって, 多くの領野が同定された (図 2.12). はじめは, 第一次視覚野から数個の領野へ結合があること, それらの領野の中で, 動きの方向, 輪郭の傾き, 色など異なって刺激側面に選択性を持つ細胞の比率が異なることから, 第一次視覚野に存在するいろいろな視覚情報が高次視覚

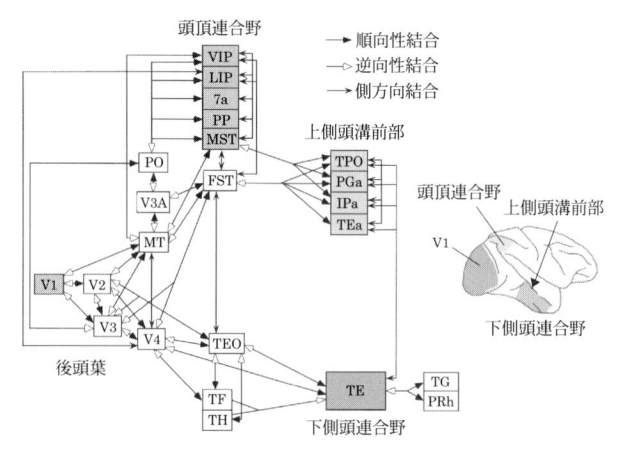

図 **2.12** マカク属サルの視覚領野とその間の結合
V1 は第一次視覚野.

野へ向けて分配されるという情報の分配が強調された．しかし，その後，第一次視覚野から始まり数個の領野をつなぐ結合連鎖が指摘され，その結合連鎖に沿って要素情報がだんだんに統合されている情報統合が強調されるようになった．本節では，主に，動きの方向と形について，情報統合のしくみを見る．

2.2.1 大脳の高次視覚野

大脳には第一次視覚野以外にもたくさんの視覚領野がある．これらの視覚領野は第一次視覚野から直接または間接に視覚情報を受け取り，より高次の情報処理を行う．図 2.12 はこれらの高次視覚野の略称を長方形の中に記し，その間の結合を線で記している (Felleman & Van Essen, 1991)．大脳の領野間の結合は双方向性であることが多い．しかし，第一次視覚野から遠ざかる方向の結合と，第一次視覚野へ戻ってくる方向の結合では，異なった特徴がある．第一次視覚野から遠ざかる方向の結合は，第 II，III 層の神経細胞に始まり，主に第 IV 層を中心に軸索終末が分布する．第一次視覚野へ戻ってくる方向の結合では，第 V，VI 層の神経細胞に始まり，第 IV 層以外の層に軸索終末が分布する (Rockland & Pandya, 1979; Maunsell & Van Essen, 1983)．

高次視覚野は外側膝状体からの線維投射は受けず，図 2.12 に示したような第一次視覚野からの結合連鎖によって視覚情報を受けると考えられている．しか

し，高次視覚は，視床の視床枕(ししょうちん)からは線維投射を受ける．第一次視覚野を含め，視覚領野の第 VI 層の神経細胞の一部は視床枕へ軸索を投射する．そこで，高次視覚野は，大脳皮質の領野をつなぐ皮質結合連鎖だけでなく，他の大脳視覚野から視床枕を通じて視覚情報を受け取る可能性もある．さらに視床枕には上丘からの結合もあるので，網膜—上丘—視床枕—高次視覚野という視覚情報の伝達経路もありうる．皮質結合連鎖と視床枕を経由する経路の役割分担はまだほとんどわかっていない．

第一次視覚野から始まる結合連鎖は，頭頂葉へ至る経路と側頭葉下部へ至る経路とに大きく分けることができる．第一次視覚野から頭頂葉へ至る経路は背側視覚経路，側頭葉下部へ至る経路は腹側視覚経路と呼ばれる．左右の頭頂連合野を破壊したサルは，一般に物体の間の位置関係に関する空間的課題が困難になり，左右の下側頭葉皮質を破壊したサルは，物体視覚像の弁別または記憶を必要とする課題が困難になる．たとえば図 2.13 に示した実験では，机の上の 2 つの穴のうちのどちらか一方に一片の餌を置き，同じ蓋をする．サルは一方の蓋だけを開けることができる．空間課題では，円柱に近い側の穴に餌を置く．円柱がどちらかの穴のすぐ側に置かれたときは簡単だが，円柱が 2 つの穴の真ん中に近い位置に置かれると課題は困難になる．物体課題では，穴の上に 2 つの異なる物体を置く．餌の上に置く物体はいつも同じである．左右の頭頂連合野を破壊したサルは，物体課題の遂行には問題ないが，空間課題の遂行は困難になる．左右の下側頭葉皮質を破壊したサルは，空間課題の遂行には問題ないが，

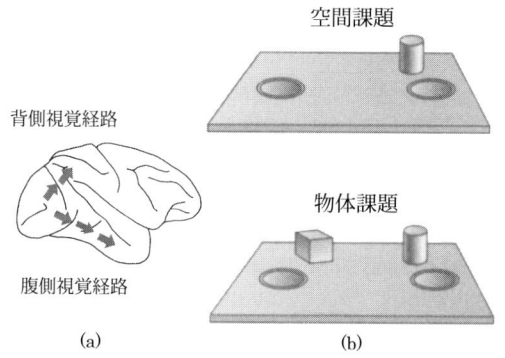

図 **2.13** 第一次視覚野に始まる背側視覚経路と腹側視覚経路 (a)，頭頂連合野の破壊で障害される空間課題と下側頭葉連合野の破壊で障害される物体課題 (b)

物体課題の遂行が困難になる．これらの破壊行動実験の結果から，背側視覚経路では物体の間の位置関係に関する情報処理が行われ，腹側視覚経路では物体の弁別に関わる情報処理が行われると推定されていた (Mishkin et al., 1983)．

2.2.2 第一次視覚野と V2 野を貫く並列構造

V2 野は第一次視覚野の前方に細長く広がり，視野の下半分を表出する部分が背側に，視野の上半分を表出する部分が腹側に分かれて存在する．第一次視覚野から順向性の投射を受け，V3 野，MT 野，V4 野を含むたくさんの領野に順向性の投射をする．第一次視覚野から V2 野への投射は第一次視覚野の第 II，III 層および第 IVB 層の細胞に始まる．第一次視覚野の第 II，III 層の細胞のうち CO (チトクローム酸化酵素) 小斑外の領域の細胞は方位選択性を持ち，CO 小斑内の細胞は刺激光の波長に対する選択性を持つ．また，第一次視覚野の第 IVB 層の細胞の多くは刺激の動きの方向に選択的な反応をする．以下に見るように，このような第一次視覚野の CO 小斑，CO 小斑外領域，第 IVB 層の間でみられた機能分化は，V2 野への投射にあたっても維持される (図 2.14)．

V2 野をチトクローム酸化酵素に対する組織化学的方法で染色すると，第 II，III 層が濃く染まる領域が帯状に伸びる (CO 帯)．たくさんの帯が層に平行な面の中でほぼ一定の間隔で並んでいて，全体として縞を構成する．縞の周期は平均して約 1 mm である．CO 帯は比較的太いものと比較的細いものとがあり，交互に並んでいる．そして，細い CO 帯には第一次視覚野の CO 小斑の第 II，III 層の細胞が投射し，CO 帯間隙領域には第一次視覚野の CO 小斑外の第 II，

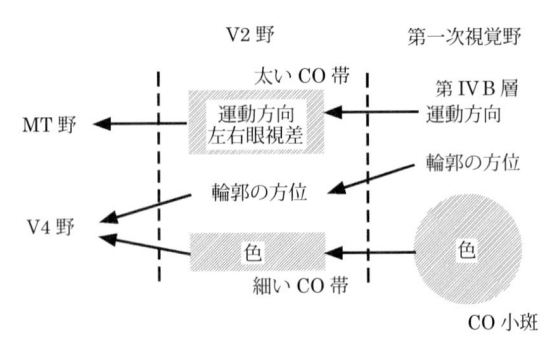

図 2.14 第一次視覚野から V2 野を経て MT 野と V4 野に至る並列経路

III層の細胞が，太いCO帯には第一次視覚野の第IVB層の細胞が投射する (Livingstone & Hubel, 1983, 1987).

　チトクローム酸化酵素が多い領域は組織の代謝活性が高いために，内因性信号を用いた光計測では暗くなる．光計測でCO帯の位置を観察した後，それぞれの領域に微小電極を刺入して神経細胞活動を記録することにより，細いCO帯の多くの細胞は刺激光の波長に対する選択性を持ち，CO帯間隙領域の多くの細胞は刺激の動きの方向に対する選択性および左右眼視差に対する選択性を持つことが明らかになった (Hubel & Livingstone, 1985, 1987).

　V2野からMT野およびV4野への投射は，V2野の異なる帯に始まる (DeYoe & Van Essen, 1985; Hubel & Livingstone, 1985; Shipp & Zeki, 1985). MT野へ投射する細胞は太いCO帯に存在する．そこで，第一次視覚野の第IVB層に始まり，V2野の太いCO帯を経てMT野に至る経路に沿ったすべての領域の細胞が運動方向選択性を持つ．第一次視覚野の第IVB層が他の層よりもより多くの左右眼視差に対する選択性を持つかどうかはまだ不明であるが，V2野の太いCO帯とMT野では左右眼視差選択性を持つ細胞の比率がきわめて高い（80％以上）点でも似ている．

　V2野からV4野への投射はV2野の細いCO帯およびCO帯間隙領域の細胞に始まり，細いCO帯およびCO帯間隙領域からの投射はV4野の別々の領域に投射する．V4野でも方位選択性の強い細胞と刺激光の波長に対する選択性が強い細胞は分かれて存在するので，第一次視覚野からV2野を経てV4野へ至る経路には，方位選択性を持った細胞が多い経路と刺激光の波長に選択性を持った細胞が多い経路が並列に存在する可能性がある．

2.2.3　動きの情報の統合

　頭頂葉の7a野を両側性に破壊したサルでは，形の識別の能力は正常であるが，空間識別の能力が著しく低下する (Hyvärinen, 1982). そこで第一次視覚野から7a野に至る結合経路に沿っては，空間識別に関する情報の処理が進んでいくことが予想される．第一次視覚野から7a野へ至る経路は複数あるが，これを背側視覚経路と総称する．背側視覚経路の1つの経路を構成するMT野とMST野では，大部分の細胞は視覚刺激の動きに対して運動方向選択的に反応する．第一次視覚野の中でMT野へ出力を送る第IVB層および第VI層にも

運動方向選択性を持つ細胞が多数存在する．そこで，第一次視覚野第 IVB・VI 層 →（V2 野の太い CO 帯）→MT 野 →MST 野 →7a 野の経路に沿って，動きについての情報の分析と統合が進んでいくことが示唆される．運動視は広い意味での空間視の一部をなす．

2.2.4 MT 野と視野局所の動き方向の表出

MT 野は第一次視覚野の第 IVB 層の細胞から直接，および V2 野の太い CO 帯を介して間接に入力を受ける．MT 野の細胞の多くは，刺激の動きの方向に選択的に反応する．たとえば図 2.15 に示した細胞は，光スポットが受容野を左から右に横切ったときは強く反応するが，右から左へ，あるいは上下に横切ったときには反応しない．一方で，MT 野の細胞は刺激の形と色に関しては選択性を持たず，どんな刺激であっても受容野を最適方向に横切りさえすれば反応する (Zeki, 1974; Van Essen et al., 1981)．この図には右向きの動きに反応する細胞を示しているが，左向きなどすべての異なる方向への動きに反応する細胞がそれぞれ存在する．

刺激の動きの方向に選択的に反応する神経細胞は第一次視覚野および V2 野にすでに存在する．しかし，第一次視覚野を破壊した後，あるいは機能ブロックしている間に残る MT 野細胞の弱い反応が運動方向選択性を持っているという報告もある (Rodman et al., 1989; Girard et al., 1992)．これらの結果が正

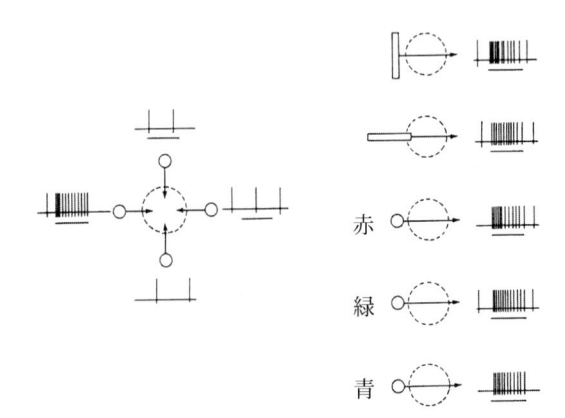

図 **2.15** MT 野細胞の運動方向選択的反応の例
刺激の形や色には選択的でない．

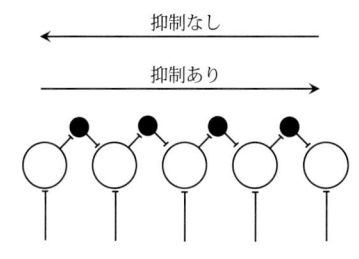

図 2.16 運動方向選択性をつくる回路のモデル
白丸は興奮性神経細胞を，黒丸は抑制性神経細胞を表す．

しいとすれば，MT野内に運動方向選択性をつくるメカニズムがあることになる．刺激の運動方向に対する選択性をつくるモデルは，下等動物の網膜にある運動方向選択的細胞を説明するために古くから考えられてきた．興奮性結合により選択性をつくるモデルと，抑制性結合により選択性をつくるモデルがある．抑制性結合を使ったモデルでは，受容野の位置が少しずつ異なる神経細胞の間を一方向に抑制性結合でつなぐ（図2.16）．刺激が抑制結合に対応する方向に移動するときは抑制がはたらいて神経細胞の活動が抑えられ，刺激が反対の方向へ移動するときは抑制がはたらかずに神経細胞の活動が現れる．第一次視覚野およびV2野からの入力がすでに運動方向選択性を持ち，これに加えてMT野内のメカニズムが選択性を強めているのではないだろうか．

　MT野のユニークな特徴の1つは，個々の細胞に最大の興奮反応を引き起こす最適運動方向が脳の中で規則的に配置されていることである (Albright et al., 1984)．皮質表面に垂直に広がったコラム状微小領域には同じ最適運動方向を持つ細胞が集まっている．最適運動方向は皮質表面に平行な1つの方向に沿って時計方向あるいは反時計方向に少しずつ規則的に変化し，約 0.5 mm で 180 度変化する．これと直角な方向には最適運動方向が 180 度異なる細胞のコラムが隣り合って並んでいる．すなわち 0.5 mm 四方の MT 野の微小領域の中には 360 度すべての運動方向にそれぞれ最大反応する細胞が揃っている．一方，0.5 mm 四方以内の細胞の受容野の位置はほとんど変わらないので，この中には視野のある部位における刺激の動きを表出するのに十分な細胞のセットが揃っていることになる．第一次視覚野の場合と同じように，MT野全体には反対側の視野が表出される．0.5 mm 四方の領域は視野表出の単位であり，一方その中には運動方向の表出のセットがある．0.5 mm 四方の領域の中のどのコラムが興奮す

るかによって対応する視野部位における刺激の動きが表出される．

　第一次視覚野やV2野に見られないMT野のユニークな特徴の2つ目として，運動方向選択的な周辺抑制がある (Tanaka et al., 1986). MT野の約半数の細胞の受容野が運動方向選択的な周辺抑制を持つ．MT野細胞の受容野中心部に提示した刺激に対する反応は，受容野中心部の外にドットパターンを提示しても，ドットパターンが静止している限りは影響を受けない．スリットが最適運動方向に動くと強く反応する．しかし，約半数のMT野細胞では，ドットパターンをスリットと同じ方向に同じスピードで動かすと著しい反応の減少が観察される．これは，受容野の興奮性領域の周りに抑制性の領域があることを意味する．しかし，ドットパターンが物体と反対方向に動く場合は反応減少が見られないので，受容野周辺部からの抑制は運動方向選択的である．MT野細胞の周辺抑制は動きのスピードにも選択的である．多くの細胞では，中心部刺激と周辺部刺激のスピードが一致したときに抑制が最大で，周辺部のスピードが速くなっても遅くなっても抑制が減少する．

　運動方向選択的な周辺抑制は，簡単な神経回路のモデルで説明することができる．モデルは受容野の位置の異なる，しかし最適運動方向が同じ，たくさんの入力細胞を想定する．真ん中の入力細胞は標的細胞に興奮性に結合し，周辺の細胞は抑制性に結合する．そうすると，受容野中心部だけが最適方向への動きで刺激されたときに標的細胞は興奮し，全体が刺激されたときには受容野周辺部からの抑制が受容野中心部からの興奮をキャンセルして反応が生じない．しかし，受容野周辺部の刺激が最適方向と異なった方向へ動くときは抑制がはたらかず，受容野中心部からの興奮がそのまま現れる．

　細胞の網膜上のパターンの動きは外空間における物体の動きだけでなく，動物自身の眼球，頭，体の動きでも引き起こされる．さらに物体の動きはしばしば動物自身の動きと組み合わさって起こる．そこで，外空間における物体の動きを知るためには背景に対する物体の相対的な動きを知る必要がある．運動方向とスピードに選択的な周辺抑制を持ったMT野細胞は，背景に対する物体の相対的な動きを表出する役割を果たしていると考えられる．

　初期の研究ではMT野の周辺抑制は中心興奮野の周りにほぼ均等に分布していると報告されたが，その後の研究で周辺抑制の空間分布を詳しく調べてみると，細胞によっては中心興奮野の一方だけに抑制野を持ち，加えて，中心興奮

野の最適スピードと周辺抑制野の最適スピード（最も強い抑制が引き起こされるスピード）が異なることがあった (Xiao et al., 1995)．奥行き勾配を持ったテクスチャー面が動いたときに，このような細胞は面の勾配の方向に選択的に反応する．MT 野の周辺抑制は面の勾配の検出に使われている可能性もある．

2.2.5　MST 野と広視野動きパターンの表出

　一般に第一次視覚野から経路に沿ってより高次の領野へいくほど受容野が大きくなる傾向があるが，MT 野から背側視覚経路に沿って次の領野である MST 野へいくと受容野が著しく大きくなる．図 2.17 では MT 野の数個の細胞の受容野を左に，MST 野の数個の細胞の受容野を右にそれぞれ四角で示す．MT 野では視野の周辺にある受容野ほど大きい傾向があるが，それでも視野のごく一部に限られていて，視野の局所の動きを伝えているが，MST 野の受容野はずっと大きく，多くの受容野が中心視を含んでいる．大きな受容野は広い視野の動きのパターンを解析するのに適している．実際に，MST 野の細胞の多くは，広い受容野全体に広がったテクスチャーパターンなどの大きな刺激が動いたときに強く反応する，広い視野の動きに選択的であるという特徴を持っている．

　MST 野には，スクリーン上を直線的に動く刺激に反応する細胞に加えて，広い視野に広がった広視野パターンの拡大，縮小，回転にそれぞれ反応する細胞がある (Tanaka et al., 1986, 1989; Saito et al., 1986)．図 2.18 はそのような細胞反応を 2 個の細胞を例に示す．この図では細胞反応を反応ヒストグラムで

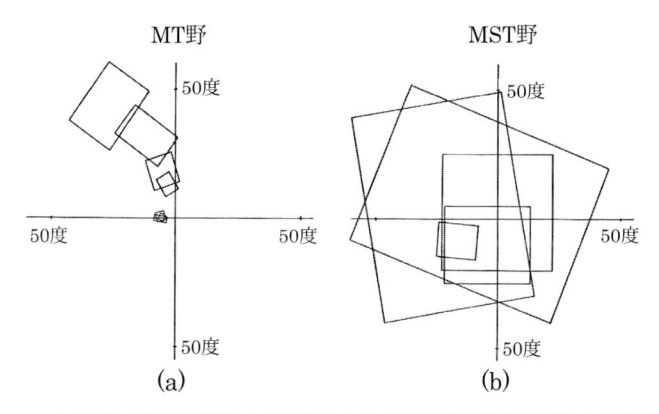

図 **2.17**　MT 野の数個の細胞の受容野 (a) と MST 野の数個の細胞の受容野 (b)

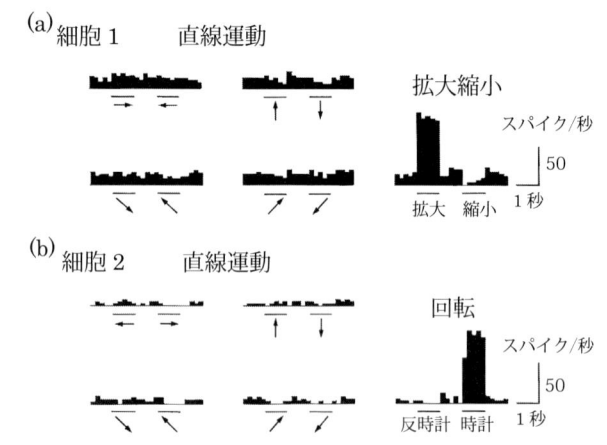

図 2.18 MST野背側部の広視野拡大に選択的に反応する細胞 (a) と広視野の時計回転に選択的に反応する細胞 (b)

示す．横軸は時間，縦軸は10回の刺激提示繰り返しの間で加算平均した活動電位の発射頻度を表す．細胞1は，直線運動にはどの方向でもまったく反応せず，広視野パターンが拡大したときだけに反応した．パターンの縮小では自発的な活動電位発射が抑制される．細胞2はやはりパターンの直線運動には反応せず，パターンが時計方向に回転したときにだけ反応した．パターンの縮小，反時計回転にそれぞれ反応する細胞も存在する．

　日常生活の中で，広い視野の動きは，自分自身が動いたときに生じる．前を見ながら前進すれば拡大が生じ，後ずさりすれば縮小が生じる．視線を軸にして自分が回転すれば視野はそれと反対向きに回転する．広視野のいろいろな動きのパターンに選択的に反応するMST野の細胞のセットは，広視野の動きを通じて自分自身の動きを知覚する役割を果たしているのではないかと考えられる．

　それではこのような拡大，縮小，回転に選択的に反応する細胞はどうやってつくられるのだろうか．MST野はMT野の次のステージなので，MST野の細胞はMT野の細胞から入力を受けると考えられる．さらに，MST野細胞の受容野はMT野細胞の受容野よりずっと広いので，異なった視野の位置に受容野を持つ多くのMT野細胞が収束して1つのMST野細胞に結合していると考えられる．MT野の細胞を集めるにあたって，同じ最適運動方向を持った細胞を集めれば，直線運動に反応する細胞ができ，放射状の方向に最適運動方向を

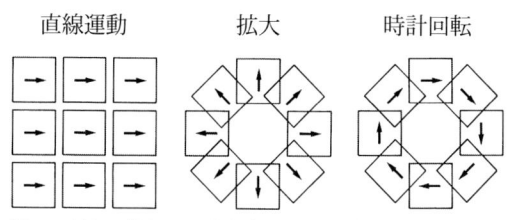

図 **2.19** 視野の異なる位置に運動方向選択的な受容野を持つ細胞からの入力を集めて MST 野の 3 種類の受容野をつくるモデル

持った細胞を集めれば拡大に反応する細胞が，同心円の接線方向に最適運動方向を持った細胞を集めれば回転に反応する細胞ができる（図 2.19）．このモデルはまだ確かめられてはいないが，MST 野細胞の反応のいろいろな性質はこのモデルの予測とよく一致する (Tanaka et al., 1989).

MST 野背側部の等距離面上の直線運動に反応する細胞の 90% は刺激の左右眼視差にも選択的である．ほとんどの細胞は，注視点より奥の広い範囲の視差に反応する遠方細胞，あるいは注視点より手前の広い範囲の視差に反応する手前細胞であり，同調興奮細胞はほとんどない．少数の細胞では注視点より遠方と手前で最適運動方向が反転する (Roy & Wurtz, 1990). 外界に静止した物体を注視しながら自分が横に動くと，注視した物体の手前にある物体と奥にある物体は網膜上で反対の方向に動く．遠方と手前で最適運動方向が反転する細胞は，自己運動の抽出を 2 つの動きの組み合わせで，より確かにしているのではないだろうか．

MST 野腹側部の細胞は，背側部の細胞と同じく，動く刺激に運動方向選択的に強く反応し，広い受容野を持つ．しかし，背側部と腹側部の細胞の間では刺激の広がりに対する選択性が異なる．MST 野腹側部の細胞は小さい物体が動いたときに強く反応する．MST 野腹側部の細胞の多くが，小さい物体とその背景の間の相対運動に対応した反応をする．静止した物体の背景で広視野が動いたときに，背景の手前で物体が動いたときと，反対方向で反応する (Sugita & Tanaka, 1991; Tanaka et al., 1993). この反応は MT 野では見つかっていない．MST 野腹側部細胞による物体と背景の間の相対運動の表出は，MT 野の周辺抑制野を持った細胞による表出よりも広範な条件をカバーしている．

2.2.6 形や色などの物体情報の統合

左右半球の下側頭葉皮質を破壊したサルでは，空間識別の能力は正常であるが，物体を目で見て識別し認識する物体視の能力が著しく低下する (Mishkin et al., 1983)．そこで，第一次視覚野から下側頭葉皮質に至る視覚領野の結合経路（腹側視覚経路）に沿っては，物体視覚像の識別と認識に有用な情報の処理が進んでいるはずである．マカク属サルの下側頭葉皮質は細胞構築学的特徴によって，後半部を占める TEO 野と前半部の TE 野に区分される．腹側視覚経路の経路は，第一次視覚野 →V2 野 →V4 野 →TEO 野 →TE 野である．V2 野から TEO 野，V4 野から TE 野のような 1 段跳ばしの結合も存在するが，順を追っての結合の方が強い．TE 野は腹側視覚経路の最終段で，TE 野からは嗅周野，前頭前野，扁桃体，大脳基底核の線条体など，視覚系の外の多くの脳部位への線維投射がある．TE 野からこれらの脳部位への投射は，腹側視覚経路の下位の領野からの投射より数が多い．腹側視覚経路に沿ってなされた信号処理の結果は，TE 野から視覚系以外の多くの脳部位へ分配される．

2.2.7 V2 野と主観的輪郭の表出

V2 野の神経細胞には，輪郭の方位，刺激光の波長（色），左右眼視差，刺激の大きさに対する選択性が見られるが，これらの選択性はすでに第一次視覚野に存在していて，V2 野の細胞の選択性は第一次視覚野の細胞の選択性とほとんど変わらない．また V2 野の多くの細胞は，これらの刺激パラメータをそれぞれの細胞の最適値に調整すれば，単純なスリット刺激によく反応する．第一次視覚野の細胞と同じく，受容野の大きさは視野中心からの距離に相関して大きくなるが，同じ視野中心からの距離で比較すれば，V2 野細胞の受容野は第一次視覚野細胞の受容野より大きい．1970 年代に，左右眼視差選択性を持つ細胞は V2 野ではじめて現れるとの報告がなされ，V2 野の特徴は立体視にあると考えられたことがあったが，その後の研究で左右眼視差選択性を持つ細胞の比率は第一次視覚野と V2 野でほとんど変わらないことがわかった (Poggio & Fischer, 1977; Poggio & Talbot, 1981)．

主観的輪郭の知覚を引き起こす刺激に対する反応は V2 野ではじめて現れる．図 2.20(a) のような図形（カニッツァの三角形と呼ばれる）を見ると，我々はそこ

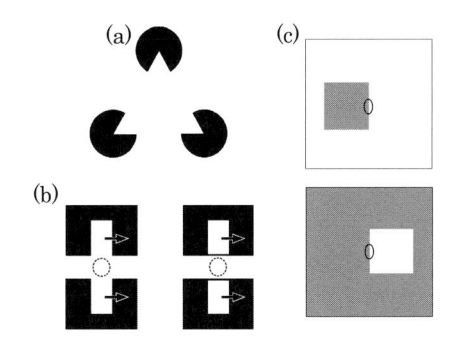

図 2.20 V2 野ではじめて現れるタイプの反応
(a) カニッツァ三角形．周辺よりやや明るい三角形が見え，それとともに円をつなぐ部分にもエッジが見える．(b) カニッツァ三角形と同じ錯覚を V2 野実験用に変更した刺激（左）とそのコントロール刺激（右）．左では，上下の切れ込みが同時に右に動くと，上下につながって 1 つの長方形が右に動いているように見える．右ではつながって見えない．(c) エッジの物体への所属を調べる刺激配置．小さい楕円を付けたエッジは楕円付近では上下で同一だが，上では左にある物体の縁に見え，下では右にある物体の縁に見える．

に三角形があるように知覚する．このように物理的には輪郭がない場所に，周りの刺激の影響のために輪郭を知覚する現象を主観的輪郭と総称する．図 2.20(b) 左のような図形を受容野の両側を横切って動かすと，V2 野細胞の一部は，あたかも光スリットが受容野を横切ったように反応する (von der Heydt et al., 1984)．図 2.20(b) 右のように上下の凹の出口を細い線でふさぐと，この反応は消失するので，閾値下に隠された興奮性受容野がはじめに決めた受容野の上下にあって上下の凹部分の動きで刺激されて反応が生じた可能性は否定される．主観的輪郭知覚のもう 1 つの例として，我々は縞模様がずれたところに輪郭を知覚する．この刺激配置に反応する V2 野もある．主観的輪郭刺激に反応する V2 野細胞は，普通の明暗コントラストによる輪郭にも同じように反応する．

　背景の上に物体があるとき，物体像と背景の境界は物体の外形を表し，背景の外形は表さない．そこで，画像から元の 3 次元空間を再現するには，画像上のエッジがどちらの側の物体に所属するかを決定する必要がある．図 2.20(c) の上下の刺激では丸で印した部分に与えられるエッジ刺激は丸の近傍だけ見れば同じである．しかし，周りの影響で，図上では左側の物体に所属し，図下では右側の物体に所属すると知覚される．V2 野の約半数の細胞は，丸の位置に受容野がくるように図 2.20(c) の刺激を提示したとき，図左と図右で違った反応をする (Zhou et al., 2000; Qiu & von der Heydt, 2005)．これらの V2 野細胞

の活動はエッジの所属する側をも表現している．左右眼視差を含んだ刺激で調べると，左右眼視差による手がかりと周りの囲みの情報の両方が，V2 野細胞のエッジの所属する側に対する選択性に寄与していることが示された．

V2 野には細い CO 帯—CO 帯間隙領域—太い CO 帯—CO 帯間隙領域の順で 3 種類の帯状の領域が繰り返し並び，細い CO 帯には刺激光の波長に対する選択性を持った細胞が，CO 帯間隙領域には方位選択性を持った細胞が，太い CO 帯には運動方向選択性および左右眼視差選択性を持った細胞がそれぞれ多く存在する．太い CO 帯の中では左右眼視差に対する選択性による構造があり，遠方細胞，手前細胞，同調細胞がそれぞれ集まって別の小領域に存在する．同調細胞がそれぞれ集まった領域の中では皮質表面に沿った方向で同調した視差が連続的に変化するミニマップの構造も観察された (Ts'o et al., 2001)．このような左右眼視差に関する微小構造は第一次視覚野にはない．

V2 野の多くの神経細胞はスリット刺激によく反応する．しかし，多くの複雑な物体からスタートして有効な刺激の像を単純化していく方法で，少数の V2 野細胞が，特定の角度のコーナーや同心円状のパターンにより強く反応することが示された (Kobatake & Tanaka, 1994)．また，いくつかの角度のコーナー，いくつかの曲率の円弧，十字，円などのやや複雑な図形 72 個と 8 個のスリットを含む刺激セットで調べた研究では，約 5 分の 1 の V2 野細胞は最も効果的なスリット刺激よりも複雑な刺激のどれかに，より強い反応を示した (Hegde & Van Essen, 2000)．多くの V2 野細胞がいろいろな角度のコーナーにそれぞれ選択的に反応するという結果もある (Ito & Komatsu, 2004)．複雑な形に対する選択性も一部の V2 野細胞で発達し始めている．

2.2.8 V4 野と色の恒常性，曲率の表出

V4 野の多くの細胞は，輪郭の方位，刺激光の波長（色），左右眼視差，刺激の大きさをそれぞれの細胞の最適値に調整すれば，単純なスリット刺激によく反応する．初期の研究では，左右眼視差選択性を持つ細胞は V4 野には少ないと報告されたが，その後の研究では約半数の V4 野細胞が左右眼視差選択性を持つことが観察されている (Watanabe et al., 2002)．この比率は MT 野および V2 野の太い CO 帯における左右眼視差選択性を持つ細胞の比率よりは少ない．初期の研究で，V4 野では波長選択性を持つ細胞の比率が V2 野などに比べ

て大きいと報告され，V4 野は刺激の色の分析に特殊に発達した領野であると提案されたこともあったが (Zeki, 1977, 1980)，その後の研究では，波長選択性を持つ細胞の比率は V2 野と V4 野の間でほとんど変わらなかった (Schein et al., 1982).

色の恒常性に対応する細胞反応が V4 野にあって第一次視覚野にはないという報告がある (Zeki, 1980, 1983a, 1983b). 我々は木の葉の色を日中の白い光の下でも朝夕の赤っぽい光の下でも同じように緑色と知覚する．このように，物体からの反射光の波長構成が照明条件の変化によって大きく変わっても，その物体の色を同じように知覚する心理現象を色の恒常性と呼ぶ．いろいろの色の長方形を組み合わせたモンドリアン模様を，赤，緑，青の 3 台の光源から照明した．モンドリアン模様の位置を調整して各長方形の中心を記録中の細胞の受容野に合わせ，いろいろな照明条件下での細胞の反応を調べた．光源の間の光量のバランスを変えることによって，たとえば「白」の長方形からの反射光の波長構成を白色照明条件下での「赤」の長方形からの反射光の波長構成に一致させることができる．白色照明下で「赤」の長方形に最も強く反応した第一次視覚野細胞は，新しい照明条件下では「白」の長方形に最も強く反応した．一方，白色照明下で「赤」に最も強く反応した V4 野の細胞の一部は，新しい照明条件下では「白」の長方形には反応せずに「赤」の長方形に最も強く反応した．このように V4 野の一部の神経細胞が主観的な色の見えに対応した反応をするのは，広くて強い受容野の周辺抑制野によって，受容野中心部をカバーする長方形領域からの反射光の波長構成を周りのたくさんの色の領域からの波長光の波長構成の平均値と比較しているためと考えられる．

複雑な刺激に，より強く反応する細胞の V4 野での比率は V2 野での比率より大きい．TE 野で用いられたのと同じ実物物体の像から出発して有効刺激をだんだんに単純化して刺激選択性を調べた研究では，V4 野の約 3 分の 1 の細胞において，何らかの複雑な刺激がどのスリット刺激よりも強い反応を引き起こした (Kobatake & Tanaka, 1994). この研究では，V4 野細胞の最適刺激にはいろいろな種類の図形特徴が含まれ，特定の図形特徴が特に頻繁に表出されているという証拠は得られなかった．

別の研究では，異なる曲率を持った凸および凹の彎曲形を 46 個組み合わせてつくった 366 個の図形刺激を用いて V4 野の細胞の反応を調べ，多くの V4 野細

胞が1つの彎曲形の曲率，方向（図形の外に向かって凸か凹か），そして図形全体の中でのその彎曲形の位置に選択的に反応することを観察した (Pasupathy & Connor, 1999, 2001). 少数の細胞は，選択性を決めるうえで最も重要な彎曲形のパラメータだけでなく，その両脇の彎曲形の曲率と方向にもある程度の選択性を示した. いろいろな曲率の彎曲形は複雑な形をつくる際に主要な要素であるので，腹側視覚経路の中間に位置するV4野の多くの細胞がそれぞれ異なる曲率の彎曲形に反応するのは合理的に思われる.

V4野の中では，方位選択性を持った細胞と波長選択性を持った細胞がそれぞれ集まってパッチ状の小領域に分かれて存在する傾向がある (Tanaka et al., 1991). V4野が全体として2つの大きな亜領域に分かれるわけではなく，2種類の小領域がパッチワーク状に分散して存在する. 波長選択性を持った細胞が集まった小領域の中では，同じ波長選択性を持った細胞が皮質表面に垂直な方向に伸びたコラム状の領域に集まり，皮質表面に沿って最適波長が徐々に変化するミニマップの構造があるという報告もある (Zeki, 1980).

V4野は空間的な注意と深く関わっている可能性がある. 視野に複数の刺激があったときに，我々は，より目立つ刺激に注意を向ける傾向がある. 大きい刺激，背景との明暗または色のコントラストが強い刺激が目立つ. 目立たない，しかし周りの刺激とは異なる刺激に注意を向けることもできるが，それには能動的な制御が必要である. V4野を部分的に破壊したサルでは，目立つ刺激に注意を向けることに問題はないが，破壊部位に対応する視野に目立たない刺激があったときに，この刺激に注意を向けることが困難になる (Schiller & Lee, 1991). V4野では，周りの刺激とは異なるが，それ自身は目立たない刺激を検出し，注意を向けるはたらきに必要な処理が行われているのではなかろうか.

2.2.9 TE野における中程度に複雑な図形特徴の表出

物体視の脳内メカニズムの研究における障害の1つは，個々の神経細胞の刺激選択性を決めることの困難さにある. 自然界には途方もなく多数の図形特徴が存在し，脳がどうやってこの多様性の次元を圧縮しているかは現在のところ不明である.

初期のTE野研究において，たわしのような多数の突起を持った形に反応する細胞が見つかったことから，円周からの周期的な凹凸の周波数と振幅で定義

されるフーリエ表現素が TE 野における図形表現の基本ではないかと考えて行われた研究がある (Schwartz et al., 1983). 任意の形の輪郭は異なった周波数のフーリエ表現素の線形和で構成することができる. この研究では, TE 野のいくつかの細胞は刺激の大きさによらずに特定の周波数のフーリエ表現素に選択的に反応した. しかし, TE 野細胞の複合図形に対する反応は, 図形を構成するフーリエ表現素に対する反応の線形和とはかけ離れたものであることが後の研究で示された. TE 野の細胞が物体の形をいろいろな周波数のフーリエ表現素に分解して表現している可能性は低い.

　TE 野細胞の刺激選択性を決める試みは, むしろ複雑な刺激をとにかく多数提示する研究で成功している. ある研究では, 1 つの細胞からの活動電位を分離した後, まず数十種類の動物あるいは植物の立体模型を提示して有効な刺激を探す. 次に, いくつかの有効刺激の像をビデオカメラで撮影して, テレビ画面に系統的に提示して最も効果的な刺激物体像を決める. そして, この最も効果的な物体像をだんだんに単純化して, 細胞に引き起こされる反応が減弱しない限りにおいて最も単純な図形特徴を決定する. 数百の TE 野細胞について最適刺激を決めることにより, TE 野の細胞の多くは図 2.21 に例示するような程度に複雑な図形特徴を抽出して反応していることが結論された (Tanaka et al., 1991; Tanaka, 1996). これらの刺激特徴のいくつかは中程度に複雑な形であり, 他はそのような形と色, あるいは形とテクスチャーの組み合わせであった. これらの図形特徴は, 1 つの細胞だけで自然界に存在する特定の物体または物体のカテゴリーを特定するほどには特殊でない. 数個–数十個の異なった特徴に反応する細胞を組み合わせて, はじめて物体あるいは物体のカテゴリーを特定することができる.

　TE 野および TE 野と上側頭溝上壁の多感覚性領野とに挟まれた上側頭溝前半部の深部には, 顔の提示に選択的に反応する細胞が存在する (Bruce et al., 1981; Perrett et al., 1982). 顔の正面像に最も強く反応する細胞, 横顔に最も強く反応する細胞, 正面像と横顔の中間の斜め向きの像に最も強く反応する細胞がある. 実物の顔だけでなく顔の像を単純化した図形, たとえば円形の輪郭の中の目に対応する位置に黒丸が 2 つ, 鼻に対応する位置に縦棒, 口に対応する位置に横棒がある図形 (図 2.21 の右下) に強く反応する細胞も多数ある. しかし, 顔の全体像からどの一部 (たとえば目や口) が欠けても反応が著しく減

図 2.21 下側頭葉皮質の細胞が選択的に反応する中程度に複雑な図形特徴の 12 個の例 細胞ごとに異なる図形特徴に反応する．

少する．このような細胞は顔細胞とも呼ばれる．ヒトの顔とサルの顔の両方に反応する細胞が多いが，どちらかだけに反応する細胞もある．多くの細胞が霊長類以外の動物の顔にも反応するが，霊長類の顔への反応に比べて反応の立ち上がりの遅れが長い傾向がある (Kiani et al., 2004)．TE 野の顔細胞は顔の個別性に対する選択性が高い一方，上側頭溝の顔細胞は顔の向きに対する選択性が高いという報告もある (Eifuku et al., 2004)．

このように，顔以外の物体については TE 野の 1 つ 1 つの神経細胞は像に含まれる図形特徴に対して反応し，顔については顔そのものに反応する細胞が多数存在する．この違いは顔という刺激がサルの社会で持つ重要性を考えれば理解できる．集団生活をするサルの社会では，顔の表情は重要な意志伝達の手段である．また顔の微妙は個体差は個体識別の主要な手がかりである．顔に選択的に反応する細胞は，顔を他の物体から識別するという段階を通り越して，いろいろな顔の表情や個体差を識別する機能に関わっている可能性が高い．実際，顔に選択的に反応する細胞の多くは，顔の表情あるいは個体差にある程度の選択性をもって反応する．

TE 野の半数以上の細胞は刺激の形に加えて刺激の左右眼視差にも選択的である (Uka et al., 2000)．また，別の研究では，上側頭溝の下壁には左右眼視差の勾配を持った刺激，特に奥行き方向に凸あるいは凹の曲面を持った刺激に選択的な反応をする細胞が多数存在した (Janssen et al., 1999, 2000a, 2000b)．理論的には 2 次元形状と刺激上の各点の奥行きの情報があれば物体の 3 次元形

状を復元できるはずだが，TE 野細胞の視差勾配構造に対する選択性は 3 次元形状を復元するほどには正確ではない．表面に凸，凹，あるいは一方向性の勾配などの属性を定性的に付け加えることで，2 次元形状の表現をより豊かにして物体の識別を助けているのではなかろうか．

　上側頭溝前部の深部には，ヒトの体または顔の像に選択的に反応する神経細胞もある．さらに，顔および体が特定の動きをしたときにだけ反応する細胞がある (Perrett et al., 1985a; Oram & Perrett, 1994)．反応を引き起こす動きは等距離面上での平行移動である細胞も多いが，顔の奥行き回転であったり，体の歩行運動であることもある．手が特定の行為（たとえば紙を破る）をするのを見たときに選択的に反応する細胞もある (Perrett et al., 1989)．顔，体，手の動きは個体間の関係を知るための重要な情報源であるので，これらの細胞は社会生活を円滑に進めるための個体間コミュニケーションに関係している可能性がある．このような反応選択性は物体の形の情報と動きの情報の統合を意味するが，動きの情報がどのような経路で上側頭溝前部へ伝わるのかはまだ不明である．

　TE 野の細胞は 10 度ないし 25 度程度の大きさの受容野を持ち，受容野のどこでもほぼ同じ刺激選択性を持つ．しかし，引き起こされる反応の大きさは受容野の中心部で大きく，周辺へいくにつれてだんだんに小さくなる (Ito et al., 1995)．多くの細胞の受容野が視野中心を含むが，受容野の中心が視野中心に一致するわけでは必ずしもなく，網膜上での刺激の位置の情報もある程度残っている (Kobatake & Tanaka, 1994)．多くの TE 野細胞が等距離面上での刺激の傾きに選択性を持っていて，刺激を 90 度回転すると反応が消失する．刺激の大きさについては，刺激の形ばかりでなく大きさにも選択的に反応する TE 野細胞と，16 倍以上の広い大きさの範囲で反応する TE 野細胞の両方が存在する (Ito et al., 1995)．刺激の形を最適な形から変形していったときに，反応が急激に減少する変形の仕方と反応がなかなか減少しない変形の仕方がある (Vogels et al., 2001; Kayaert et al., 2003)．したがって，TE 野細胞の反応は特徴空間の中の 1 点にチューンしているのではなく，特定の方向に伸びたドメインにチューンしていると考えた方がよさそうである．このドメインは物体の奥行き回転に伴う図形特徴の変化の方向に伸びていることを示唆する結果もある．

2.2.10 物体カテゴリーの表現

我々の物体認知はカテゴリー的である場合が多い．物体のカテゴリーがまず認知され，次に個別の物体が認知される．物体カテゴリーによってその物体の観察個体にとっての価値，為すべき行為などがおおむね決まっているので，物体認知においてカテゴリー認知が先行するのは合理的である．ところが，腹側視覚経路の最終ステージである下側頭葉皮質の神経細胞が反応するのは，顔を除いて，物体カテゴリーでも物体そのものでもなく，図形特徴であった．これほど重要である物体カテゴリーの認知が，最終共通ステージである下側頭葉皮質あるいはそれ以前に表現されていないのは不思議である．物体カテゴリーは脳のどこでどのように表現されているのだろうか．

我々人間の物体カテゴリーは特定の 1 つの図形特徴で定義されるようなものではない．その物体カテゴリーに属する物体の像に比較的よく含まれる図形特徴と滅多に含まれない図形特徴が存在するだけである．1 つずつの下側頭葉皮質細胞が図形特徴に反応しているとすれば，1 つの下側頭葉皮質細胞だけで物体カテゴリーを表すことのできないのは当然である．しかし，たくさんの異なる図形特徴を表す下側頭葉皮質細胞を集めた細胞集団の活動には物体カテゴリーが表される可能性がある．そこで，約 700 個の下側頭葉皮質細胞の活動を記録し，すべての細胞の反応を同じ 1000 個余りの物体像のセットを用いて調べてみる (Kiani et al., 2007)．700 個の細胞をすべて同時に記録する必要はない．同時に記録する細胞の数は 2，3 個以下であっても，記録を何日も繰り返し，700 個の細胞の反応が集まればよい．同じ 1 つの刺激セットを一貫して用いることが重要である．

実験が終わると 700 個の細胞の 1000 個の刺激に対する反応が得られる．このデータを刺激の側から眺めれば，1000 個の刺激の 1 つずつが 700 個の細胞に引き起こした反応パターンを得たことになる．そうやってデータを眺めてみると，同じカテゴリー，たとえばヒトの体に属する物体像は似た反応パターンを引き起こす傾向があった（図 2.22(a)）．そして，2 つの物体のカテゴリーが異なるほど反応パターンは異なり，たとえばヒトの体と機械の像はまったく異なる反応パターンを引き起こす傾向があった（図 2.22(b)）．反応パターンの類似度は，それぞれの細胞について 2 つの刺激が引き起こした反応の間の相関の係数

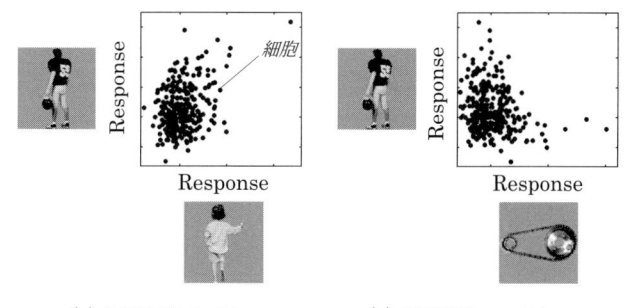

(a) 相関係数 0.35　　　　　　(b) 相関係数 −0.21

図 **2.22**　2つの物体図刺激に対する反応の相関の2つの例
674個の点のそれぞれは1つの細胞を表す．点の x 座標は第1の刺激に対する反応の大きさ，y 座標は第2の刺激に対する反応の大きさを表す．反応の大きさは，それぞれの細胞の1084個の刺激に対する反応のベクトル和を用いて規格化してある．

で定量化できる．1つの刺激による反応が大きい細胞ではもう1つの刺激による反応も大きい（またその逆の）傾向があれば，相関係数は正であり，2つの刺激による反応の大きさがまったく無関係であれば相関係数は0である．反応が相反的（一方の刺激による反応が大きいと他方の刺激による反応は小さい）傾向があれば相関係数は負になる．1から相関係数を引いた値は細胞集団の反応パターンによって測った物体像間の距離を表すことになる．物体像間の「神経距離」とでも呼んでみよう．神経距離の理論的な範囲は0から2までで，1000個の物体像刺激の間の神経距離は0.5から1.3まで分布した．

　神経距離を使って1000個の物体を分布させる．1つの物体を空間の中の1点で表し，物体間の距離が神経距離に等しくなるようにする．多少の神経距離のゆがみを許容すれば，空間の次元を10程度までとどめることができる．正確には神経距離のゆがみの合計が最小になるように物体を分布させる．この空間の中での物体の分布を見ると，顔，体，手，そして非動物に大きく分かれた（図2.23）．重複はあるが，統計的にはかなりきれいに分かれた．さらに顔はヒトの顔，サルの顔，その他の動物の顔に分かれ，体はヒトや四足動物と鳥の体の集合と，魚，爬虫類，昆虫の集合に分かれた．

　神経距離による物体像のカテゴリー分類の良さを定量的に評価するために，クラスター分析法を用いる．クラスター分析法では，まず1000個の物体の中で最も小さな神経距離を持つ2つの物体をグループ化し，次に999個になった物体グループの間の距離を計算して最小の2つをグループ化する．このグループ化

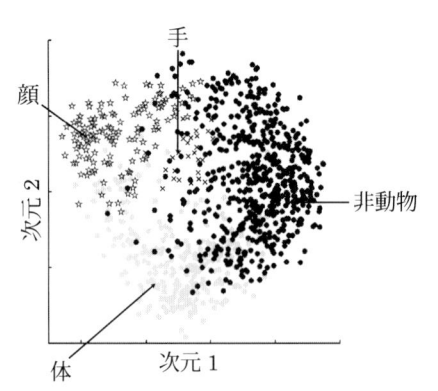

図 **2.23** 刺激間の神経距離（1-反応相関係数）に従って 10 次元空間に
1084 個の刺激を配置した配置図の 2 次元平面への投影
顔，体，手，非動物に大きく分かれた．

を 999 回繰り返すことによって 1000 個の物体を 1 つに集める大きなツリー構造をつくることになる．ツリーに従って物体を 1 列に並べる．そうすると，一方の端に顔が集まり，次に体が並び，反対側の端に非動物が集まった．ツリーの結び目と我々人間にとってのカテゴリーの対応を検討し，それぞれのカテゴリーに最もよく対応するツリーの結び目を決める．そしてその対応が統計的に有意であり，かつ結び目の下にカテゴリーに属する物体の半分以上が含まれる場合にだけ対応があったとすると，ツリーの中に図 2.24 に示すようなカテゴリー構造の存在が発見された．この構造の中にはサルの顔，ヒトの顔，霊長類以外の動物の顔，鳥の体，四足動物の体，ヒトの体，昆虫，魚，爬虫類などの動物のカテゴリーが現れた．しかし，車を除いては非動物のカテゴリーは現れなかった．動物カテゴリーについては，さらに，似たカテゴリーは隣どうしに位置し，その結果より上位カテゴリーに対応する上位の結び目があった．顔と体はそれぞれ 1 つの結び目に集まり，手と合わさって動物全般のカテゴリーに対応する結び目があった．車を含む残りの物体が大きな非動物のカテゴリーの集団を形成した．我々人間の直観的カテゴリーと結び目の対応は平均で 85% であった．

　以上の結果は，下側頭葉皮質細胞集団の反応パターンの類似度によって神経距離を測り，この神経距離によって物体を配置することにより，物体が平均 85% の確率で我々人間の直感的カテゴリーに対応した集合に分離されることを示して

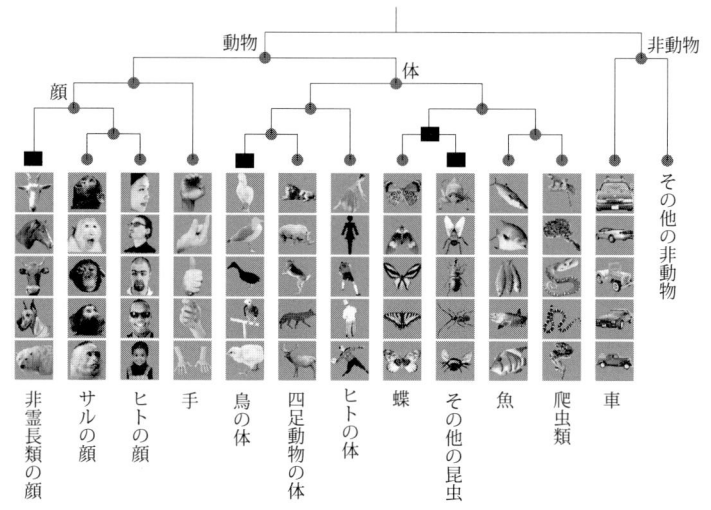

図 2.24 刺激間の神経距離を使って 1084 個の刺激をクラスター分析によりツリー構造に配置して現れた物体カテゴリー

丸はツリーのノードの下に対応するカテゴリーに含まれる物体の半分以上が含まれたノード，四角はノードの下に含まれるカテゴリーメンバーが半分は超えなかったが統計的には対応が有意であったノードを示す．

いる．1 つずつの下側頭葉皮質細胞は図形特徴に反応し，物体カテゴリーを表すことはできないが，異なる図形特徴に反応するたくさんの細胞を集めてその反応パターンの統計的な類似度を見れば，相当に精度良く物体カテゴリーを識別する表現を見いだすことができた．この下側頭葉皮質細胞集団の反応パターンによる物体カテゴリーの表現が，霊長類の素早い物体カテゴリー認知の基礎をなしていると考えられる．

物体カテゴリーの認知は下側頭葉皮質までのボトムアップの処理で行われている．前頭前野からのトップダウンの情報によって入力情報を解釈するような能動的な過程は必要としない．これを支持する証拠は心理物理実験の結果にもある．風景の中に動物がいるかどうかを判断する課題の遂行は選択的な注意を必要としない．選択的注意が別の難しい課題に向けられていても動物一般の認知の成績はほとんど悪くならない (Li et al., 2002)．

この心理物理実験で被験者は 2 つの課題を並行して行う（図 2.25）．第 1 の課題では，注視点付近に提示された 5 個のアルファベット文字がすべて T であるか，それとも 1 個の L が混じっているかを 2 つのボタンのどちらかを押すこ

52　第 2 章　知覚・認識・選択的注意

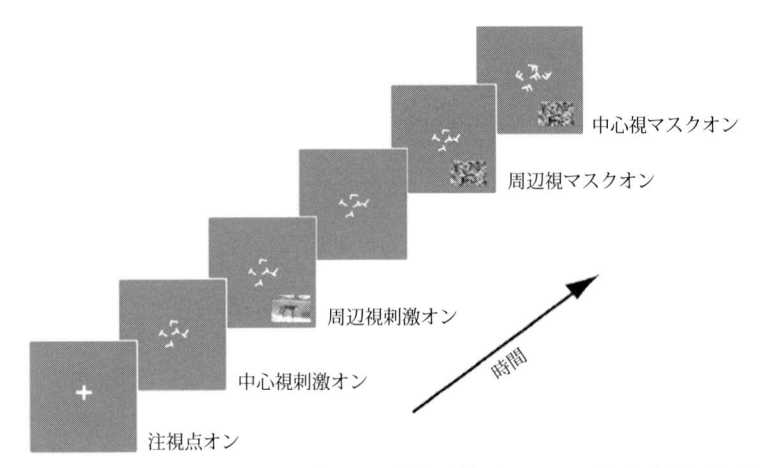

図 2.25　動物一般のカテゴリーに含まれる物体を検知する課題が選択的注意を必要とするかどうかを調べた心理物理実験
　　2 個の課題を課す．第 1 の課題は視野中心に提示した T の集合の中に L が含まれるかどうかを答える．第 2 の課題は視野周辺に提示した景色の中に動物が含まれるかどうかを答える．第 1 の課題は選択的注意を必要とする．第 2 の課題を単独で行ったときの成績が，第 1 の課題を同時に行うことで悪化するかどうかを調べた．

とにより答える．T と L の傾きはランダムである．T と L の区別には選択的注意を必要とすることが知られている．弁別刺激の後にマスク刺激を提示し，弁別刺激提示からマスク刺激までの SOA (stimulus onset asynchlony) 時間をだんだんに短くして，被験者ごとに，しっかり注意を向けていないと答えられないぎりぎりの条件にもっていく．第 2 の課題では，注視点から 6.5 度離れた周辺視野に自然または町並みの背景の写真を 17 ms の間だけ提示し，33 ms 後にマスク刺激を提示する．この写真にはたまに哺乳類，鳥類，魚類，爬虫類，あるいは昆虫などの動物が 1 個または複数個含まれる．被験者は押し続けている第 3 のボタンを離すことによって動物の存在を報告する．第 2 の課題を単独に行っているときの正答率（約 77%）が第 1 の課題を同時に行って選択的注意を第 1 の課題に引きつけたときに低下するかどうかを調べた．第 2 の課題がもし選択的注意を必要とすれば，第 1 の課題に注意が引きつけられることによって，第 2 の課題の成績が低下するはずであった．実際には成績の低下はまったく起こらなかった．第 2 の課題を選択的注意を必要とすることがわかっている T と L の弁別に変えた場合には，第 1 の課題を行うことによって正答率が低下したので，第 1 の課題が注意を引きつけていたことは間違いない．この心理物理実

験の結果は，動物カテゴリーに属する物体の検出が選択的注意なしにほとんど完全に行われうることを示している．

2.3 ヒトの大脳視覚野

　微小電極を刺入したり，トレーサーを注入して神経結合を調べるなどの侵襲的実験法を適用することのできないヒトの視覚システムに関する理解は，サルでの理解に比べてひどく遅れている．機能的磁気共鳴画像法 (fMRI) が開発されるまでは，後頭葉の主に内側面に位置する第一次視覚野にサルの第一次視覚野の視野マップとよく似た視野マップがあること，頭頂葉下部の損傷で空間知覚が障害される一方，側頭葉下部の損傷では物体知覚が障害されることがわかっているだけであった．非侵襲的脳活動計測法，特に fMRI の発達とともに，ヒトの後頭葉および側頭葉下部にもいくつかの視覚領野が同定された．まず，結合経路上で第一次視覚野に比較的近く，また比較的広い領域については，それぞれの領野にある視野マップを使って領野の境界が決められ，サルの領野の位置関係を参考に領野が決められた．第一次視覚野とそのすぐ前に位置する V2 野の境界には視野の垂直正中線が表現されている．別な言い方をすれば第一次視覚野の視野マップと V2 野の視野マップは垂直正中線で折り返している．V2 野とその前の V3 野の境界には水平正中線が表現され，V3 野とその前の V4 野の境界にはふたたび垂直正中線が表現されている．そこで，垂直正中線あるいは水平正中線を含む狭い視野の範囲に刺激を提示して機能的磁気共鳴画像法で活動の増加する脳部位を決めることにより，第一次視覚野，V2 野，V3 野，V4 野の位置と範囲が決められた．これらの領野の間の位置関係はサルとヒトでおどろくほどよく似ている (Tootell et al., 1998)．

　機能的磁気共鳴画像法で活動の刺激選択性を調べることによって，視野マップによって同定された領野の前にいくつかの領野が決められた（図 2.26）．外側部には運動刺激によく反応する領域として MT 野が決められた．サルでの細胞活動記録では MT 野のほとんどの細胞が運動方向に対する選択性を示す．機能的磁気共鳴画像法の空間分解能はせいぜい 0.5 mm であって，その中に存在する神経細胞の活動の平均を測定する．したがって，機能的磁気共鳴画像法では MT 野の細胞が運動方向選択性を持つかどうかを調べることはできない．ヒト

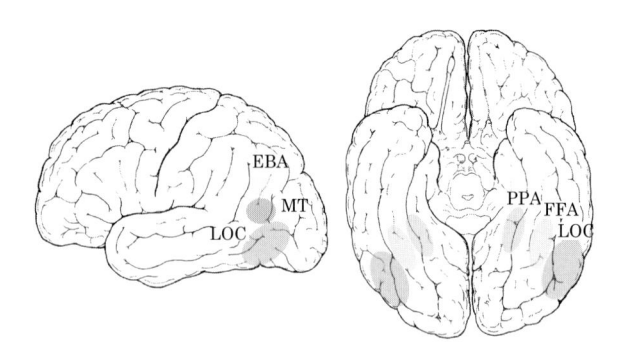

図 2.26 ヒトの後頭葉前部と下側頭葉後部に見つかった選択的視覚領域
MT：動きに強く反応する領野．LOC：物体像に強く反応する領野．EBA：ヒトの体の像に強く反応する領野．FFA：顔に強く反応する領野．PPA：建物や街並みの像に強く反応する領野．

では，動く刺激に対する活動と静止刺激に対する活動を比較して，動く刺激によく反応する脳領域を囲んで，サルの MT 野に対応する領野であると提案された (Zeki et al., 1991; Tootell et al., 1995)．死後脳の切片を髄鞘染色するとサルの MT 野と同じくヒトのこの領野も濃く染まる (Tootell & Taylor, 1995)．また，最近になって視野マップが調べられ，サル MT 野の視野マップと類似の配置をしていることが示され，サルの MT 野との対応がより確かになった (Huk et al., 2002)．

MT 野の下の後頭葉腹外側部に広く広がる領野は，物体像をスクランブルした図を見ているときより，複雑な物体像を見ているときに強く活動する．この領野の活動は物体のカテゴリーにはまったく選択的でない (Malach et al., 1995)．この領野は LOC (lateral occipital complex) と呼ばれることが多い．LOC には視野の中心と周辺，左と右を区別する程度のごく粗い視野マップしかない．MT の背側にはヒトの体の像に強く反応する領域がある（extrastriate body area，図では EBA と記す）(Downing et al., 2001)．

LOC の前腹側には被験者が顔の像を見たときに強く活動する領域がある (Kanwisher et al., 1997)．この領域は紡錘状回内に位置するので，紡錘状回顔領域 (fusiform face area: FFA) と呼ばれることが多い．FFA の顔に対する反応は，顔をスクランブルした像や幾何学的模様への反応よりずっと大きいし，また調べられた限りでは，顔以外のどのカテゴリーの物体の像への反応よりも大きい．FFA は全体として中心視に提示された刺激により強く反応する．

FFA の内側の側腹溝から海馬傍回にかけた領域は，被験者が景色や建物を見たときに強く活動する (Epstein & Kanwisher, 1998; Aguirre et al., 1998). この領域は PPA (parahippocampal place area) と呼ばれることが多い．ヒトでは視覚刺激によって腑活されるのは下側頭葉の後半部だけで，FFA および PPA のさらに前の領野はどのような視覚刺激でも活動上昇を示さない．下側頭葉の前半部は物体の視覚像を見て命名するときに活動するので，視覚像から名詞概念への変換のインターフェースの役割を果たしている，あるいは名詞概念そのものが蓄えられていると考えられている (Damasio et al., 1996).

2.4 選択的注意

私たちは日常生活の中でいろいろな感覚情報を絶えず受け続けているが，行動に影響を与える，または記憶に蓄えられる情報はその中のごく一部である．受容される情報の一部が選ばれ，行動や記憶などより深い処理に入っていくことを選択的注意と呼ぶ．

一般的な精神状態を表す覚醒などの概念と特定の感覚入力に関する選択的注意は異なった概念である．一般的な脳の状態は覚醒と睡眠に分けられ，覚醒はさらにボーッとして注意散漫状態と緊張した注意集中状態に分けられる．一方，注意集中状態の中で，特定の知覚対象のそれぞれについて，注意が向いている状態と無視している状態がある．選択的注意はこのような個々の知覚対象に関する状態を表す概念である．

19 世紀に活躍した Helmholtz は視線を向けることなしに起こる内的な注意を発見した．私たちは注意を向ける対象に普通は視線を向ける．注意を向けることと視線を向けることは普通は一緒に起こる．しかし，刺激が提示されてから刺激へ向かって視線を向けるための眼球運動が起こるまでには約 200 ms の遅れがある．そこで，刺激を十分短い時間，たとえば 100 ms 提示すると，刺激に向かって視線を向ける前に刺激が消えてしまう．この条件では，視線を向ける注視の位置と，注意を向ける空間位置を分けることができる．

Helmholtz は，暗室の中で電気スパークによって文字盤を瞬間的に照明した (図 2.27)．あらかじめ文字盤の中央に視線を向けておいて，さらに視線を向ける部分とは異なる空間に注意を向けるようにあらかじめ意図していると，注意

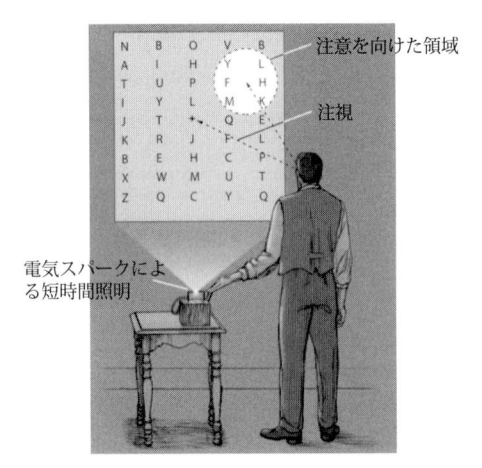

図 2.27 Helmholtz が行った注意の実験
視線を向けることとは別に，内的な注意が知覚に影響することを示した．

を向けた領域の文字は読めるが，それ以外の領域の文字は読めなかった．この結果は，視線を向けることとは別に，内的な注意のメカニズムがあることを示した．

2.4.1 早期選択モデルと後期選択モデル

ある感覚入力に注意を向けるとその他の感覚入力が無視される．この注意に伴うその他の入力の無視は，両耳聴と呼ばれる条件ではっきりと経験することができる．

ヘッドホーンで左右の耳に別々の文章を聞かせ，左耳あるいは右耳に聞かせた文章を復唱させる（図 2.28）．そして，復唱の後に，復唱させた方と反対側の耳に聞かせた文章の詳細を尋ねると被験者はほとんど答えることができない．これは，注意を向けていない感覚入力が知覚されていなかったことを示す．このような実験事実を基に，選択的注意による感覚入力の早期選択説が提案された．早期選択説は，感覚入力処理の一連の過程のかなり初期の段階で選択がはたらき，注意を向けた入力だけが処理過程に入っていき，それ以外の入力はブロックされると考える．

ところが早期選択説では説明できない現象がいくつもある．カクテルパーティー効果という言葉を聞いたことがあると思う．カクテルパーティー効果と

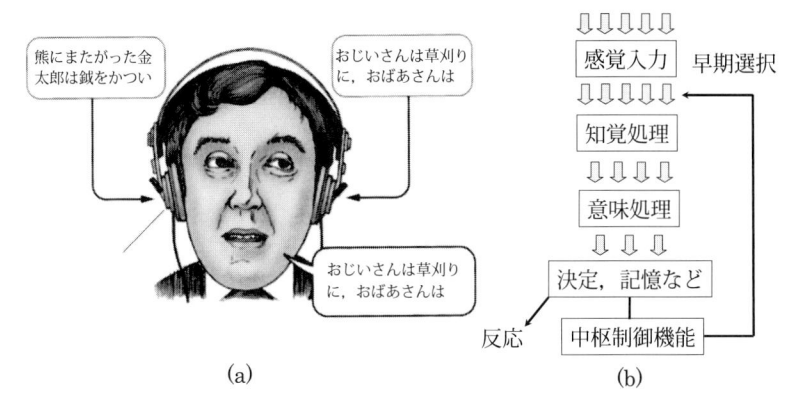

図 2.28 両耳聴の実験 (a) と早期選択説のモデル (b)

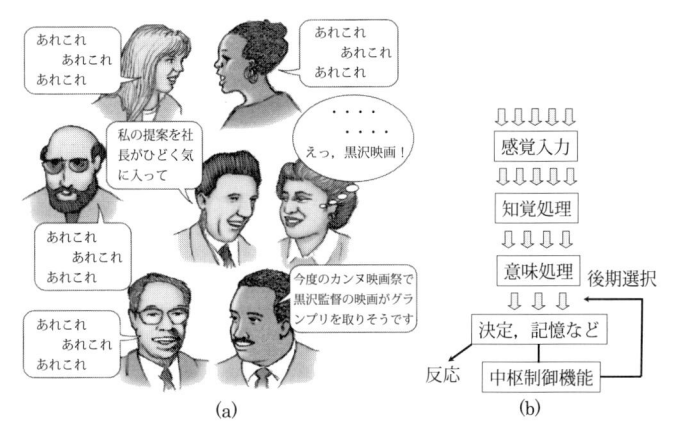

図 2.29 カクテルパーティーのなかで，注意を払っていない人が自分の気になる人の名前を言った途端に，注意を引きつける現象 (a) と後期選択説のモデル (b)

は，カクテルパーティーのように大勢の人たちが集まり，部屋のあちこちでそれぞれ別な話題について話している場合に，注意を向けている相手の発言だけが選択的に知覚される現象のことである．カクテルパーティー効果そのものは早期選択説で説明できる．ところが，注意を向けていない人たちのなかの1人が，気になる言葉，たとえば自分の名前，あるいは自分の好きな映画監督の名前，を言うと途端に知覚され，注意がその人の発言に向くことがある（図 2.29）．この現象は早期選択説では説明できない．注意を向けていない感覚入力が処理過程に入っていなければ，自分の名前あるいは好きな映画監督の名前であるこ

とはわからないはずである．この現象を説明するために，注意を向けていない感覚入力も意味処理の段階までは処理されていて，一連の処理過程のなかのかなり後期の段階でブロックされるという後期選択説が提案された．後期選択説は注意による選択が絶対的なものではないことも示す．注意を向けていない対象に重要な情報を検出するとそこに注意が向けられる．我々の脳は注意を向けて情報を選択しながらも，選択の対象を切り替える準備をいつもしているのである．これは，予測不可能な事柄が起こる複雑な環境の中でうまく生きていくために当然必要な能力である．

2.4.2　空間，物体，モダリティーへの選択的注意

選択的注意はどのような意味で選択的なのだろうか．私たちは刺激のいくつかの側面で注意を向ける対象と無視する対象を区別することができる．第1は空間的な選択である．

図 2.30 は刺激検出の反応時間によって空間的に選択された注意，空間的注意を定量的に測定した実験の例を示す (Posner et al., 1980)．被験者はまず画面中央の注視点に視点を向ける．次に注視点の上に矢印が出る．矢印の約 800 ms 後に，標的刺激が注視点の左または右に提示される．被験者は標的刺激が出たらすぐにスイッチを押すように求められている．標的刺激は，80%の試行では矢印の示す側の視野に提示され，20%の試行では反対の視野に提示される．そこで，被験者は矢印の方向に注意を向けて，標的刺激の検出に備えることになる．標的刺激提示の開始時刻からスイッチ反応の時刻までの時間遅れを反応時間として測定する．手がかり刺激の両側に矢がついている場合には標的刺激の位置を予想できないので，注意は左右均等に分布していると考え，この場合の反応時間を基準とする．手がかり刺激の示す方向と同じ側に標的刺激が出たときは反応時間が基準の場合よりも 20–30 ms 短く，手がかり刺激の示す方向と反対の側に標的刺激が出たとき，すなわち期待が裏切られたときは，反応時間が 30–40 ms 長くなった．「注意の向いている場所に刺激が出たときは刺激の処理が早まり反応時間が短縮した，逆に，注意が別の場所に向いていたときは刺激の処理が遅くなり反応時間が延長した」と考えることにより，この結果は説明できる．

この場合のような簡単な課題の場合は正答率は注意と標的刺激の方向の一致，

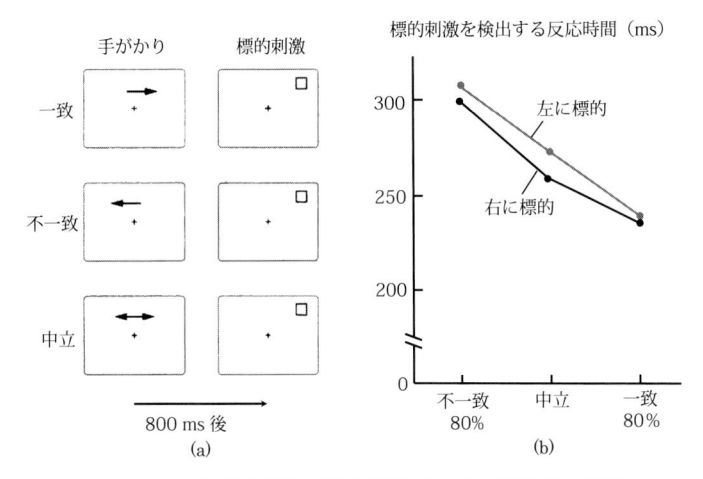

図 2.30 標的刺激検出の反応時間に現れる空間注意の影響

被験者は視線を画面中央の点に向け続ける．まず矢印が手がかり刺激として提示され，800 ms 後に標的刺激が提示される．被験者は標的刺激提示後なるべく早くスイッチを押す．標的刺激の提示開始からスイッチ押しまでの反応時間を測る．矢印が示す側に標的刺激が提示されたときの方（上）が，反対側に提示されたとき（中）よりも約 50 ms 反応時間が短い．

不一致によらずにほぼ100％であり，正答率は選択的注意の影響を定量化する測定量としては適しない．しかし，このような場合では反応時間には違いが出ることが多く，そのため正常な被験者での注意に関する心理実験ではよく反応時間が用いられる．

注意と反応時間の関係はサーチ課題でも観察される (Treisman & Gelade, 1980)．サーチ課題では，被験者は標的刺激が画面の刺激配列の中に含まれるか含まれないかを答える．この答えを出すまでの反応時間を測定する．たとえば標的刺激が赤い丸であったとする．刺激配列の中の標的刺激以外の刺激（妨害刺激）が緑の刺激ばかりであった場合は，色の対比のために，標的刺激が一瞬のうちに浮かび上がってくる（図 2.31(a)）．妨害刺激が×ばかりであった場合も，今度は形の対比のために，標的刺激は一瞬のうちに浮かび上がってくる．図 2.31(b) では，平均反応時間を刺激配列に含まれる刺激の数の関数でプロットしているが，このように標的刺激が妨害刺激と１つの単純な特徴で異なっている場合は，反応時間は刺激の数によらずに短く一定である．

図 2.31(a) の場合のように，妨害刺激が白と赤，○と×の両方を含んでいた場合は，標的刺激は浮かび上がってこない．刺激を１つずつチェックしていく

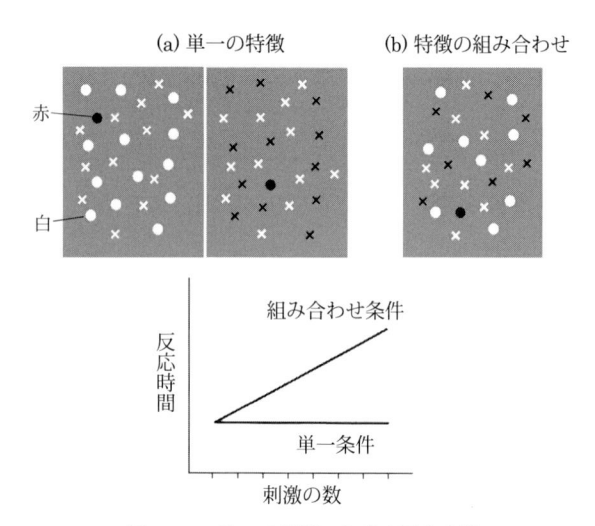

図 2.31 サーチ課題における反応時間
被験者は画面の中に標的（この図の場合は赤の○）が「ある/なし」をなるべく早く報告する．反応時間を刺激の数に対してプロットする (c)．妨害刺激が標的刺激と1つの特徴の違い（図の場合は，色または明確な形の違い）で違っている場合 (a) は，反応時間は妨害刺激の数によらずにほぼ一定である．妨害刺激が標的刺激と2つ以上の特徴の組み合わせで異なっている場合 (b) は，妨害刺激の数が増えると反応時間も増える．

必要がある．平均反応時間を測定すると，刺激の数に相関して反応時間が一定の比率で長くなった（図 2.31(b)）．反応時間が刺激の数に応じて延長するのは，刺激を1つずつチェックしていることの証拠である．刺激を1つずつチェックしていって，いつ標的刺激に当たるかは試行ごとに異なるが，平均すれば刺激の数の半分をチェックしたときになるはずである．1つの刺激をチェックするのにかかる時間が一定であれば，刺激の総数に比例して反応時間は増加することになる．複数の特徴を組み合わせる必要のある処理，また微妙な形の違いを区別する処理は，空間的注意を必要とし，そのために反応時間が刺激の数に応じて延長する．

注意は物体を単位として特定の物体に向けられる場合もある．注意の対象と刺激が同じ物体に属する場合と異なる物体に属する場合で刺激検出の反応時間を比較することにより，物体単位の選択的注意の存在を示すことができる．図 2.32 に示す実験の場合は (Egly et al., 1994)，2つの長方形が物体として機能する．まず手がかり刺激が提示された後，標的刺激が提示される点は空間的注

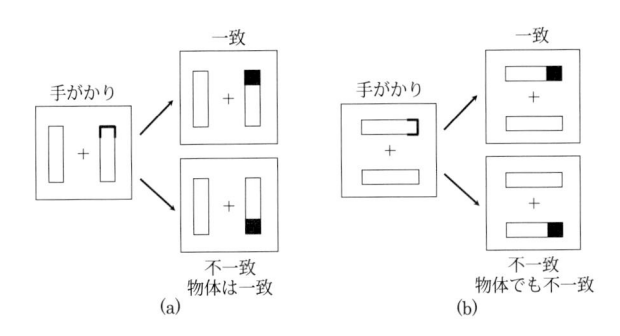

図 2.32 物体を単位とした注意
手がかり刺激の位置と標的刺激の位置が異なる場合（下）には同じ位置にあった場合（上）よりも反応時間が長くなる．手がかりと標的が同じ長方形の上にあった場合 (a) に比べて，異なる長方形の上にあった場合 (b) は，反応時間の延長が大きい．注意が異なる物体へ移動するために時間がかかる．

意の実験と同じである．空間的注意の実験で見たように，標的刺激の検出にかかる反応時間は，標的刺激が手がかり刺激と異なる位置に提示された場合の方が，標的刺激が手がかり刺激と同じ位置に出た場合よりも長くなる．図 2.32(a) に示す実験条件と図 2.32(b) に示す実験条件は，手がかりと標的の位置が異なる場合において異なる．図 2.32(a) では，2 つが同じ長方形の上にあるが，図 2.32(b) では，別の長方形の上にある．手がかり位置と標的位置が異なる場合の反応時間は，手がかりと標的が別の長方形にある (b) の実験条件の方がさらに長くなる．この結果は，空間的位置の他に物体を単位として注意が制御されていることを示す．手がかりと刺激の空間位置がほとんど一致している場合にも，2 つが同じ物体の上にあるか，交差する別な物体の上にあるかによって物体を単位とした注意の影響が反応時間に現れる．

第 3 に，注意は特定の刺激の側面，モダリティーに向けられることがある．モダリティーへ向けられた注意は刺激検出課題では測定できないので，普通は刺激の変化の検出で測定する．図 2.33 に示した実験の場合は (Corbetta et al., 1991)，たくさんの四角形が一定の方向へ一定のスピードで移動している刺激をまず 400 ms 提示する．次に 200 ms ほどの間隔をおいて，第 2 の刺激を提示する．第 2 の刺激では第 1 の刺激に比べて，四角形の刺激要素の色，または縦横比，または移動のスピードが微妙に異なる．図 2.33 では縦横比が異なる場合を示す．被験者は 2 つの刺激が同じであるか，異なるかを答える．第 1 の刺激と第 2 の刺激が同じモダリティーで変化する多くの試行をブロックにして行わせ

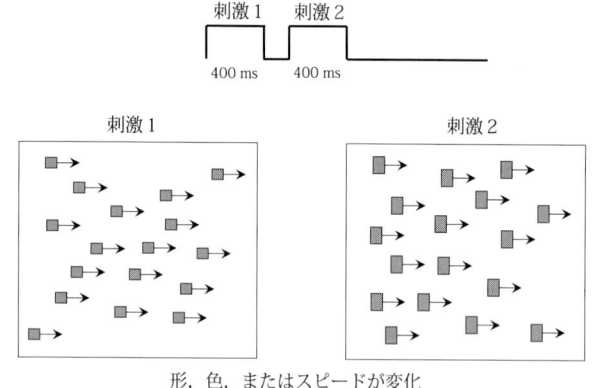

図 2.33 モダリティーへの注意
多くの四角形が動いている刺激を 2 回提示する．2 つの刺激の間で，四角形の縦横比，色，または動きのスピードが変わる，または変わらない．被験者は 2 つの刺激が同じか異なるかを答える．刺激が変化する刺激のモダリティーが試行ごとに変化する場合の正答率は，試行のブロック内で一貫している場合の正答率よりも低い．モダリティー間を注意が移動するのに負担がかかる．

た場合と，1 回の試行ごとに変化するモダリティーがランダムに変化した場合を比較する．ブロックになった場合は，被験者は変化が刺激のどのモダリティーで起こるか予測できるが，試行ごとにランダムな場合はすべてのモダリティーに注意を均等に配る必要がある．ブロックの場合の方がランダムな場合よりも高い正答率で，被験者は変化の「ある/なし」を報告した．この結果は刺激のモダリティーへ注意が向けられることを示している．

2.5 選択的注意の脳内メカニズム

2.5.1 選択的注意に関わる脳活動

　選択的注意による刺激検出反応時間の短縮や刺激変化検出の正答率の上昇は，注意が選択的に向けられることによりその刺激の処理が促進されることを示唆している．刺激処理の促進は脳活動を脳波測定や機能的磁気共鳴画像法などによって測定することによって直接示すことができる．

　図 2.34 は脳波測定による空間的注意の影響を測った実験 (Eason et al., 1969) を説明する．長方形の刺激が注視点の左または右の決まった位置に提示された．この刺激によって大脳の初期視覚野のある後頭部に引き起こされる誘発脳波を

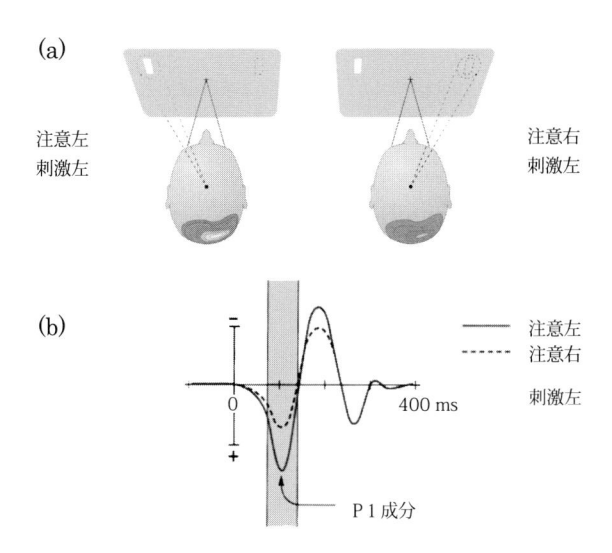

図 2.34 標的刺激により引き起こされる誘発脳波に見られる空間注意の影響
　　被験者は視線を画面中央の点に向け続ける．内的注意を画面左に向けているときに画面左に刺激が提示されたときの誘発脳波（図下の実線）の P1 成分は，内的注意を画面右に向けているときに画面左に刺激が提示されたときの誘発脳波（点線）の P1 成分よりも小さい．

測った．注意を向けるべき方向は，実験者から口頭で，または手がかり刺激で伝えられた．図2.34(a) では点線で注意が向けられた空間位置を示す．図2.34(b) 下が誘発脳波である．誘発脳波の測定では，一般に，同じ条件の試行を何百回も繰り返し，平均加算する．横軸が時間で，縦軸が電位，上が負で下が正である．後頭部の電極で記録される誘発脳波は刺激提示開始後約 100 ms で初めのピークを形成しているが，この初めのピークにすでに注意の影響が現れている．注意が向けられた位置と刺激の提示された位置がともに左で一致した場合の誘発脳波を実線で，注意が右に向けられ刺激が左に提示され注意と刺激の位置が異なった場合が点線で示されている．刺激提示開始後 100 ms のピークは P1 成分と呼ばれる．P は positive の頭文字でピークの極性が正であることを示し，1 は 100 の頭文字でピークの刺激開始からの遅れ，潜時が約 100 ms であることを示す．注意と刺激の位置が一致したときの方が約 2 倍大きい P1 成分が生じた．

この P1 成分の注意による違い，変化分は 3 つの理由で第一次視覚野のすぐ周りにある V2 野，V3 野，V4 野などの初期視覚野の活動を反映したものと考

えられる．第 1 の理由は変化分が短い時間遅れで現れることである．差が現れるのは刺激開始後約 70 ms である．サルにおいて微小電極により個々の神経細胞の活動を記録すると，第一次視覚野のすぐ周りにある V2 野，V3 野，V4 野などの初期視覚野の神経細胞の視覚刺激に対する反応の潜時はこの約 70 ms におおむね一致する．第 2 の理由は，誘発脳波の空間分布である．誘発脳波の変化分は初期視覚野が存在する後頭葉を中心に現れた．第 3 に，刺激の位置を左視野，右視野，上視野，下視野に動かすと，誘発脳波変化分の分布も後頭葉の中で移動し，この移動は初期視覚野の視野マップとおおむね一致した．

標的刺激により初期視覚野に引き起こされる脳活動の大きさが空間的注意により変化するという実験結果は，注意の向けられていない刺激の処理が一連の処理過程の中の比較的初期の段階でブロックされるという早期選択モデルを支持する．しかし，注意の向けられていない刺激による脳活動も小さくなるだけで決して 0 にはならない．したがって，注意の向けられていない刺激に関する信号も完全にブロックされるわけではなく，後の処理段階まで弱いながらも伝わっていく可能性もこの実験結果は示唆している．パーティー会場で注意を向けていない人が自分の名前を言ったとたんに注意を引くのは，この弱い信号が意味処理まで進んでいるからだと考えられる．

刺激に対する誘発脳波の注意による変化は，大脳感覚野での感覚情報の処理の過程が注意により促進，または抑制されたことを捉えたものであった．注意による変化の指示を送る元，注意を制御している側は，脳のどこにあるのだろうか．

注意を制御する脳部位の場所は主に機能的磁気共鳴画像法で調べられてきた．一般に機能的磁気共鳴画像法の時間的分解能はあまり高くないが，それでも，手がかり刺激と標的刺激の提示の時間間隔を大きめにすることによって，手がかり刺激提示に同期した脳活動と標的刺激提示に同期した脳活動を分離することができる．空間的注意の課題では，手がかり刺激によって被験者は注意を向ける空間位置を決め，実際にその位置に注意を向ける．次に標的刺激が出ると感覚野での処理が進み，運動系に信号が伝えられて，たとえばスイッチ押し反応という行為が引き起こされる．図 2.35 は手がかり刺激が提示された直後，まだ標的刺激が提示される前に，活動が高まった脳の領域を黒塗りで印す (Hopfinger et al., 2000)．手がかり刺激に同期した活動は多くの脳部位に見られたが，特

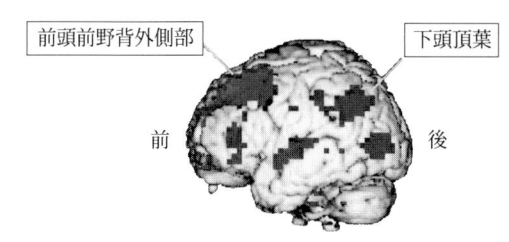

2.5 選択的注意の脳内メカニズム　65

図 2.35 手がかり付き標的刺激検出課題において，手がかり刺激提示に続いて起こる空間注意制御に関わる脳活動
黒塗りで印した脳部位の活動が高まった．

に頭頂葉の下部（下頭頂葉）と，前頭葉の連合領域である前頭前野の背外側部に強い活動が見られた．この2つの大脳領域に加えて，視床の中の視床枕と呼ばれる構造も注意に関連して活動が高まる．これらの3つの脳部位のうち，下頭頂葉と視床枕はそれぞれ直接に初期視覚野に結合している．この結合によって初期視覚野に処理促進または抑制の信号を送っているものと考えられる．前頭前野背側部は下頭頂葉および視床枕を介して初期視覚野を制御していると考えられている．

2.5.2 頭頂葉損傷による半側空間無視

機能的磁気共鳴画像法を用いた測定によって下頭頂葉が注意の制御に対応して活動していることをみたが，以前より頭頂葉の損傷により注意の障害が現れることが脳損傷患者の行動テストで知られていた．一方の脳半球の頭頂葉が損傷された患者の多くで，半側空間無視と呼ばれる現象が現れる．たとえば，右の頭頂葉損傷では左側の空間に提示された物体を無視する症状が現れる．このような患者では，医者が患者の左側から近づくと医者の存在になかなか気がつかず，声をかけるとはじめて気がついてびっくりする．また，たくさんの線分が描かれたシートを渡し，すべての線分に×をつけるように求めると，シートの左側にある線分に×をつけないで残してしまう（図 2.36）．損傷が起こったすぐ後の急性期には症状が顕著で，時間とともに次第に症状が緩和する傾向がある．

2.5.3 注意移動の3つのステップ

半側無視は健常な側の空間の物体の影響を受ける．症状の重い患者では，ど

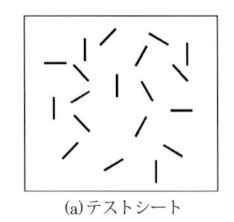

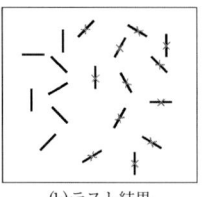

(a)テストシート　　　　(b)テスト結果

図 2.36 半側空間無視のテスト
テストシート (a) のすべての線分にマークを付けるように指示すると，右半球の頭頂葉に損傷のある患者はテストシートの左側にある線分にマークを付け損なう (b).

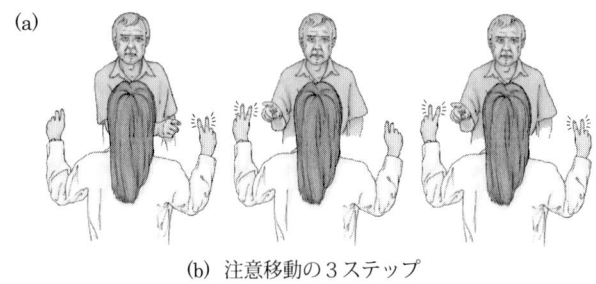

(a)

(b) 注意移動の3ステップ

解放 → 移動 → 捕捉

図 2.37 軽度の半側空間無視の患者に見られる「消去」の現象

んな状況でも症状のある側，病側空間の物体を無視するが，ある程度回復した患者では病側空間にだけ刺激が提示された場合は刺激に気づく．

図 2.37(a) に示した臨床テストの場合は，実験者が両手を上げ指を動かして，動かした指を指摘するように求めた．健常空間の側の指を動かしても，障害側空間の側の指を動かしても患者は動いた指を指摘することができた．しかし，実験者が両方の手の指を同時に動かすと，患者は健常側だけの指を指摘し，障害側の指の動きに気がつかなかった．健常側の指に向けられた注意が反対側の指の動きを検出することを妨げているかのようであった．この現象は「消去」と呼ばれ，よく観察される現象である．このような消去の現象を説明するために，空間的注意が移動する過程には3つのステップがあると提唱された（図 2.37(b)）．第1は現在注意を払っている空間位置（あるいは物体）からの注意の解放，第2は注意の移動，そして第3は新しい空間位置あるいは物体への注意の捕捉である．消去の現象は，損傷からある程度回復した頭頂葉損傷患者の問題が，注

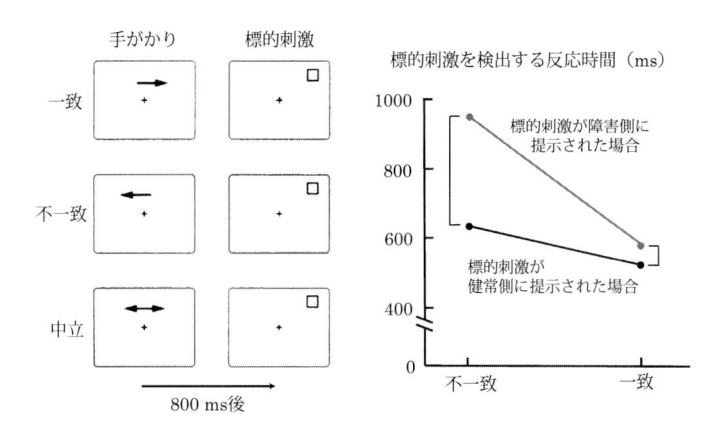

図 2.38 手がかり付き標的検出課題における頭頂葉損傷の影響
脳損傷の影響は，手がかり刺激が示す空間側と標的刺激が実際に提示された空間側が反対であったときに大きい（グラフの左，不一致とラベルされたプロット）．

意の解放にあることを示唆する．

　頭頂葉の損傷が注意の捕捉よりは注意の解放に問題を生ずることは，単純な標的刺激検出課題における反応時間の結果からも示唆される（図2.38）．健常視野に標的刺激が出たときは，健常被験者の場合と同じく，手がかり刺激が示す方向と標的刺激が実際に出た方向が一致した場合と，反対であった場合の反応時間の差は数十 ms であった．ところが，障害側に標的刺激が出た場合は，手がかり刺激と標的刺激の方向が一致した場合は健常側とほとんど同じ反応時間で標的刺激が検出されたのに対し，手がかり刺激が反対側を示していた場合の反応時間は 300 ms 以上さらに長くなった (Posner et al., 1984)．この結果は，手がかり刺激によって注意が反対側に向けられていた場合に，提示された標的刺激に注意を向けることがなかなかできないことを表すと解釈され，頭頂葉は注意の解放に主に関わるとの考えを支持する結果であると考えられている．

　頭頂葉のはたらきが主に注意の解放にあるとしたら，注意の捕捉を行っている脳の部位はどこだろうか．視床の一部である視床枕が注意の捕捉に関わっていることを示す証拠がいくつかある．図2.39はサルに標的刺激の検出課題を行わせ，片側の視床枕に神経細胞の活動を抑制する薬を，あるいは促進する薬を注入して，反応時間への変化を観察した実験 (Robinson & Petersen, 1992) を表す．左の視床枕からは左の視覚野へ，右の視床枕からは右の視覚野への結合

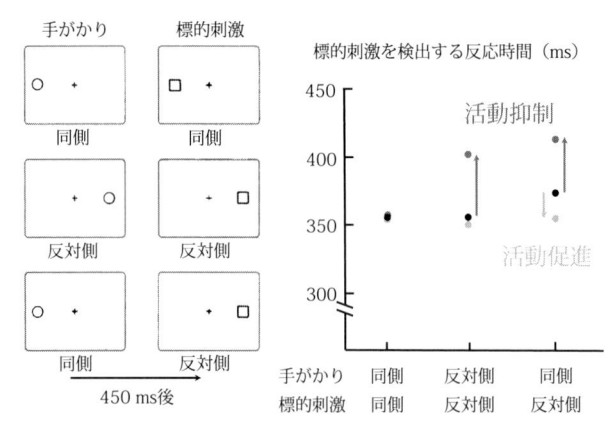

図 2.39　手がかり付き標的検出課題における視床枕の促進と抑制の影響

　このサルを使った実験では，手がかり刺激として，標的刺激が提示される可能性のある 2 つの場所のどちらかにスポットを提示した．片側（左または右）の視床枕に薬を注入した．刺激提示の同側や反対側の記述は，薬の注入部位を基準とする．視床枕は同側の大脳視覚野へ投射するので，反対側の視覚刺激に関連してはたらく．視床枕の抑制により，標的刺激が反対側に提示されたときの反応時間が伸びた．手がかり刺激の提示位置によらずにこの影響は現れたので，視床枕のはたらきは手がかり刺激の提示により手がかり刺激の位置に向けられた「位置からの解放」ではなく，標的刺激への「注意の捕捉」にあると考えられる．

がある．視覚野は反対の視野の刺激を処理する．したがって薬を注入した視床枕と左右反対側の視野に標的刺激を提示したときに薬注入の効果は現れると期待される．図 2.39 での同側あるいは反対側は，すべて薬を注入した視床枕を基準にして記している．図 2.39 の実験で薬は左半球の視床枕に入れた．図の右のグラフでは，暗い薄い色の点は薬を注入する前のコントロールの状態での反応時間を表す．薄い色は薬によって視床枕の活動を促進したときの反応時間，濃い色は別な薬によって視床枕の活動を抑制したときの反応時間を表す．視床枕から視覚野への結合から予想したように，薬注入の効果は標的刺激が注入した視床枕と反対側に出たときだけに現れた．より大きな影響は視床枕の活動抑制によって現れたが，この影響は手がかり刺激から標的刺激に向かって注意が移動するか，移動しないかに関わらずほぼ同じように現れた．2 つの条件ともに視床枕の活動抑制によって反応時間が約 50 ms 長くなった．視床枕抑制によって標的刺激への注意の集中に障害が出たものと解釈される．

　以上に説明した結果が示すように，下頭頂葉は前の注意部位から注意を解放することに主に関わり，視床枕は新しい部位に注意を捕捉し集中することに主に関わるとの説が有力になりつつある．

2.5.4 無視の範囲を決める座標

最後に下頭頂葉の損傷による半側無視における無視される物体の範囲を決める座標について考える．図 2.40 は，テストシートにばらまかれた線分に印を付ける課題の一種で，線分をすべて水平にし，その真ん中に印を付けるように求めた場合の結果の一例である．シートの中の左側の線分に印を付けそこなうことはすでにみたとおりだが，印をつけた線分においても，印の位置が線分の右よりの位置に一貫して偏っていた．健常視野の中にある視野全体から比較すれば小さな物体の中でも左側の部分が無視されるために印を付ける位置が右に偏ったのだと考えられる．下頭頂葉の損傷では，自分を中心とした空間全体の中での反対側に注意が向きにくくなるだけではなく，それぞれの物体の中でもその左側に注意が向きにくくなる．

図 2.41 はイタリアで行われた研究の結果 (Bisiach & Luzzati, 1978) を表している．イタリアの町にはよく広場がある．広場の周りには聖堂や市庁舎など特徴を持った建物が配置されている．頭頂葉損傷のために半側無視の症状を示した患者に，脳損傷の事故のずっと前からよく慣れ親しんだ広場の景色を思い出して見える建物を言ってもらった．その際に広場のどちらの側から広場を眺めるかを実験者が指定した．そうすると，眺める位置から見て左側の建物が報告されなかった．眺める位置が広場の反対になると，抜け落ちる建物は変わった．この結果は，無視が感覚入力の処理過程にあるだけではなく，処理された結果を脳の中で表現する過程にも起こっていることを示唆する．

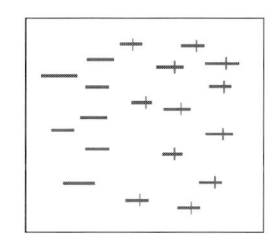

図 2.40 頭頂葉損傷による注意の障害を決める座標

物体中心座標の影響．左側の線分を無視するだけでなく，マークした線分についても線分の中間より右側によった位置にマークを付けた．これは，空間全体の中での物体の位置だけでなく，物体の中での位置が無視に影響していることを示唆する．

図 2.41　頭頂葉損傷による注意の障害を決める座標
自己中心座標．広場の反対の位置からそれぞれ広場の風景を思い出すと，観察位置から見て左側の景色が抜け落ちる．この結果は，無視空間が自己中心座標で決まっていることを示すとともに，感覚情報の処理だけでなく，記憶からの想起においても，空間無視が起こることを示す．

2.6　まとめ

　外界の物体の属性を弁別し，識別するという「知覚」については，サルの視覚システムを使った研究で，相当に理解が進んだ．網膜で取り出された要素情報が，網膜から第一次視覚野を経て頭頂葉および側頭葉下部の連合野に至る経路で徐々に統合されていく様子がかなり明らかになった．網膜と第一次視覚野の神経細胞の活動が表す特徴は物理世界の法則性だけに依存するような，どの動物種でも共通に有用な特徴である．連合野に近づくにつれて，たとえば物体カテゴリーのように，動物種の生存に特別に重要な情報に変化していく．最近の研究では，数週間以上の長期的経験によって，下側頭葉皮質細胞の刺激選択性が変化することも示されている．動物種だけでなく，それぞれの個体にとって特別に意味ある情報が，神経細胞およびその集団の活動によって表現されるようである．

　「知覚」を受けてその後に起こる「認識」には，物体の識別，弁別をするだけではなく，それぞれの物体に関する他の情報の再現が含まれる．物体カテゴリーは物体の意味によるグループ分けであり，下側頭葉皮質細胞集団の活動パターンによる物体カテゴリーの表現は，下側頭葉皮質がすでに認識に直接関わっていることを示す．しかし，この表現は物体のカテゴリー分類を示すだけであって，それぞれのカテゴリーに関する一般的知識を表すわけではない．モダリティー

を越えた情報の再現という認識の側面については，まだ知見は限られている．重度のてんかん患者の外科的処置の準備として，微小電極を患者の側頭葉に刺入して，海馬を含む脳部位から神経細胞の視覚刺激に対する応答を調べた研究がある．海馬の神経細胞の中には，俳優など有名な特定の人のいろいろな写真だけでなく，アルファベットで書かれたその人の名前にも共通に反応した細胞がある．このような海馬の神経細胞の活動は，モダリティーを越えた認識の神経基盤の一部をなしている可能性がある．以前から，物体とその情動的価値の連合には扁桃体と前頭連合野の眼窩部が重要なはたらきをすることが示されている．最近の研究では，下側頭葉皮質のすぐ内側に位置する周嗅野が，視覚―視覚連合，および視覚―報酬連合へ関わることが示されている．物体と行為の習慣化した連合には運動前野および大脳基底核の関与が示されている．認識には視覚システムを越えた脳の広い部位が関係しているようだ．

ヒトの知覚・認識については，実験方法の制約のせいで，理解が遅れている．非侵襲的脳活動計測法の空間分解能は今のところ 1 mm 以上にとどまり，領野を単位とした機能分化の研究はできるが，それぞれの領野の中での情報の表現や処理の様子を調べることはできない．当分の間は，サルでの研究をもとに類推をはたらかすことになるだろう．

一方，選択的注意に対応する神経過程については，ヒトでの研究がかなり進んでいる．ヒトでのマクロなレベルでの結果とサルでの細胞レベルでの結果はよく対応しており，両方の研究結果を合わせると，選択的注意を受けて感覚情報処理が変調される被制御側のメカニズムについてはほぼ解明された．しかし，変調を及ぼす制御側のメカニズム，および制御側から被制御側に制御信号を伝えるメカニズムについては，まだ知見は限られている．

選択的注意には，目立った刺激に受動的に励起される受動的注意と，特定の意図に従って必ずしも目立たない刺激に向ける能動的注意がある．受動的注意はボトムアップ注意，能動的注意はトップダウン注意とも呼ばれる．ボトムアップ注意では，目立った刺激の情報が視覚領野から頭頂連合野へ伝えられ，頭頂連合野からの信号によって視覚領野での処理が変調される．トップダウン注意では，前頭前野に制御信号がまず起こり，これが頭頂連合野へ伝わって，頭頂連合野から視覚領野へ変調のための信号が伝えられると提唱されている．証拠はまだ部分的である．

知覚・認識の研究と選択的注意の研究のいずれにおいても，サルでの研究とヒトでの研究が相補的にはたらいて，ヒトの機能メカニズムの理解が進んでいくものと期待される．

参考文献

[1] Aguirre GK, Zarahn E, D'Esposito M (1998) An area within human ventral cortex sensitive to "Building" stimuli: evidence and implications. *Neuron* **21**: 373–383.

[2] Albright TD, Desimone R, Gross CG (1984) Columnar organization of directionally selective cells in visual area MT of the macaque. *Journal of Neurophysiology* **51**: 16–31.

[3] Bisiach E, Luzzatti C (1978) Unilateral neglect of representational space. *Cortex* **14**: 129–133.

[4] Bonhoeffer T, Grinvald A (1991) Iso-orientation domains in cat visual cortex are arranged in pinwheel-like patterns. *Nature* **353**: 429–431.

[5] Bruce C, Desimone R, Gross CG (1981) Visual properties of neurons in a polysensory area in superior temporal sulcus of the macaque. *Journal of Neurophysiology* **46**: 369–384.

[6] Corbetta M, Miezin FM, Dobmeyer S, Shulman GL, Petersen SE (1991) Selective and divided attention during visual discriminations of shape, color, and speed: functional anatomy by positron emission tomography. *The Journal of Neuroscience* **11**: 2383–2402.

[7] Damasio H, Grabowski TH, Tranel D, Hichwa RD, Damasio AR (1996) A neural basis for lexical retrieval. *Nature* **380**: 499–505.

[8] DeYoe EA, Van Essen DC (1985) Segregtion of efferent connections and receptive field properties in visual area V2 of the macaque. *Nature* **317**: 58–61.

[9] Downing PE, Jiang Y, Shuman M, Kanwisher N (2001) A cortical area selective for visual processing of the human body. *Science* **293**: 2470–2473.

[10] Eason R, Harter M, White C (1969) Effects of attention and arousal on visually evoked cortical potentials and reaction time in man. *Physiology & Behavior* **4**: 283–289.

[11] Egly R, Driver J, Rafal RD (1994) Shifting visual attention between objects and locations: Evidence from normal and parietal lesion subjects. *Journal of Experimental Psychology: General* **123**: 161–177.

[12] Eifuku S, De Souza WC, Tamura R, Nishijo H, Ono T (2004) Neuronal correlates

of face identification in the monkey anterior temporal cortical areas. *Journal of Neurophysiology* **91**: 358–371.

[13] Epstein R, Kanwisher N (1998) A cortical representation of the local visual environment. *Nature* **392**: 598–601.

[14] Felleman DJ, Van Essen DC (1991) Distributed hierarchical processing in the primate cerebral cortex. Cerebral *Cortex* **1**: 1–47.

[15] Gilbert CD (1977) Laminar differences in receptive field properties of cells in cat primary visual cortex. *Journal of Physiology* **268**: 391–421.

[16] Girard P, Salin PA, Bullier J (1992) Response selectivity of neurons in area MT of the macaque monkey during reversible inactivation of area VI. *Journal of Neurophysiology* **67**: 1437–1446. 健常視野の中にある視野全体から比較すれ

[17] Grinvald A, Frostig RD, Lieke E, Hildesheim R (1988) Optical imaging of neuronal activity. *Physiological Reviews* **68**: 1285–1366.

[18] Hegde J, Van Essen DC (2000) Selectivity for complex shapes in primate visual area V2. *The Journal of Neuroscience* **20**: RC61.

[19] Hopfinger JB, Buonocore MH, Mangun GR (2000) The neural mechanisms of top-down attentional control. *Nature Neuroscience* **3**: 284–291.

[20] Hubel DH, Livingstone MS (1985) Complex-unoriented cells in a subregion of primate area 18. *Nature* **315**: 325–327.

[21] Hubel DH, Livingstone MS (1987) Segregation of form, color, and stereopsis in primate area 18. *The Journal of Neuroscience* **7**: 3378–3415.

[22] Hubel DH, Wiesel TN (1961) Integrative action in the cat's lateral geniculate body. *Journal of Physiology* (London) **155**: 385–398.

[23] Hubel DH, Wiesel TN (1962) Receptive fields, binocular interaction and functional architecture in the cat's visual cortex.*Journal of Physiology* (London) **160**: 106–154. て偏っていた. 健常視野の中にある視野全体から比較すれ

[24] Hubel DH, Wiesel TN (1977) Functional architecture of macaque monkey visual cortex. *Proceeding of Royal Society London, Series B* **198**: 1–59.

[25] Huk AC, Dougherty RF, Heeger DJ (2002) Retinotopy and functional subdivision of human areas MT and MST. *The Journal of Neuroscience* **22**: 7195–7205.

[26] Hyvärinen J (1982) Posterior parietal lobe of the primate brain. *Physiological Reviews* **62**: 1060–1129.

[27] Ito M, Komatsu H (2004) Representation of angles embedded within contour stimuli in area V2 of macaque monkeys. *The Journal of Neuroscience* **24**: 3313–3324.

[28] Ito M, Tamura H, Fujita I, Tanaka K (1995) Size and position invariance of neuronal responses in monkey inferotemporal cortex. *Journal of Neurophysiology* **73**: 218–226.

[29] Janssen P, Vogels R, Orban GA (1999) Macaque inferior temporal neurons are

selective for disparity-defined three-dimensional shapes. *Proceeding of National Academy of Science, USA* **96**: 8217–8222.

[30] Janssen P, Vogels R, Orban GA (2000a) Three-dimensional shape coding in inferior temporal cortex. *Neuron* **27**: 385–397.

[31] Janssen P, Vogels R, Orban GA (2000b) Selectivity for 3D shape that reveals distinct areas within macaque inferior temporal cortex. *Science* **288**: 2054–2056.

[32] Kanwisher N, McDermott J, Chun MM (1997) The fusiform face area: a module in human extrastriate cortex specialized for face perception. *The Journal of Neuroscience* **17**: 4302–4311.

[33] Kayaert G, Biederman I, Vogels R (2003) Shpae tuning in macaque inferior temporal cortex. *The Journal of Neuroscience* **23**: 3016–3027.

[34] Kiani R, Esteky H, Mirpour K, Tanaka K (2007) Object category structure in response patterns of neuronal population in monkey inferior temporal cortex. *Journal of Neurophysiology* **97**: 4296-4309.

[35] Kiani R, Esteky H, Tanaka K (2004) Differences in onset latency of macaque inferotemporal neural responses to primate and non-primate faces. *Journal of Neurophysiology* **94**: 1587–1596.

[36] Kobatake E, Tanaka K (1994) Neuronal selectivities to complex object features in the ventral visual pathway of the macaque cerebral cortex. *Journal of Neurophysiology* **71**: 856–867.

[37] Kuffler SW (1953) Discharge patterns and functional organization of mammalian retina. *Journal of Neurophysiology* **16**: 37–68.

[38] Li FF, VanRullen R, Koch C, Perona P (2002) Rapid natural scene categorization in the near absence of attention. *Proceeding of National Academy of Science, USA* **99**: 9596–9601.

[39] Livingstone MS, Hubel DH (1983) Specificity of cortico-cortical connections in monkey visual system. *Nature* **304**: 531–534.

[40] Livingstone MS, Hubel DH (1987) Connections between layer 4B of area 17 and thick cytochrome oxidase stripes of area 18 in the squirrel monkey. *The Journal of Neuroscience* **7**: 3371–3377.

[41] Malach R, Reppas JB, Benson RR, Kwong KK, Jiang H, Kennedy WA, Ledden PJ, Brady TJ, Rosen BR, Tootell RBH (1995) Object-related activity revealed by functional magnetic resonance imaging in human occipital cortex. *Proceeding of National Academy of Science, USA* **92**: 8135–8139.

[42] Maunsell JHR, Van Essen DC (1983) The connections of the middle temporal visual area (MT) and their relationship to a cortical hierarchy in the macaque monkey. *The Journal of Neuroscience* **3**: 2563–2586.

[43] Mishkin M, Ungerleider LG, Macko KA (1983) Object vision and spatial vision: two cortical pathways. *Trends in Neuroscience* **6**: 414–417.

[44] Oram MW, Perrett DI (1994) Responses of anterior superior temporal polysensory (STPa) neurons to "biological motion" stimuli. *Journal of Cognitive Neuroscience* **6**: 99–116.

[45] Pasupathy A, Connor CE (1999) Responses to contour features in macaque area V4. *Journal of Neurophysiology* **82**: 2490–2502.

[46] Pasupathy A, Connor CE (2001) Shape representation in area V4: position-specific tuning for boundary conformation. *Journal of Neurophysiology* **86**: 2505–2519.

[47] Perrett DI, Rolls ET, Caan W (1982) Visual neurones responsive to faces in the monkey temporal cortex. *Experimental Brain Research* **47**: 329–342.

[48] Perrett DI, Smith PAJ, Mistlin AJ, Chitty AJ, Head AS, Potter DD, Broennimann R, Milner AD, Jeeves MA (1985a) Visual analysis of body movements by neurones in the temporal cortex of the macaque monkey: a preliminary report. *Behavioural Brain Research* **1**: 153–170.

[49] Perrett DI, Smith PAJ, Potter DD, Mistlin AJ, Head AS, Milner AD, Jeeves MA (1985b) Visual cells in the temporal cortex sensitive to face view and gaze direction. Proceedings of the Royal Society of London, *Series B. Biological Sciences* **223**: 293–317.

[50] Perrett, DI, Harries MH, Bevan R, Thomas S, Benson PJ, Mistlin AJ, Schitty AJ, Hietanen JK, Ortega JE (1989) Frameworks of analysis for the neural representation of animate objects and actions. *Journal of Experimental Biology* **146**: 87–113.

[51] Poggio GF, Fischer B (1977) Binocular interaction and depth sensitivity in striate and prestriate cortex of behaving rhesus monkeys. *Journal of Neurophysiology* **40**: 1392–1405.

[52] Poggio GF, Talbot WH (1981) Mechanisms of static and dynamic stereopsis in foveal cortex of the rhesus monkey. *Journal of Physiology* (London) **315**: 469–492.

[53] Posner MI, Snyder CRR, Davidson J (1980) Attention and the detection of signals. *Journal of Experimental Psychology: General* **109**: 160–174.

[54] Posner MI, Walker JA, Friedrich FJ, Fafal BD (1984) Effects of parietal injury on covert orienting of attention. *The Journal of Neuroscience* **4**: 1863–1874.

[55] Qiu FT, von der Heydt R (2005) Figure and ground in the visual cortex: V2 combines stereoscopic cues with Gestalt rules. *Neuron* **47**: 155–166.

[56] Rirard P, Salin PA, Bullier AJ (1992) Response selectivity of neurons in area MT of the macaque monkey during reversible inactivation of area V1. *Journal of Neurophysiology* **67**: 1437–1446.

[57] Robinson DL, Petersen S (1992) The pulvinar and visual salience. *Trends in Neuroscience* **15**: 127–132.

[58] Rockland KS, Pandya DN (1979) Laminar origins and terminations of cortical connections of the occipital lobe in rhesus monkey. *Brain Research* **179**: 3–20.

[59] Rodman HR, Gross CG, Albright TD (1989) Afferent basis of visual response properties in area MT of the macaque. I. Effects of striate cortex removal. *The Journal of Neuroscience* **9**: 2033–2050.

[60] Roy JP, Wurtz RH (1990) The role of disparity-sensitive cortical neurons in signaling the direction of self-motion. *Nature* **348**: 160–162.

[61] Saito H, Yukie M, Tanaka K, Hikosaka K, Fukada Y, Iwai E (1986) Integration of direction signals of image motion in the superior temporal sulcus of the macaque monkey. *The Journal of Neuroscience* **6**: 145–157.

[62] Schein SJ, Marrocco RT, De Monasterio FM (1982) Is there a high concentration of color-selective cells in area V4 of moneky visual cortex? *Journal of Neurophysiology* **47**: 193–213.

[63] Schiller PH, Lee K (1991) The role of the primate extrastriate area V4 in vision. *Science* **251**: 1251–1253.

[64] Schwartz EL, Desimone R, Albright TD, Gross CD (1983) Shape recognition and inferior temporal neurons. *Proceeding of National Academy of Science, USA* **80**: 5776–5778.

[65] Shipp S, Zeki S (1985) Segregation of pathways leading from area V2 to areas V4 and V5 of macaque monkey visual cortex. *Nature* **315**: 322–324.

[66] Sugita Y, Tanaka K (1991) Occlusion-related cue used for analysis of motion in the primate visual cortex. *NeuroReport* **2**: 751–754.

[67] Tanaka K (1996) Inferotemporal cortex and object vision. *Annual Review of Neuroscience* **19**: 109–139.

[68] Tanaka K, Saito H (1989) Analysis of motion of the visual field by direction, expansion/contraction, and rotation cells clustered in the dorsal part of the medial superior temporal area of the macaque monkey. *Journal of Neurophysiology* **62**: 626–641.

[69] Tanaka K, Fukada Y, Saito H (1989) Underlying mechanisms of the response specificity of expansion/contraction and rotation cells in the dorsal part of the medial superior temporal area of the macaque monkey. *Journal of Neurophysiology* **62**: 642–656.

[70] Tanaka K, Hikosaka K, Saito H, Yukie M, Fukada Y, Iwai E (1986) Analysis of local and wide-field movements in the superior temporal visual areas of the macaque monkey. *The Journal of Neuroscience* **6**: 134–144.

[71] Tanaka K, Saito H, Fukada Y, Moriya M (1991) Coding visual images of objects in the inferotemporal cortex of the macaque monkey. *Journal of Neurophysiology* **66**: 170–189.

[72] Tanaka K, Sugita Y, Moriya M, Saito H (1993) Analysis of object motion in the ventral part of the medial superior temporal area of the macaque visual cortex. *Journal of Neurophysiology* **69**: 128–142.

[73] Tootell RBH, Hadjikhani NK, Mendola JD, Marrett S, Dale AM (1998) From retinotopy to recognition: fMRI in human visual cortex. *Trends in Cognitive Sciences* **2**: 174–183.

[74] Tootell RBH, Reppas JB, Kwong KK, Malach R, Born RT, Brady TH, Rosen BR, Belliveau JW (1995) Functional analysis of human MT and related visual cortical areas using magnetic resonance imaging. *The Journal of Neuroscience* **15**: 3215–3230.

[75] Tootell RBH, Taylor JB (1995) Anatomical evidence for MT and additional cortical visual areas in humans. Cerebral *Cortex* **1**: 39–55.

[76] Treisman A, Gelade G (1980) A feature-integration theory of attention. *Cognitive Psychology* **12**: 97–136.

[77] Ts'o DY, Roe AW, Gilbert CD (2001) A hierarchy of the functional organization for color, form and disparity in primate visual area V2. *Vision Research* **41**: 1333–1349.

[78] Uka T, Tanaka H, Yoshiyama K, Kato M, Fujita I (2000) Disparity selectivity of neurons in monkey inferior temporal cortex. *Journal of Neurophysiology* **84**: 120–132.

[79] Van Essen DC, Maunsell JHR, Bixby JL (1981) The middle temporal visual area in the macaque: myeloarchitecture, connections, functional properties and topographic organization. *Journal of Comparative Neurology* **199**: 293–326.

[80] Van Essen DC, Newsome WT, Maunsell JHR (1984) The visual field representation in striate cortex of the macaque monkey: Asymmetries, anisotropies and individual variability. *Vision Research* **24**: 429–448.

[81] Vogels R, Biederman I, Bar M, Lorincz A (2001) Inferior temporal neurons show greater sensitivity to nonaccidental than to metric shape differences. *Journal of Cognitive Neuroscience* **13**: 444–453.

[82] von der Heydt R, Peterhans E, Baumgartner G (1984) Illusory contours and cortical neuron responses. *Science* **224**: 1260–1262.

[83] Watanabe M, Tanaka H, Uka T, Fujita I (2002) Disparity-selective neurons in area V4 of macaque monkeys. *Journal of Neurophysiology* **87**: 1960–1973.

[84] Xiao DK, Raiguel S, Marcar V, Koenderink J, Orban GA (1995) Spatial heterogeneity of inhibitory surrounds in the middle temporal visual area. *Proceeding of National Academy of Science, USA* **92**: 11303–11306.

[85] Zeki S (1983a) Colour coding in the cerebral cortex: the reaction of cells in monkey visual cortex to wavelengths and colours. *Neuroscience* **9**: 741–765.

[86] Zeki S (1983b) Colour coding in the cerebral cortex: the responses of wavelength-selective and colour-coded cells in monkey visual cotex to changes in wavelength composition. *Neuroscience* **9**: 767–781.

[87] Zeki S, Watson JD, Lueck CJ, Friston KJ, Kennard C, Frackowiak RS (1991)

A direct demonstration of functional specialization in human visual cortex. *The Journal of Neuroscience* **11**: 641–649.

[88] Zeki SM (1974) Functional organization of a visual area in the posterior bank of the superior temporal sulcus of the rhesus monkey. *Journal of Physiology* (London) **236**: 549–573.

[89] Zeki SM (1977) Colour coding in the superior temporal sulcus of rhesus monkey visual corex. Proceedings of the Royal Society of London, *Series B. Biological Sciences* **197**: 195–223.

[90] Zeki SM (1980) The representation of colours in the cerebral cortex. *Nature* **284**: 412–418.

[91] Zhou H, Friedman HS, von der Heydt R (2000) Coding of Border Ownership in Monkey Visual Cortex. *The Journal of Neuroscience* **20**: 6594–6611.

第3章

運動の制御

3.1 運動制御の脳システム

脳の神経細胞に発生した活動電位が,最終的に神経筋終板と呼ばれるシナプスを介して骨格筋を興奮収縮させることによって,さまざまな運動が生じる.動物の生命や種族の維持に運動は不可欠である.魚類や両生類,爬虫類では,運動は主に動物の姿勢保持の反射や摂食・防御・生殖などの本能的行動に用いられるが,哺乳類や霊長類のように脳が十分に発達してくると,複雑なパターンの動きや,動物の自由意志で生じる随意運動が出現する.本章では,このようなさまざまな運動を,脳がどのように制御しているかについて論じる.はじめに,運動の階層性とそれに対応する脳システムについて述べる.

3.1.1 運動の階層性

最も単純な運動は,無意識のうちに生じる反射である.動物に音や光などの刺激が与えられたとき,刺激となる物理的エネルギー(光エネルギーや空気の振動)の情報は感覚受容器で神経インパルスに変換され,求心線維を通じて反射中枢に伝えられ処理された後,遠心線維によってその情報が筋肉に伝えられ運動が生じる(図3.1(a)).反射の神経回路は1から数個程度のシナプスからなるのが普通であり,動員される筋群も少数である.反射のシステムは,動物種を問わず広く分布し,動物の動き,あるいは外部の環境の変化に対応して,一定の姿勢を保持するのに用いられる.脊椎動物では,反射の神経システムは脊髄や脳幹(中脳〜延髄)にある(図3.2(a)).

一方,呼吸,歩行,遊泳や咀嚼のようなより複雑な運動では,無意識に起こ

(a) 反射

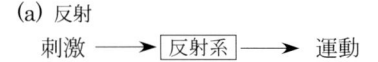

刺激 ⟶ 反射系 ⟶ 運動

(b) 無意識的な複合運動

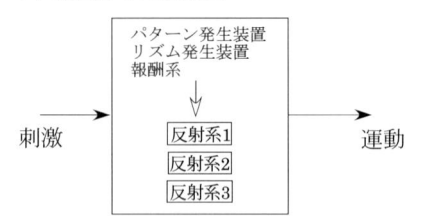

刺激 ⟶ [パターン発生装置／リズム発生装置／報酬系 ⟹ 反射系1／反射系2／反射系3] ⟶ 運動

(c) 意識的な複合運動（随意運動）

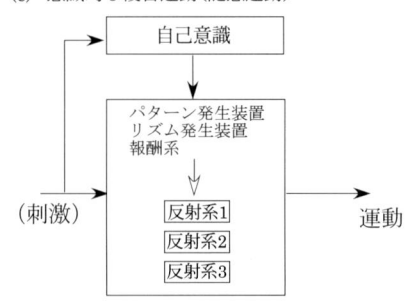

自己意識 ⟶ [パターン発生装置／リズム発生装置／報酬系 ⟹ 反射系1／反射系2／反射系3] ⟶ 運動
（刺激）⟶

図 3.1　運動の階層性

るにもかかわらず，外界の刺激に対応して，複数の筋肉群をさまざまなタイミングで収縮させることが可能である．ここでは，このような運動を「無意識的な複合運動」(図 3.1(b)) と呼ぶことにする．反射の神経システムが，さらに上位の運動パターン発生装置や生体リズム発生装置から出される信号によって制御されることにより，より複雑な運動が生じると考えられる（図 3.1(b)）．この運動は主に本能的な防御や逃避，摂食などの行動に用いられる．運動のパターンやリズムの発生装置は脳幹（中脳〜延髄）から脊髄に存在する（図 3.2(a)）．

さらに哺乳類，特に霊長類では，外界からの刺激の有無にかかわらず自己意識によってつくられた自由意志により運動することが可能である．これを「意識的な複合運動」と呼ぶことにする．随意運動がこれに相当する（図 3.1(c)）．この運動は「無意識的な複合運動」のシステムがさらに高次の自己意識のシステムに制御されることにより発現すると考えられる．自由意志は感覚野，連合野と運動野を含む大脳皮質の作用によって生成されると考えられる（図 3.2(b)）．

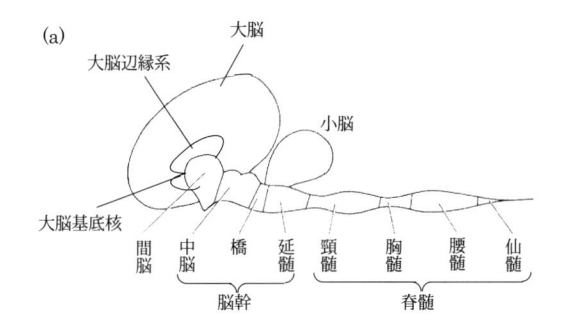

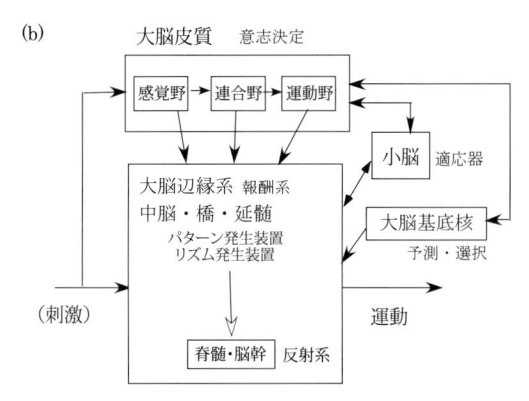

図 3.2 脳の大まかな構造 (a)，運動制御の脳システム (b)

運動制御には，図 3.1(a)–(c) の系の脳システムにさらに小脳と大脳辺縁系と大脳基底核（図 3.2(a)）が重要な役割を演じている．小脳はそれぞれの運動システムの学習適応に関与する．大脳辺縁系は運動の価値判断に関与する．大脳基底核の運動システムにおける役割の全貌はよくわかっていないが，運動の結果の予測に基づく強化学習に関与していることが示唆されている（図3.2(b)）．

3.1.2 運動のシステム制御

脳による運動制御を理解するうえで，その作用を工学的な側面から検討することが重要である．図 3.3(a) にフィードバック制御の例を示す．落ちてくるボールを外乱とすると，ボールを手で受け止めるときには，手にボールの質量と重力によって生じる力が加わる．そのことはただちに感覚受容器で検知され脳に伝えられるが，もし手の筋力を一定に保つ（目標値）ように設定されてい

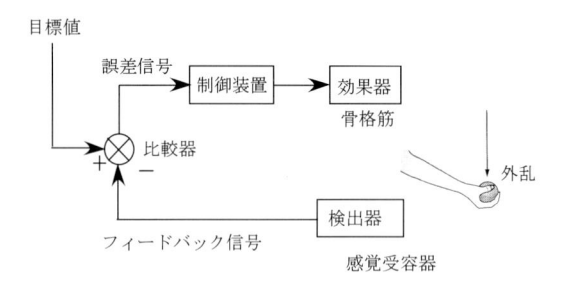

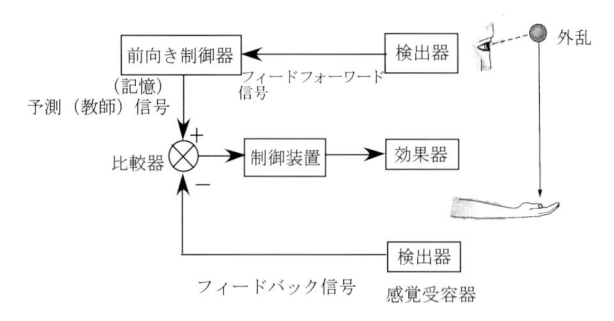

(a) フィードバック制御

図 3.3 運動のフィードバックとフィードフォワード制御

るとすると，ボールによって手に加わった力に見合う筋力を発生させなければ，安定してボールを受け取ることができない．反射の多くはこのようなフィードバック制御を受けている．低速で動員される筋群の少ない小さい運動システムでは，フィードバック制御で安定して作動するが，高速で多数の筋肉群を動員するような大きな運動系では，フィードバック制御だけではうまく作動しない．図 3.3(b) に示すように，眼前を落ちていくボールを手で受けとめる動作について考える．視覚系によってまずボール（外乱）の動きを検出する．その後，その情報を基に，ボールを保持するのに十分な筋力をどの時点で手の筋肉に発生させるかを予測し，それを筋肉に与えて，実際にボールを保持したときに受動的に生じる力の変化を打ち消すようにすることが必要となる．このようにフィードフォワードの信号を用いた制御には，当然のことながら，経験による学習と，学習の結果を保持（運動記憶）する前向き制御器が必要となる．このよう

な前向き制御器として，小脳が重要な役割をしている．

3.2 脊髄・脳幹系による運動制御

3.2.1 脊髄運動ニューロン

脊髄前角（RexedのIX層）には，骨格筋を実際に駆動する神経細胞があり，運動ニューロン (motor neuron) と呼ばれる（図3.4）．骨格筋を支配する運動ニューロンを α 運動ニューロンと呼び，筋張力のセンサーである筋紡錘に含まれる筋線維を支配する運動ニューロンを γ 運動ニューロンと呼ぶ．α 運動ニューロンの細胞体部は，脳の神経細胞の中で最大（直径30–70 μm）で，その樹状突起は大きく広がる（図3.4(a)）．α 運動ニューロンには，末梢の感覚センサー，脊髄内の介在ニューロン，上位の脳システムからの情報が入力しており，運動系の最終共通路を形成する．同じ筋肉を支配する α 運動ニューロンは脊髄数節にわたってコラム状に分布する（図3.4(b)）．脊髄1個の運動ニューロンとそれが支配する筋線維はまとめて運動単位 (motor unit) と呼ばれる．大型のニューロンほど，多くの筋線維を支配する．小さな運動では小型の α 運動ニューロン

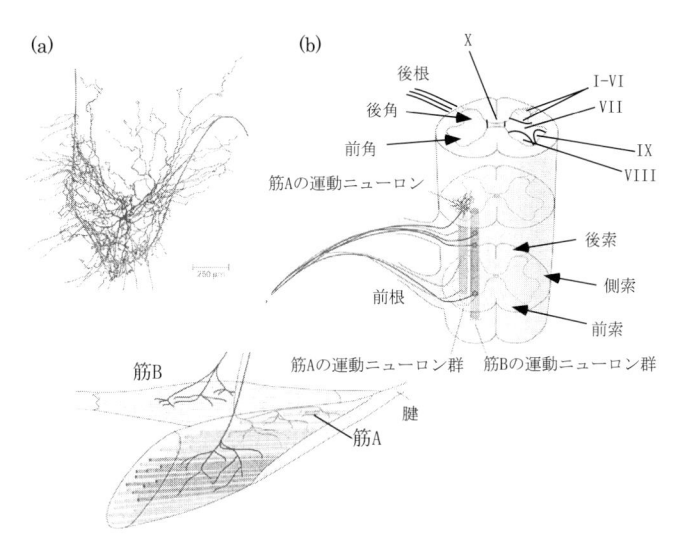

図 **3.4** α 運動ニューロン形態 (a)，運動ニューロンの脊髄の局在と骨格筋支配 (b)，I–X は Rexed による脊髄灰白質の区分 (b)．

がはたらき，運動が大きくなると大きなα運動ニューロンがはたらくことをサイズプリンシプルと呼ぶ．

3.2.2 脊髄反射

骨格筋を支配するα運動ニューロンには，筋の張力のセンサーである筋紡錘からの入力がフィードバックされており筋の長さを制御している．このメカニズムは，伸張反射と呼ばれ，姿勢保持に重要な役割を演じている．図 3.5(a) に伸張反射の神経回路を示す．骨格筋の筋線維と並列に，筋紡錘と呼ばれる紡錘状の組織が付随している．感覚情報を脳に伝える Ia 線維神経が，筋紡錘を構成する筋肉（錘内筋線維）を取り囲むように巻いているが，筋線維が伸ばされると，錘内筋線維も伸ばされ，神経線維に加わる機械的な力が変化し活動電位を発生させる．脊髄後根を経て，Ia 線維は脊髄前核のα運動ニューロンに興奮性のシナプスを形成するので，筋紡錘からの出力信号はα運動ニューロンの興奮を促進する．つまり，筋が伸ばされると，それに見合っただけの筋の収縮を起こすことになり，結果として筋の長さは一定に保たれる．一方，脊髄の前角には，α運動ニューロン群に隣接してγ運動ニューロンと呼ばれる小型のニューロン群が存在する．このγ運動ニューロンは筋紡錘を構成する錘内筋線維を支配し，その活動によって筋紡錘の長さを変化させ，筋張力に対する感度を変える．図 3.5(b) のごとく，α運動ニューロンのみが興奮して筋が収縮した場合では，筋紡錘は引っぱられることがないので伸張反射は起こらない．一方，α運動ニューロンとともにγ運動ニューロンも同時に興奮すると，γ運動ニューロンによって筋紡錘も筋とともに収縮されるので伸張反射が生じる．このようにγ運動ニューロンのはたらきによって，α運動ニューロンの興奮によって生じる筋収縮に伴う伸張反射の大きさが変化する．すなわち，伸張反射という筋の長さを一定に保つサーボループにおいて，γ運動ニューロンはバイアスをかけることになる（図 3.5(c)）．このようなαとγの運動ニューロン系の共同作用のことをα-γ連関と呼ぶ．歩行時にα運動ニューロンと同期してγ運動ニューロンの活動も亢進することが観察されている．

伸張反射の神経回路は，Ia 線維とα運動ニューロンからなる単シナプス性回路であるが，さらにそのはたらきを支持する回路が備わっている．図 3.6 で示すように筋肉の筋紡錘からの信号を伝える Ia 線維は，Ia 抑制ニューロンを介し

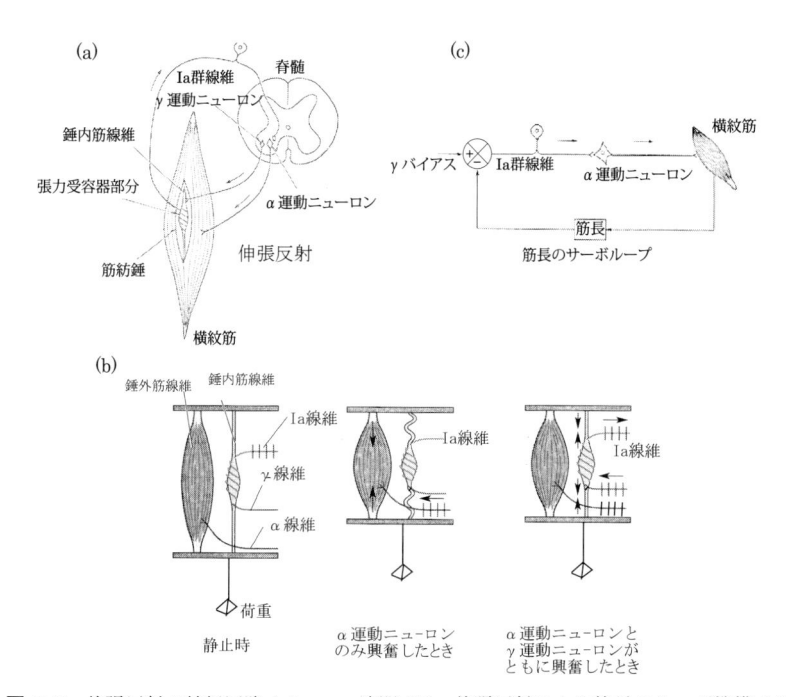

図 3.5 伸張反射の神経回路 (a)，α-γ 連関 (b)，伸張反射による筋長のサーボ機構 (c)

て，その拮抗筋の運動ニューロンを抑制する．この抑制を Ia 抑制（相反抑制）と呼ぶ．また運動ニューロンは軸索側枝を出して，レンショー細胞と呼ばれる抑制性ニューロンを興奮させる．レンショー細胞は同じ筋の運動ニューロンにフィードバック抑制を直接かけるとともに，Ia 抑制ニューロンを抑制し，拮抗筋への抑制作用も抑える．このメカニズムを反回抑制（レンショー抑制）と呼ぶ．

　脊髄には他にも多くの反射が備わっている．皮膚の侵害受容器の情報を伝える FRA (flexor reflex afferents) と呼ばれる感覚線維群も，興奮性介在ニューロンを介して同側の α 運動ニューロンと Ia 抑制ニューロンにシナプス結合をつくる（図 3.6）．これらは肢の皮膚に侵害刺激が加わったときに，それから逃避するように同側の肢を屈曲させる（屈曲反射）．さらに屈曲反射の神経回路は，対側の屈曲反射の神経回路に抑制性の影響を与え，屈曲反射が生じるときに対側の肢を伸展させる（交叉伸展反射）．この 2 つの反射は，侵害刺激が加わったときにそれから逃避する際の姿勢制御の役目を担う．

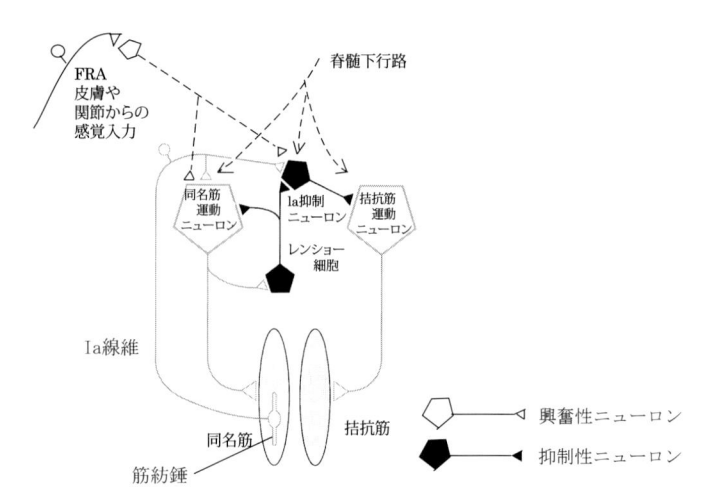

図 3.6 相反 (Ia) 抑制と反回（レンショー）抑制
同名筋とは，該当する運動ニューロンが支配する骨格筋のことである．

3.2.3 脊髄下行系による運動制御

　脊髄の運動ニューロンや介在ニューロンはさまざまなレベルで上位中枢の制御を受ける．これらを総称して脊髄下行系と呼ぶ．前庭脊髄路 (vestibulo-spinal tract)，網様体脊髄路 (reticulo-spinal tract)，視蓋脊髄路 (tecto-spinal tract)，赤核脊髄路 (rubro-spinal tract)，皮質脊髄路 (cortico-spinal tract) がその代表であり，起始部と脊髄の終止部位を図 3.7 に示す．皮質脊髄路は，その一部が大脳皮質運動野の Betz の巨大錐体細胞に起源をもつことから，錐体路 (pyramidal tract) と呼ばれる．前庭脊髄路と橋由来の網様体脊髄路，視蓋脊髄路は脊髄の内側を，延髄由来の網様体脊髄路，赤核脊髄路と皮質脊髄路は脊髄の外側を走行するので（図 3.7(b)–(d)），それぞれ内側路と外側路とも呼ばれる．

　前庭脊髄路のうち主に前庭核内側核と下核に由来するもの（内側前庭脊髄路）は，主に両側性に頸髄の複数の運動ニューロンを支配し，前庭核外側核に由来するもの（外側前庭脊髄路）は，頸髄から腰髄で複数の運動ニューロンもしくは介在ニューロンを支配する．前庭脊髄路は，同側の四肢の関節の伸筋群には興奮性に，屈筋群には抑制性に作用し，姿勢保持のための前庭脊髄反射や歩行調節の役

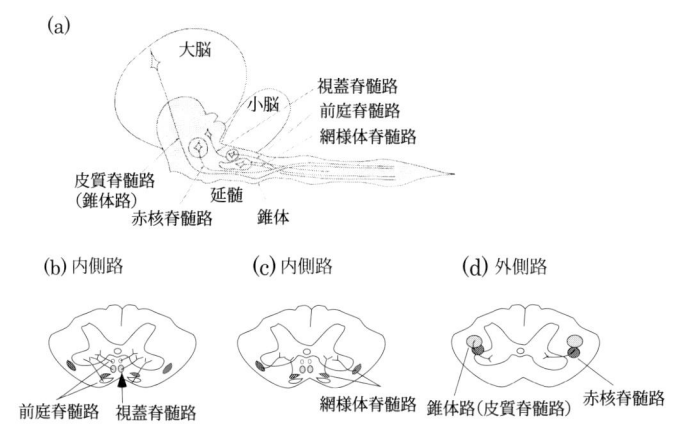

図 3.7 脊髄下行系の起始核 (a), 脊髄内の脊髄下行系の局在 (b)–(d).

目を担う．網様体脊髄路のうち，主に橋に由来するものは脊髄前索（内側網様体脊髄路）を下降し，頸髄から腰髄のレベルで運動ニューロンもしくは介在ニューロンを支配する．これらは，同側の後肢の屈筋群には興奮性，伸筋群には抑制的にはたらく．また延髄に由来する網様体脊髄路は，主に脊髄の介在ニューロンに投射する．網様体脊髄路は姿勢や視線 (gaze) の制御，歩行調節に関与する．

視蓋脊髄路の起源は上丘 (superior colliculus) である．上丘はサッケード (saccade) と呼ばれる急速眼球運動の制御の場であり，眼球と頭の運動を使って視標に視線を向ける指向運動に関与している（3.2.6 項参照）．頭部を拘束した状態でサルの上丘を微小なパルス電流で刺激すると，刺激部位に依存してサッケード眼球運動や頭の回転運動が生じる．大細胞性赤核に由来する赤核脊髄路は，サルやネコでは指の運動のような遠位の四肢の随意運動に重要な役割を演じているが，ヒトでは退化しており，大脳皮質の運動野と体性感覚野の一部に由来する錐体路がその役割を演じている．ヒトの赤核では大細胞性の領域はわずかであり，大部分を小細胞性赤核が占める．小細胞性赤核は小脳外側核や大脳前頭葉からの入力を受け，下オリーブ核に出力する．随意運動を担う錐体路については 3.3 節の大脳皮質の運動野で詳しく論ずる．

3.2.4 随伴発射（遠心性コピー）

運動によって生じる感覚信号と，そうでない純粋の感覚信号とを区別するし

```
        他のシステム
         ↗    ↑
  随伴発射
 (遠心性コピー)
運動システム → 感覚システム
    ↓           ↑
  運動指令     感覚情報
    ↓           ↑
   運動       感覚
ニューロン    受容器
    ↓           ↑
   運動    運動によって生じる
          感覚入力の変化
```

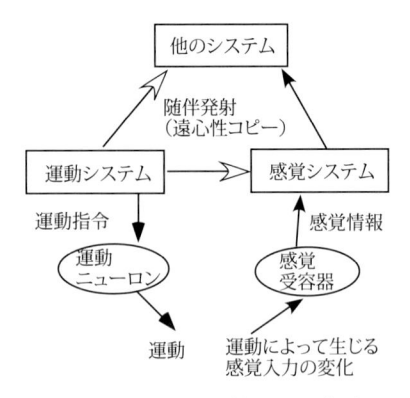

図 3.8 随伴発射（遠心性コピー）

くみが脳に備わっていることが知られている．このことを簡単に体感するには，自分の手で眼球を動かしてみるとよい．手で眼球を動かすとときには視野がぶれて見える．しかし，自分で眼球を動かすときには視野はぶれて見えない．このように，反射でも随意運動でも，脊髄より上位の運動システムが運動を実行するような命令（運動司令）を出すときに，その信号を同時に感覚の脳システムに送り，来るべき運動の結果生じる感覚信号を，遮断もしくは消去することができる（図3.8）．このように運動システムが，感覚の脳システムや上位の脳システムに将来の運動に関する情報をフィードバックすることを，随伴発射 (corollary discharge) または遠心性コピー (efference copy) と呼ぶ．随伴発射は，霊長類をはじめとする高等動物では，運動の結果生じる感覚情報を消去するというだけでなく，たとえば，運動によって視線が変わるとき，前もってその方向に注意をシフトさせておくというような，予測的な機能をもつことが示唆されている．大脳皮質の知覚系ニューロンには，運動の直前に活動が修飾されるものがあり，それらは随伴発射によるものと解釈される．

3.2.5 運動のパターン発生装置

歩行，水泳，呼吸や咀嚼というような左右交代性の規則的な筋活動を必要とする運動のリズムの多くは，脊髄に存在するパターン発生装置と呼ばれる神経回路網で形成されていると考えられている．図3.9のごとく，中脳レベル (a-a′) で脳を切断したネコでも，トレッドミルに置くと規則正しい歩行が再現される

ことや，中脳の網様体，あるいは延髄を電気刺激すると歩行が誘発されることが報告されている．また胸髄レベル (b-b') で脊髄を切断したネコでも手術から十分回復すれば後肢に歩行様のリズムが生じる．したがって歩行のようなリズミックな運動では，運動の基本的パターンは脊髄レベルで形成され，それをさらに上位の中枢が網様体脊髄路をはじめとする脊髄下行系を用いて制御していると考えられる．そこで，このようなリズミックな運動パターンを作成する局所神経回路をパターン発生装置と呼ぶ．そこでは，さまざまな時定数で膜電位が変化する興奮性と抑制性のニューロン群からなる対の神経回路の相互抑制によって，リズムが形成されると考えられている．図 3.10 に Grillner ら (1995)

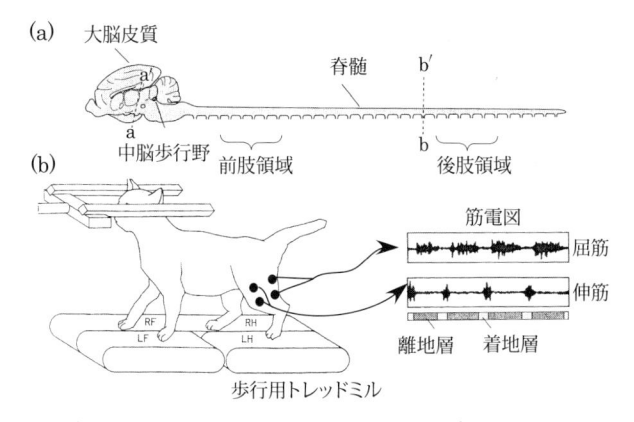

図 3.9 中脳，脊髄離断ネコ (a) のトレッドミル歩行 (b)（Kandel et al, 2000 を改変）

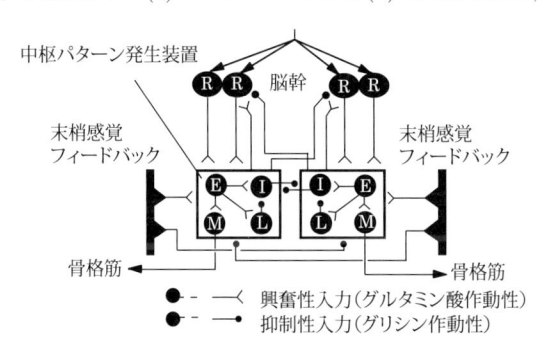

図 3.10 脊髄のパターン発生装置のモデル（Grillner et al, 1995 を参考）
R：網様体脊髄路ニューロン．E：興奮性介在ニューロン．I：対側に投射する抑制性介在ニューロン．L：外側の抑制性介在ニューロン．

によって提案されているヤツメウナギの遊泳のパターン発生装置のモデルを示す．このモデルでは，脊髄の両側に1種類の興奮性介在ニューロン，2種類の抑制性介在ニューロン（IとL）とα運動ニューロン(M)からなるパターン発生装置がある．抑制性ニューロンの1つ(I)は，もう1つの抑制性ニューロン(L)からの抑制を受けるとともに，出力を対側のパターン発生装置に出すことでプッシュプル型の制御を行う．抑制性ニューロン(I)には，抑制から回復した直後の興奮 (rebound excitation) によって長い時間経過をもつプラトォー電位[1]が生じ，一定の期間対側のパターン発生装置の活動を抑制することができる．このような脱分極と過分極の繰り返しが神経回路内に発生することによって，基本リズムが形成されると考えられている．

3.2.6 脳幹による眼球運動制御

眼球運動は6つの筋で駆動される関節のない単純な運動系であるために，脳による運動制御の実験モデルとしてよく利用される．赤外線テレビカメラやサーチコイル法により正確な眼球位置の計測が可能であり，その運動特性が定量化できる．眼球運動には，反射と随意運動があるが，前者の例として前庭動眼反射と視機性眼球反応，後者の例としてサッケード眼球運動と滑動性追跡眼球がある．脳幹からこれらの眼球運動の運動司令が外眼筋に出力される．

前庭動眼反射 (vestibulo-ocular reflex) は，頭の動きを補償する姿勢保持の反射である（図 3.11）．頭の回転面によって内耳の3つの半規管がそれぞれ独立に興奮し前庭神経に信号を送り，脳幹にある前庭核を介して6つの外眼筋運動ニューロンをそれぞれ興奮ないし抑制させ，頭の動きを補償する方向に眼球を動かす．半規管からの信号の一部は小脳の一部に入力する．前庭器や前庭神経核には反射の情報は戻らないので，前庭動眼反射はフィードフォーワード型の反射である．暗闇の中で，測定する半規管と平行な面で動物の頭を正弦波状に回転し，誘発される眼球運動を記録し，反射のゲイン（眼の動き/頭の動き）を算出する．水平性の前庭動眼反射のゲインは，動物種によって異なるが，ヒトで 0.8–0.9，サルで 0.9–1，ネコで 0.6–0.8，ウサギやマウスでは 0.2–0.5 である．ゲインは頭の回転周波数にあまり依存しない（図 3.12）．

---

[1] 一過性の電位変化の後，小さな脱分極もしくは過分極性の電位が数百ミリ秒から数秒にわたって続く現象．

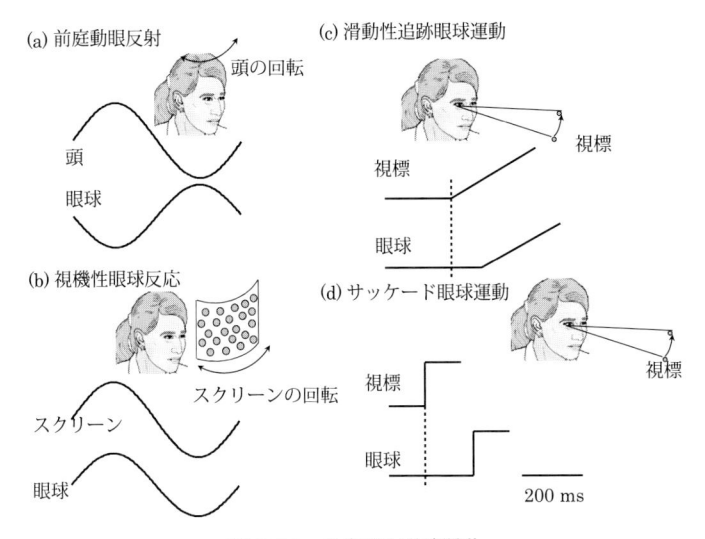

図 **3.11** 代表的な眼球運動
(a) 前庭動眼反射．(b) 視機性眼球反応．(c) 滑動性追跡眼球運動．(d) サッケード眼球運動．

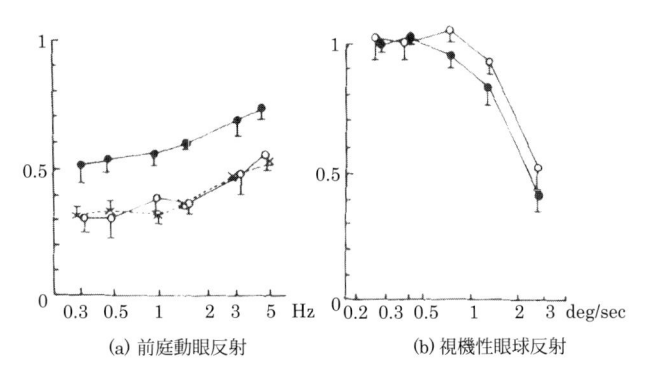

図 **3.12** ウサギの水平性前庭動眼反射と視機性眼球反応の特性 (Nagao, 1983)
(a) と視機性眼球反応．(b) のゲイン (利得)．●：ダッチラビット，○：雑種のウサギ，X：白ウサギ．横軸は正弦波状回転の周波数 ((a)：Hz)，最大速度 ((b)：度/秒)

視機性眼球反応 (optokineic response eye movement) は，動物をとりまく外界の大きな動きに対して生じる姿勢保持の眼球運動である (図 3.11)．明所で頭が動いたとき，まず前庭動眼反射がはたらき，眼球が動くが，頭の動きを完全に補償することができないので，網膜上で像のブレが生じる．このブレに

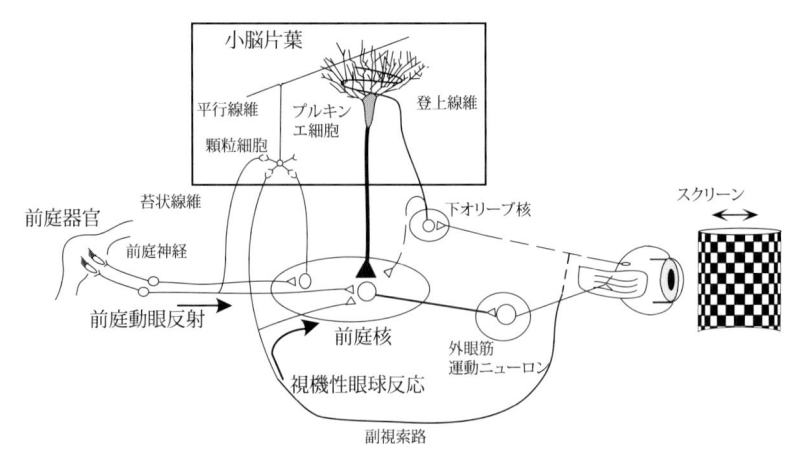

図 3.13 前庭動眼反射と視機性眼球反応の神経回路
小脳についての記載は 3.4 参照.

より視機性眼球反応が生じ，その結果，頭の動きをちょうど補償するだけ眼球が動くことになる．視機性眼球反応は，運動の結果が視覚を通じて感知されるので，ネガティブフィードバック型の反射である．頭を固定した動物の周りにドットや縞のスクリーンを置き，それを回転させ，誘発される眼球運動を測定し，視機性眼球反応のゲイン（眼の動き/スクリーンの動き）を算出する．ゲインは，外界の動きが低速度のときには高いが，速度が速くなるにつれて漸次低下する．機能的に視機性眼球反応と前庭動眼反射と密接な関係をもつが，前庭核と小脳の神経回路を，前庭動眼反射と視機性眼球反応は共有する．図 3.13 に水平性の前庭動眼反射と視機性眼球反応の神経回路を示す．

滑動性追跡眼球運動 (smooth pursuit eye movement) とは，ゆっくりと動く視標を網膜の中心窩で捉え注視する運動で，霊長類に特異的に見られる（図 3.11）．視標の動きに約 100 ms 遅れて運動は開始し，50–80 ms 後に視標の速度にほぼマッチした速度に達する．滑動性追跡眼球運動のゲイン（眼球速度/視標速度）は，視標速度が 20°/秒以下では 1 に近いが，それより速くなると漸次低下する．滑動性追跡眼球運動は実際に視標が動かないと起こらない．滑動性追跡眼球運動は，中心窩での視標の動きと眼球の動きの差によって駆動されるネガティブフィードバック型の運動である．

サッケード眼球運動 (saccade eye movement) は，視野の周辺部に呈示され

た視標を，ステップ状の速い眼の動きによって捉える眼球運動であり，ネコやサル，ヒトによく発達している（図 3.11）．中心窩の未発達なげっ歯類では，視標に眼を向けるのに，眼よりも頭の運動を用いる．ネコやサル，ヒトでは遠くに見える動くものを注視しようとするとき，まずサッケード眼球運動が生じて視標を中心窩の近くにもっていき，さらに滑動性眼球運動を用いて，視標を中心窩で捉える．サッケード眼球運動は滑動性眼球運動と違って，静止した視標や記憶していた視標にも生じる．したがって，サッケード眼球運動はフィードフォワード制御の特性を持つ．視標が呈示されてサッケード眼球運動が開始するには通常の場合は 200 ms 前後かかる．

　サッケード眼球運動の制御には，脳幹，上丘，小脳と大脳前頭葉の前頭眼野が関与する（図 3.14）．視標の動きやサッケード眼球運動に反応する細胞は網膜の神経節細胞の一部にも見られる．運動に必要な視標に関する情報は，視神

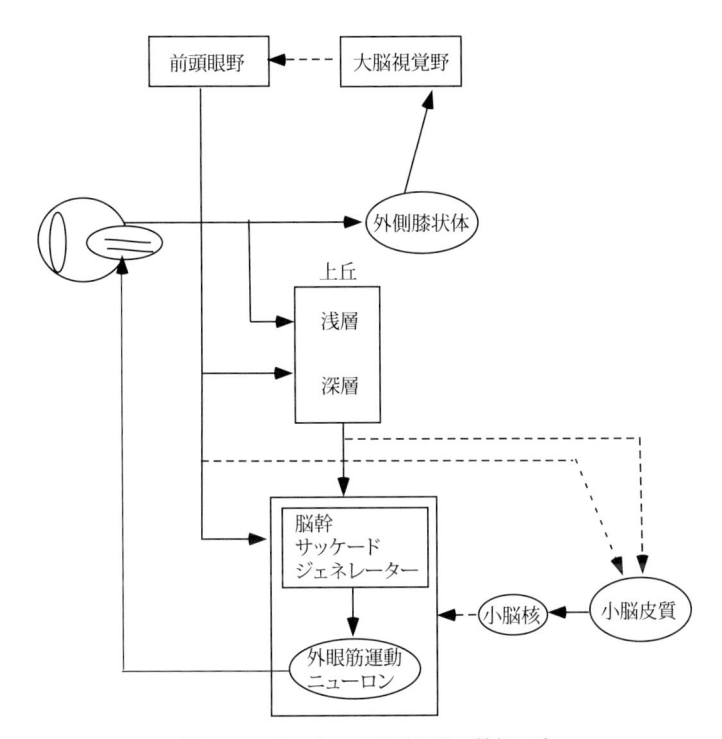

図 3.14　サッケード眼球運動の神経回路

経から外側膝状体・大脳皮質視覚系を経由して前頭眼野に送られるとともに，直接上丘にも送られる．上丘の表面に近い 1/3 の層には，サッケードの視標に反応する神経細胞が多く存在する．一方，中間部から深部の 1/3 の層にはサッケード眼球運動そのものに反応する細胞が多く存在し，電気パルスを用いて局所刺激すると，記録された細胞がもっともよく反応したサッケード眼球運動の方向と同じ向きのサッケード眼球運動が誘発される．したがって上丘の表層にはサッケード眼球運動の視覚マップ，中間層より深部には運動マップが存在することになる．前頭眼野にもサッケードの視標や眼球運動に反応する細胞が存在し，電気パルスを用いて局所刺激をすると反対側へのサッケード眼球運動が誘発される．上丘と前頭眼野をそれぞれ単独に損傷した場合はサッケード眼球運動の障害は軽微であるが，上丘と前頭眼野の両方を損傷すると，サッケード眼球運動はほとんど誘発されなくなる．上丘や前頭眼野の出力は，脳幹にあるサッケードジェネレーターと呼ばれる神経細胞群を経由し，外眼筋運動ニューロンに出力される．サッケードジェネレーターを含む脳幹の領域を損傷すると，損傷側へのすべての速い眼球運動が消失する．

3.3 大脳運動皮質の運動機能

3.3.1 大脳皮質運動野の構造

運動野は，大脳皮質の中心溝の前部の Brodmann の 4 野を中心に位置する一次運動野 (primary motor area), Brodmann の 6 野に位置する背側と腹側の運動前野 (premotor area), 運動前野の前内側に位置する補足運動野 (supplementary motor area) と帯状回の帯状皮質運動野 (cingulate motor area) から構成される（図 3.15(a)）．補足運動野の前方に前補足運動野と呼ばれる領域も同定されている (Tanji, 1994)．6 野の前方の Brodmann の 8 野には，眼球運動の運動野である前頭眼野が位置する．錐体路（皮質脊髄路）の主要な源は 4 野の第 V 層の細胞であり，長い軸索突起を対側（一部は同側）の脊髄まで出し，運動ニューロンもしくは介在ニューロンに直接シナプス結合する．運動野にはおおまかな体性局在があることがよく知られている．外腹側から内背側に向かって顔，上肢，下肢の領域があり，手足の指や顔面の部位が大きく表現されている（図 3.15(b)）．運動野に機能円柱があるか，それが何を表現するかは，長く議論されている．運

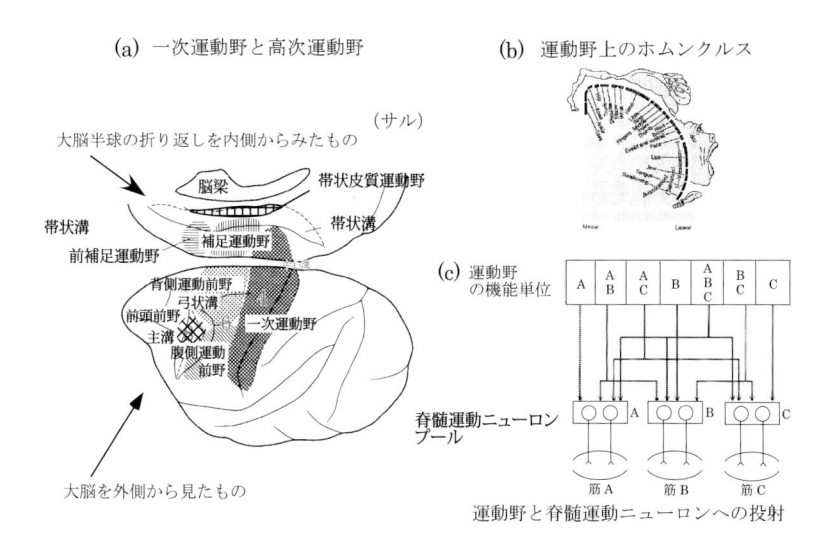

図 **3.15** 大脳皮質運動野の構造
(a) 構造．(b) 一次運動野の体性局在（ホムンクルス）．(c) 一次運動野と脊髄運動野との結合（Andersen et al., 1975 より改変）．

動野の錐体細胞の単一発射活動と手首の運動によって生じる筋電図活動との相関を詳細に調べた報告では，1個の錐体細胞が軸索側枝を複数の筋の運動ニューロンに出しており，運動野の機能単位は筋単位ではなく，運動単位で表現されていると考えられている（図3.15(c)）．

　一次運動野には，背・腹側運動前野，補足運動野からの出力信号が入力する．また頭頂連合野からの情報は，帯状皮質運動野，補足運動野と背・腹側運動前野を経由して一次運動野に伝えられる．前頭連合野の前頭眼野からの情報は，帯状皮質運動野，前補足運動野，補足運動野と背・腹側運動前野を経由して一次運動野に伝えられる．したがって一次運動野は大脳皮質運動系の最終出力部位であり，ここで運動実行の信号（運動司令）が作成されて脊髄運動系を駆動することになる（図3.16(a)）．大脳基底核（線条体と淡蒼球）と小脳は，大脳皮質運動野と，視床の中継核を介して強く結合しているが，基底核からの投射は視床の前部で中継されるのに対して，小脳からの投射は後部で中継され，視床レベルでのクロストークは少ない（図3.16(b)）．このことは，大脳―小脳系と大脳―基底核系が，運動制御に関してそれぞれ機能的に独立していることを示唆する．

(a) 運動野の大脳皮質内結合　　　　　　　　(b) 運動野と小脳・基底核結合

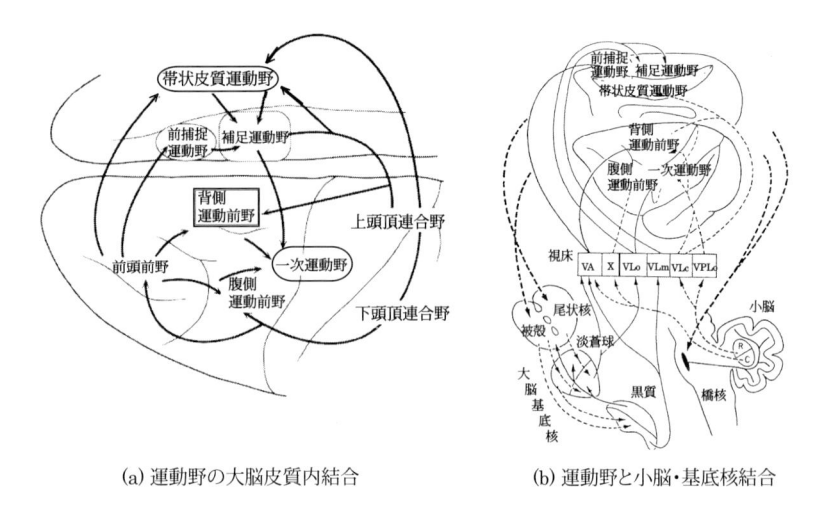

図 3.16　運動野の入出力構造（丹治，1994）
(a) 運動野の大脳皮質内結合．(b) 運動野と小脳・基底核結合．VA: 視床前腹側核．VLo: 視床外側核吻側部．VLm: 視床外側核内側部．VLc: 視床外側核尾側部．VPLo: 視床後外側核吻側部．X: 視床 X 野．

3.3.2　一次運動野と随意運動

一次運動野は運動司令の出力の場であり，ヒトを含む霊長類では，一次運動野もしくはその出力経路の錐体路を損傷すると損傷側の反対側の肢に運動麻痺が生じる．一次運動野の出力細胞である錐体細胞の活動と上肢の運動との関連については，Evarts らが開発したタスク実行中のサルの運動野から，神経細胞の単一発射活動を記録する方法によって調べられている（図 3.17）．多くの錐体細胞は，手の屈筋もしくは伸筋の筋活動に数十から 100 ms 先行して発火する．一次運動野の錐体細胞の活動がどのような運動パラメータを表現しているかについては 2 つの考え方が提案されている．1 つは運動によって生じる張力を表現するという考え方 (Fetz & Cheney, 1980) であり，運動負荷の大きさに依存して発射頻度の増加する細胞があることが実験的に確認されている（図 3.18(a)）．もう 1 つは，運動の方向を錐体細胞の活動が表現しているという考え方である．Georgepoulos (1988) は，サルに 8 方向の前腕の動き（到達運動）をさせたときの錐体細胞の活動を比較すると，運動の方向を示すターゲットが提示されてから運動が生じる前後の発射活動に，運動の方向選択性が見られると報告して

3.3 大脳運動皮質の運動機能　97

(a) 実験パラダイム　　(b) 筋と錐体細胞の活動

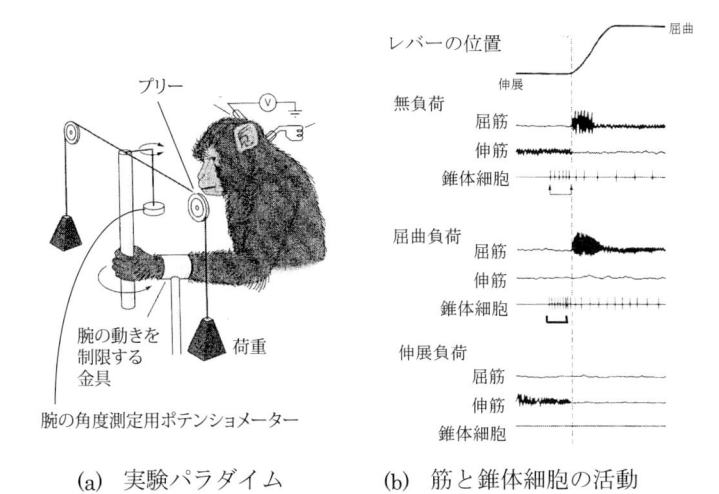

図 3.17 一次運動野の錐体細胞の手首の伸展に伴う発射活動 (Evarts, 1968)
(a) サルの手首の屈伸運動中の一次運動野からの神経活動の記録．(b) 筋電図と錐体細胞のユニット発射活動．

(a) 錐体細胞の発射
　　頻度と運動負荷
(b) 8方向の運動時の錐
　　体細胞の発射活動

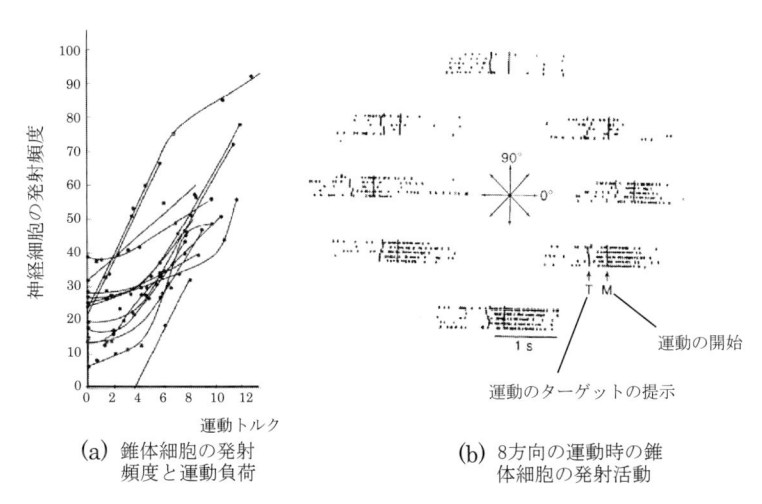

図 3.18 一次運動野の錐体細胞のコードする情報
(a) 錐体細胞の発射頻度と運動トルク (Fetz & Cheney, 1980)．(b) 8 方向の腕の運動時の錐体細胞の発射 (Georgepoulos, 1988)．ラスターは活動電位の出た時点を示す．T は運動のターゲットの提示の時点．M は実際に運動が開始された時点．

いる（図3.18(b)）．この2つの考え方をどのように統一的に解釈するかは今後の課題である．

3.3.3 高次運動野と運動制御

補足運動野は，前頭前野や頭頂葉からの入力を受け，主に一次運動野に出力する．補足運動野から脊髄への投射は少ない．一次運動野と違い，補足運動野や運動前野の障害に伴う明確な運動麻痺は知られていない．ヒトでは補足運動野が障害されると自発的な運動が減少し，強制把握（物が手掌に触れると，自動的に把握し続ける現象）や左右の手に協調運動の障害が出現する．サルの損傷実験 (Brinkman, 1984) では，両手を協力的に使う運動や，連続動作を必要とする運動が障害される．補足運動野の細胞の発火が，運動の順序に関連することが報告されている．図3.19のように，サルに3つの型の手の運動を，あらかじめ提示した手がかりの記憶に基づいてさせたときに，ある特定の運動の順序（この細胞の例では pull-push）のときにのみに補足運動野の神経細胞は活動が増加する (Shima & Tanji, 2000)．このような所見から，補足運動野は自発的に行う運動の順序制御に関与すると考えられている (Tanji, 1994)．

運動前野は頭頂葉の感覚性連合野や，陳述記憶の制御の場である前頭前野から入力を受け，一次運動野に出力することから，感覚情報や認知記憶に基づく運動の企画・発案に関与していると考えられる．運動前野から脊髄への投射は微弱であると考えられている．ヒトでは，運動前野の損傷後は運動麻痺がないにもかかわらず，運動は拙劣になり，着衣に伴う動作や楽器の演奏などの精緻な運動に障害がでることが報告されている．これらの障害は，頭頂葉が障害されたときに出現する失行症状と似ており，運動前野が頭頂葉の影響を強く受けていることを示している．

背側運動前野は感覚情報を基に動作を企画し準備する役目を担うと考えられている (Hoshi & Tanji, 2000)．図3.20に，サルが視覚的に与えられた手がかりを基に，左右2つのターゲットを左右どちらかの手で到達するタスクを行ったときの背側運動前野の神経活動を示す．このニューロンは使うべき手が右で，左のターゲットに到達するという，起こすべき動作が決まった時点から活動が高まる．

サルの腹側運動野には，他のサルやヒトが運動をするのを見聞きしたときに，

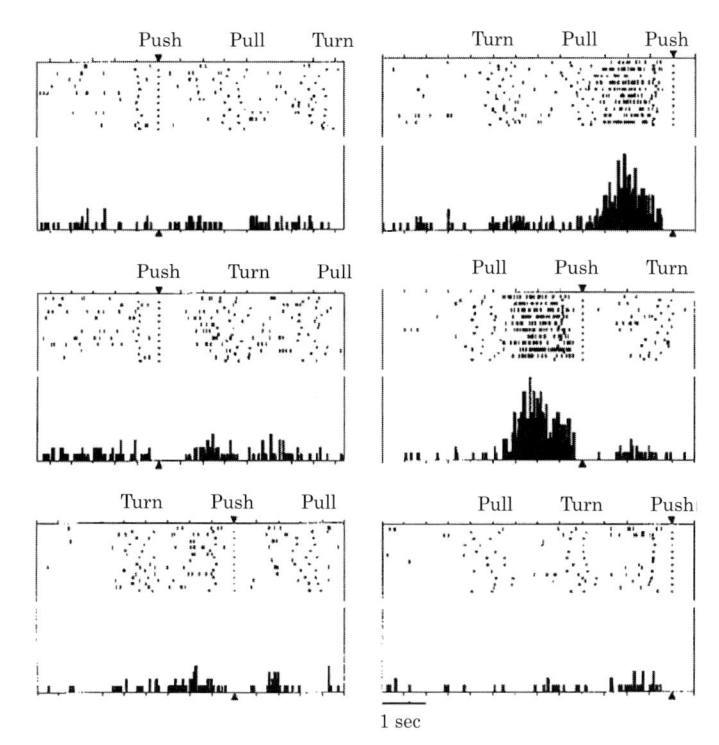

図 3.19 補足運動野の運動の順序に反応する神経細胞 (Shima & Tanji, 2000)

手のプッシュ・プル・ターン (push/pull/turn) の運動を，サルに記憶に基づいた指示によりさせると，この細胞はプル・プッシュの順序で運動を行ったときにプルとプッシュの運動間に強く発射した．

あたかも自分が運動をしているかのごとき活動を呈する神経細胞（ミラーニューロン）があることが，Rizolatti ら (1996) により報告されている（図 3.21）．ミラーニューロンの存在は，腹側運動前野が認知機能に関係しており，視覚をはじめとする感覚情報に基づいた運動の企画・発案に関与していることを端的に示している．

海馬や扁桃核などの大脳辺縁系からの入力と，前頭連合野と頭頂連合野からの入力をともに受ける帯状皮質運動野は，一次運動野のみならず脊髄にも出力しており，運動野の一部とみなされる．帯状皮質運動野の後部では一次運動野と似た活動を示す神経細胞が見られるのに対して，前部では，報酬に基づく運動の選択に関連する神経活動が報告されている (Shima & Tanji, 1998)．この

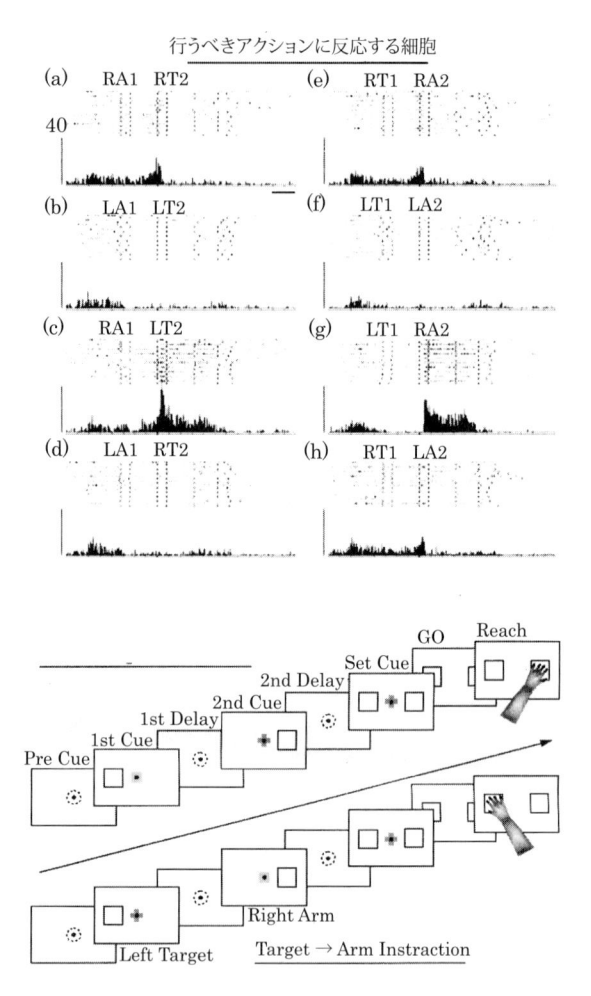

図 3.20 背側運動前野の行うべき運動の決定に関係する神経細胞（Hoshi & Tanji, 2000; 丹治ほか，2003 改変）
　　サルは下の図に示されたキューに従って，左もしくは右の手で右もしくは左のターゲットへの到達運動を行う．第 1 のキューが使う手を，第 2 のキューが到達すべきターゲットを指示する場合と，第 1 のキューが到達すべきターゲット，第 2 のキューが使う手を指示する場合が，中心のシンボルによって提示される．(a) に 2 つのキューとセットとゴーが提示される時間と実際の運動の開始の時間を示す．この例では，まず左手を使用せよ (RA1) という指示の後に，右のターゲットに到達せよ (RT2) ということになる．(c) と (g) に示されるように，この細胞は右手 (RA) で左のターゲット (LT) に到達することが決定したときに発射が増加した．この発射の増加は実際の運動の開始 (M) に先行している．

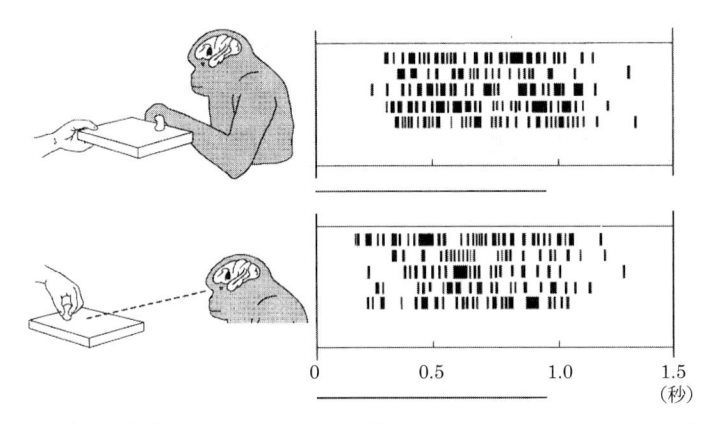

図 3.21 腹側運動前野のミラーニューロン（Gallese et al., 1996; 田中, 2006 を改変）
上は，サルが皿の上の餌を実際につかんだときの反応．下は実験者が，皿に載せた餌を手でつまむのをサルに見せたときのミラーニューロンの反応．下の線はサルが餌をつまんでいるとき，もしくはサルが実験者の動作を見ている時間を示す．

部分は，大脳辺縁系における行動の価値判断（報酬）の情報を基に，運動の企画に関与すると考えられる．まとめると，運動前野，補足運動野や帯状皮質運動野では，連合野や大脳辺縁系からの情報を統合し運動が発案・企画され，一次運動野から最終的に脊髄運動系に随意運動の運動司令が送られることになる．実際に運動を行わなくとも運動をイメージするだけで，補足運動野や運動前野の神経活動が高まることが，ヒトの脳血流量のイメージングの実験で示されている．

3.4 小脳による運動制御

3.4.1 小脳の構造と神経回路

小脳 (cerebellum) は大脳の尾側，脳幹の背側に位置し，大きさはヒトでは大脳の10分の1程度である．図3.22(a) に小脳皮質のマクロ構造を示す．系統発生的に小脳皮質は3つの部分に分類される．最も古い部分を古小脳もしくは前庭小脳と呼び，片葉 (Flocculus) がその代表である．次に古い部分を旧小脳と呼び，中央部に存在する虫部 (Vermis) がその代表である．一番新しい部分を新小脳と呼び，半球 (Hemisphere) と呼ばれる外側の領域が相当する．前庭小脳は前庭核に出力するのに対し，虫部は小脳核の内側核に，半球は外側核と中位

102　第3章　運動の制御

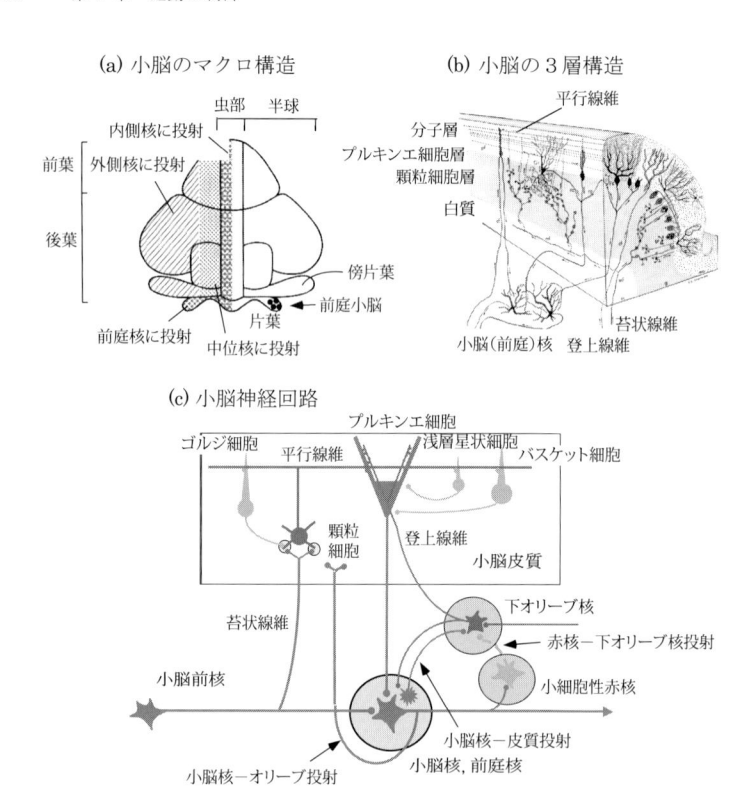

図 3.22　小脳の構造
小脳のマクロ構造 (a)，小脳の3層構造 (b)，小脳神経回路 (c)

核に出力する．図 3.22(b) に小脳皮質のミクロ構造を示す．皮質は分子層，プルキンエ (Purkinje) 細胞層と顆粒細胞層からなる．プルキンエ細胞層に細胞体をもつプルキンエ細胞は小脳皮質の出力細胞であるが，分子層によく発達した樹状突起を出すとともに，軸索突起を小脳核や前庭核に送り抑制性のシナプスをつくる (Ito & Yoshida, 1964)．小脳核や前庭核の細胞には，10–50 個のプルキンエ細胞が収束する．小脳皮質と核の抑制性シナプスの伝達物質は γ アミノ酪酸 (GABA) (Obata et al., 1967) である．

　小脳皮質への入力には苔状線維 (Mossy fiber) と登上線維 (Climbing fiber) の2種類がある（図 3.22(c)）．脊髄から脳幹に至る広範な部位から出された苔状線維は，小脳皮質の顆粒細胞に興奮性シナプスを形成する．顆粒細胞 (Granule cell) は平行線維 (Parallel fiber) と呼ばれる突起を出し，皮質のプルキンエ細胞

遠位樹状突起上にある棘突起に興奮性シナプスをつくる．一方，下オリーブ核 (Inferior olive) に起源をもつ登上線維はプルキンエ細胞の近位樹状突起にまとわりつくように多数のシナプスをつくる．1つのプルキンエ細胞は，10–20万本の平行線維とそれぞれ1個のシナプスをつくるのに対して，1本の同じ登上線維と樹状突起上で多数のシナプスをつくる．平行線維—プルキンエ細胞シナプスと登上線維—プルキンエ細胞のシナプスの伝達物質は，ともにグルタミン酸である．プルキンエ細胞の活動電位を，微小電極を用いて記録すると2種類の典型的な活動が記録される．1つは単純発射と呼ばれる平均数十Hzの活動電位であり，もう1つは複雑発射と呼ばれる1–2Hz程度の不規則な活動電位である．単純発射は，プルキンエ細胞自体の自発放電と平行線維—プルキンエ細胞シナプスからの入力により生じる活動電位からなる．複雑発射は登上線維—プルキンエ細胞シナプスからの入力によって生じた活動電位である．平行線維は，プルキンエ細胞以外に，ゴルジ (Golgi) 細胞，籠（バスケット）細胞や浅層星状細胞らの抑制性介在ニューロンと興奮性シナプスを形成する．

　小脳皮質の神経細胞群の中で，顆粒細胞は最多数を占め，プルキンエ細胞の1万倍程度を占める．ゴルジ細胞を始めとする抑制介在細胞群もそれぞれプルキンエ細胞の1–10倍程度の密度である．小脳皮質には，縫線核からはセロトニンを含む線維，青斑核からはノルアドレナリンを含む線維も投射している．

　小脳核の神経細胞には，小脳皮質のプルキンエ細胞の軸索のみならず，苔状線維の軸索側枝と登上線維の軸索側枝が興奮性のシナプス結合をする．また，小脳核の神経細胞は，脳幹や脊髄，視床に投射するが，その一部は小脳皮質と下オリーブ核にフィードバックする．

3.4.2　小脳神経回路のシナプス伝達可塑性

　小脳のプルキンエ細胞には，長期抑圧 (long-term depression: LTD) と呼ばれるシナプス伝達可塑性がある．長期抑圧とは，平行線維—プルキンエ細胞シナプスの伝達効率が，同時に入力する登上線維—プルキンエ細胞シナプスの信号によって少なくとも数時間にわたって低下するという異シナプス干渉のことである．長期抑圧は，1982年に伊藤正男らによってウサギの急性除脳標本を用いた実験によりはじめて報告された (Ito et al., 1982)．現在では，スライス標本や細胞培養標本による *in vitro* の実験系を用いて，その分子機構が調べられ

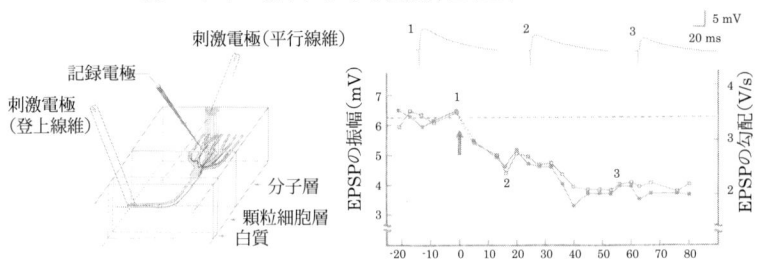

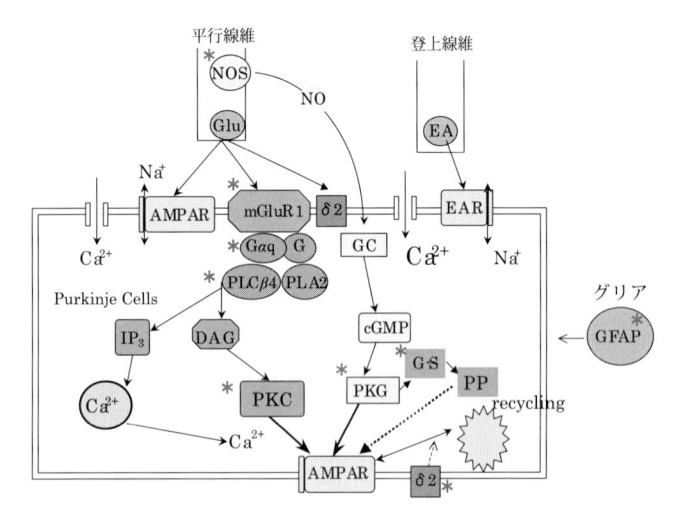

(a) スライス標本における長期抑圧(LTD)

(b) 長期抑圧の分子機構

図 3.23 小脳皮質の平行線維—プルキンエ細胞シナプスの長期抑圧

(a) 切片標本における長期抑圧 (Sakurai, 1987). (b) 長期抑圧の分子機構 (Ito, 2001, 2002). AMPAR: AMPA 型アミノ酸受容体. mGluR1: 1 型代謝型アミノ酸受容体. NOS: 一酸化窒素合成酵素. NO: 一酸化窒素. Glu: グルタミン酸. EAR: 興奮性アミノ酸受容体. δ2: デルタ 2 型アミノ酸受容体. GC: グアニルサクレース. G: G タンパク. Gαq: G タンパク qα 型サブユニット. PLCβ4: フォスポリパーゼ Cβ. IP_3: イノシトール三リン酸. DAG: デアシルグリセロール. cGMP: サイクリック GMP. PKG: G-キナーゼ. PKC: C-キナーゼ. G-S: G-基質. PP: タンパク質燐酸化酵素. GFAP: グリア線維性酸性タンパク質.

ている．図 3.23(a) で示すように，切片標本では，平行線維の電気刺激と登上線維の電気刺激を組み合わせて刺激を行うと，刺激後 1 時間以上にわたって平行線維刺激によって誘発される興奮性シナプス後電位 (EPSP) が低下する．長期抑圧と平行して，プルキンエ細胞の興奮性グルタミン酸受容体の一種である

AMPA 型受容体の感受性が低下することから，AMPA 型受容体の変化が長期抑圧の原因であると考えられる．薬理的方法と遺伝子ノックアウトマウスの実験結果から，平行線維から放出される一酸化窒素 (NO)，プルキンエ細胞の膜にある代謝型アミノ酸受容体や，登上線維入力によって強く脱分極されることによって生じる細胞内 Ca イオンの増加，細胞内セカンドメッセンジャーである C-キナーゼや G-キナーゼの活性化などが原因（図 3.23(b)）となって，シナプス後膜における AMPA 型受容体の細胞質への取り込みが促進されることが長期抑圧の本体であると考えられている (Ito, 2001, 2002)．興奮性グルタミン酸受容体の一種で平行線維—プルキンエ細胞シナプスに特異的に存在する δ 型受容体も長期抑圧に重要な役割を演じているが，そのメカニズムは現在のところ不明である．

平行線維—プルキンエ細胞シナプスや平行線維—抑制性介在ニューロン（バスケット細胞，浅層星状細胞）シナプスに，長期増強様の可塑性があることが報告されている．その分子機構や生理学的意義については現在のところよくわかっていない．

3.4.3 小脳皮質核複合体のオペレーション

下オリーブ核からの登上線維による小脳皮質への投射と小脳皮質から小脳（前庭）核への投射にはトポロジカルな対応があり，皮質核微小複合体 (Cortico-nuclear microcomplex) とよばれている．皮質核微小複合体の詳細な構成は 3 つの半規管系と 6 つの外眼筋で構成される前庭動眼反射の回路と小脳片葉と下オリーブ核の結合関係を調べることによって明らかにされている (Ito, 1984)．マウスのような全長わずか 0.3 mm 足らずの片葉の中にも，少なくとも 4 つの皮質核微小複合体が存在することが報告されている．

皮質核複合体の機能的な意義については，1970 年前後に基本的概念 (Marr, 1969; Ito, 1970; Albus, 1971)（Marr-Ito-Albus 仮説）が提案され，その実験的検証が行われてきた．その結果，皮質核複合体のいくつかの特徴が明らかにされている（図 3.24）．その 1 つは皮質核複合体には，前述の長期抑圧というシナプス伝達可塑性があり，学習機能をもつことである．2 つ目の特徴は，核を通る制御の主経路に対して，皮質を経由するループは側副路を形成することである．登上線維が皮質に伝える信号は，運動時に生じる誤差のような教師信

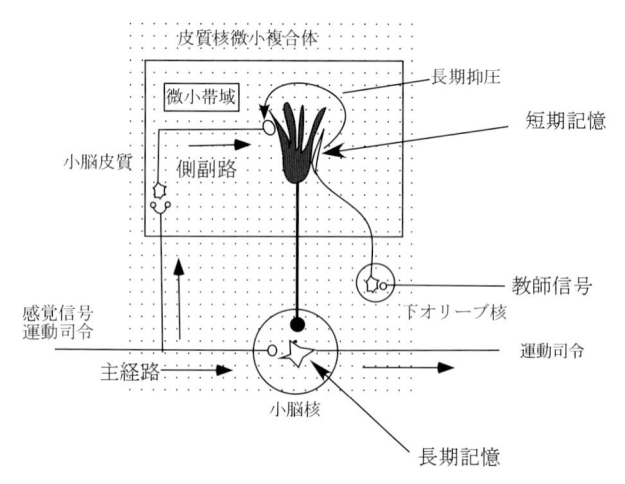

図 3.24 の説明：皮質核微小複合体、微小帯域、小脳皮質、側副路、長期抑圧、短期記憶、教師信号、下オリーブ核、感覚信号・運動司令、主経路、運動司令、小脳核、長期記憶

図 3.24　小脳の基本的オペレーション

号 (Instruction signal) を反映しており，それが長期抑圧のメカニズムを用いて側副路の信号の伝達効率を変えることによって，小脳皮質核複合体から出力される信号が調節される (Ito, 1984)．苔状線維と平行線維を経由してプルキンエ信号に伝えられる信号は，前庭動眼反射のような反射の場合は，刺激となる感覚情報であり，随意運動の場合は大脳皮質から出力される運動司令である．小脳核からの小脳皮質へのフィードバック信号が，感覚情報もしくは運動司令と同じく重要であるという考え方は，実験的に否定されている．すでに述べたように，登上線維によって小脳皮質に運ばれる信号は複雑発射として観察されるが，その発射頻度は平行性線維入力によって生じる単純発射に比べて著しく低く，かつ不規則である．そこで登上線維の入力は，実行中の運動のリアルタイムの制御よりは，学習などのような長い時間スパンの制御に主に用いられると考えられる．側副路と主経路のバランスについては，反射のような系統発生的に古い運動システムでは主経路の比重が大きく，随意運動のような新しい運動システムでは，小脳皮質を通る側副路の方の比重が大きくなる．3 つ目の特徴は，1 つの皮質核複合体の中では，1 つの誤差信号を使って，多くの平行線維入力を学習させる，すなわち多数制御を行うのにきわめて適していることである．1 つの皮質核微小複合体に含まれる皮質の幅は 0.5 mm 程度であるとされ，これを微小帯域 (Microzone) と呼ぶ．微小帯域は小脳皮質の機能単位であり，ヒ

トなどの霊長類の小脳皮質には少なくとも 5000 以上の帯域が含まれていると考えられているので，小脳皮質の中では 5000 個以上の学習機能をもったミクロプロセッサーが並列に作用していることになる．

3.4.4　小脳による運動学習

小脳による運動学習は，小脳片葉による前庭動眼反射や視機性眼球反応（3.2.6 項参照）の利得（ゲイン）の適応や，瞬膜反射の遅延型条件付けのパラダイムを用いた実験系により検証されている (Ito, 1970, 1982, 1984)．前庭動眼反射 (vestibulo-ocular reflex) とは，頭が動いたときにそれを代償するように眼が動く反射である．内耳の半規管で検知された頭の動きの情報は，前庭核を通る主経路と小脳片葉を通る側副路によって外眼筋運動ニューロンに伝えられる（図 3.25(a)）．また片葉には，誤差信号である頭が動いたときに生じる網膜像のブレ (retinal slip) の情報が，登上線維系を通じて伝えられる．拡大レンズや逆転プリズムを装着することによって，反射が生じたときに人工的に網膜像のブレを持続的に与えると，反射のゲイン（眼球の動き/頭の動き）に，数時間の単位で適応性の変化が生じる．その原因が，片葉のプルキンエ細胞に生じる長期抑圧であることが実験的に支持されている (Ito, 1998, 2002)．前庭動眼反射は，感覚センサーである前庭器官に運動の結果が返ってこないフィードフォワード型の反射であるが，ネガティブフィードバック型の反射である視機性眼球反応でも，片葉が同様に適応制御を行っている (Nagao, 1983, 1988; 図 3.25(b))．視機性眼球反応 (optokinetic response) は，外界の大きな動きに対して，その動きを補正する眼球運動である．外界の動きと眼の動きの差である網膜像のブレの信号が，運動の制御信号と学習のための誤差信号としてそれぞれ皮質核微小複合体に入力している．網膜像のブレが生じるような状況で，数時間程度視覚訓練を行うと，視機性眼球反応のゲイン（眼球の動き/外界の動き）に適応が生じる．その原因が片葉の長期抑圧であることが実験的に確認されている．ネガティブフィードバック型の反射でも，刺激の速度が速い場合には，フィードバック制御では間に合わず，小脳のような前向き制御系が必要になると解釈される．

前庭動眼反射や視機性眼球反応が生じるときに小脳皮質で計算され出力される情報の内容について，次のような考察がなされている (Kawato et al., 1987)．

(a) 前庭動眼反射

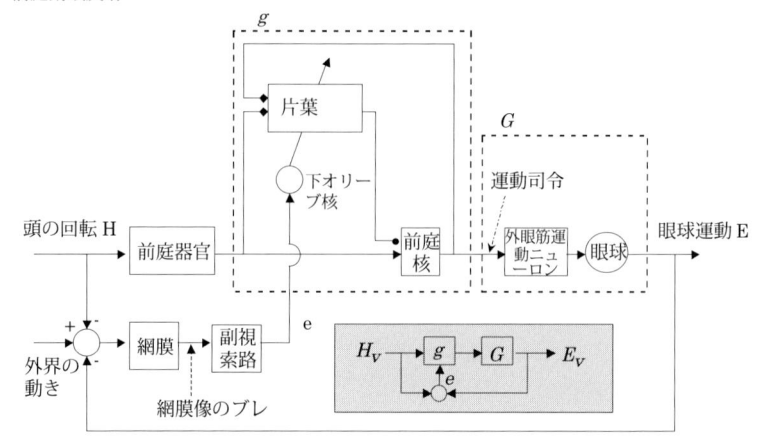

(b) 視機性眼球反応

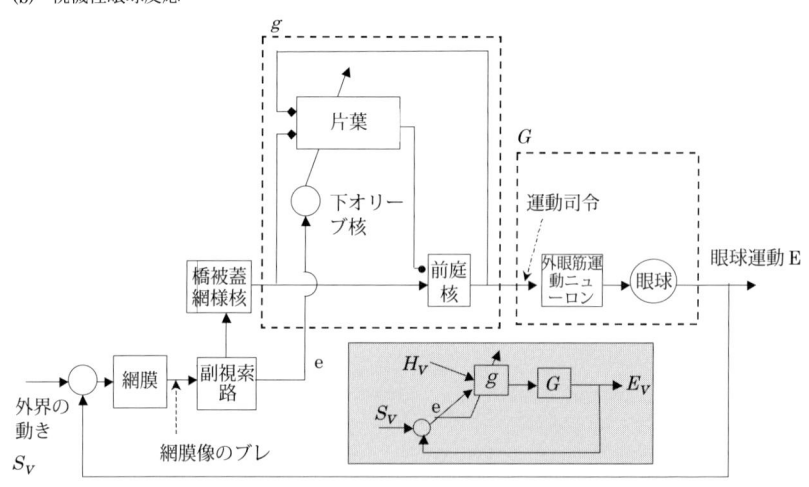

図 3.25 小脳片葉による前庭動眼反射 (a) と視機性眼球反応 (b) の適応制御

図 3.25 の前庭動眼反射を例とすると，皮質核微小複合体の伝達関数を g とし，外眼筋運動筋ニューロンと眼球系の伝達関数を G とする．この系の入力は頭の回転 Hv で，出力は眼球運動 Ev である．前庭動眼反射の目的は，$Ev = -Hv \times g \times G$ であり，そのためには $g = -G^{-1}$ となることが必要となる．つまり，皮質核複合体の伝達関数は，外眼筋運動筋ニューロンと眼球の伝達関数の逆数——逆ダイナ

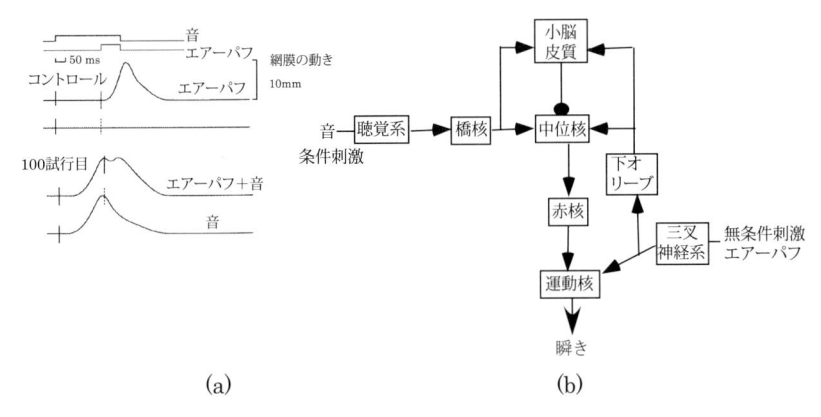

図 3.26 瞬膜の遅延型条件付け (a) と神経回路 (b)

ミックス——を反映することになる．サルで，追従眼球運動 (ocular following response) という眼球運動が生じるときに，腹側傍片葉と呼ばれる片葉の隣の領域のプルキンエ細胞の単純発射について調べると，その領域のプルキンエ細胞の活動が，眼球運動系の逆ダイナミックスを表現していることが報告されている (Shidara et al., 1993)．

小脳皮質核複合体が，運動のゲインだけでなくタイミングも適応制御していることが，瞬膜反射の遅延型条件付けの実験系から示されている (Christian & Thompson, 2003)．音や光などの感覚刺激を提示した後，眼球にエアーパフによる侵害刺激を繰り返し与えると，本来眼を閉じることの必要のない音や光刺激に反応して瞬膜反射が起きる．これは一種のパブロフ型条件付けで，条件刺激である感覚信号が苔状線維，無条件刺激である侵害刺激の信号が登上線維により小脳皮質に入力することによって長期抑圧が生じ，瞬膜反射のタイミングが変化すると考えられている（図 3.26）．

3.4.5 小脳による運動記憶の生成と貯蔵機構

我々が日常使う技の多くは，学習によって獲得されたものである．たとえば，子供のときに自転車を乗ることを覚えると，たとえ何十年も自転車に乗らなくとも，いつでも難なく乗りこなせる．このような運動学習の主役は小脳であると考えられるが，小脳の学習によって獲得された運動記憶（非陳述記憶）が，小脳核微小複合体の中でどのように保存され利用されているかは重要な問題であ

る．現在のところ，数時間程度の学習で獲得された運動記憶の痕跡は小脳皮質に保持されているが，長期間の学習によって形成された運動記憶の痕跡のあるものは，小脳皮質の出力先の小脳核に存在することが，いくつかの実験系で示されている (Shutoh et al., 2006)．これは，運動学習の時間経過に依存して，運動記憶のうちの比較的大まかな情報が，小脳皮質の平行線維—プルキンエ細胞シナプスから小脳核へシナプスを越えて移動することを意味する（図3.24）．学習の時間経過に依存した，記憶痕跡の移動は，陳述記憶に関係する海馬—大脳皮質系でも生じることが示唆されている．記憶痕跡のシナプス間転移は，記憶の固定化に必要なプロセスのようであるが，そのメカニズムと生理学的意味は今後の研究の課題である．数時間程度の学習で獲得された短期の運動記憶は，学習をやめると24時間以内に消失する．このような記憶の消去の過程が長期抑圧からの回復（脱長期抑圧）によるものか，それとも長期増強のようなメカニズムによる再学習かは興味深い問題であるが，現在のところ不明である．

3.4.6 大脳—小脳ループと随意運動制御モデル

すでに述べたように，小脳皮質と小脳核の結合関係により，小脳皮質は大まかに前庭小脳—前庭核系，虫部—内側系，半球—中位核/室頂核に区分されるが，それは機能的区分に対応する．片葉を代表とする前庭小脳—前庭核系と虫部—内側核系の一部は，前庭動眼反射や視機性眼球反応を代表とする身体の平衡調節やそれに関係した血圧などの自律神経系の調節に関与する．Thachらのグループ (1992) は，サルの小脳核を薬理学的に不活化したときに出現する行動の変化から，内側核系は，姿勢制御や自律調節の他に歩行のような無意識的な複合運動の制御，中位核系は四肢の近位筋（腕），外側核系は遠位筋（指）の意識的な複合運動（随意運動）を制御していることを指摘している．小脳皮質—中位核/外側核系は一次運動野や高次運動野と強い結合を持つ．図3.27のように，一次運動野や高次運動野の出力の一部は橋核を経て，苔状線維によって小脳半球へ送られるとともに，一部は小細胞性赤核と下オリーブ核を経て登上線維として小脳半球に入力する．また小脳半球の出力は小脳核を経て一部は下行性の出力を出すとともに，一部は視床を介して大脳皮質にフィードバックする．このように小脳半球系は一次運動野とループを形成し，随意運動の制御に関係する．

小脳が障害されると，タイミングコントロールの異常による運動の開始の遅

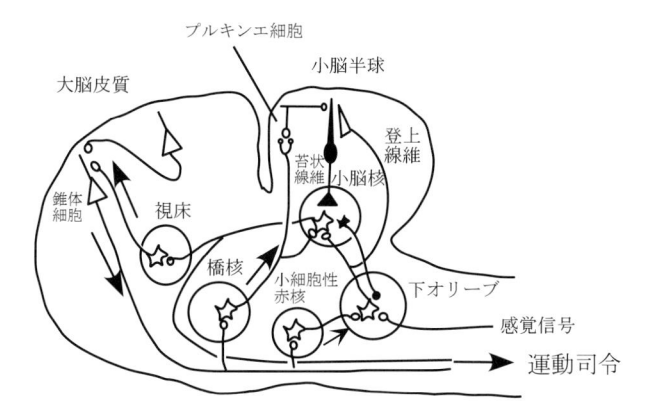

図 3.27　随意運動に関与する大脳—小脳ループ

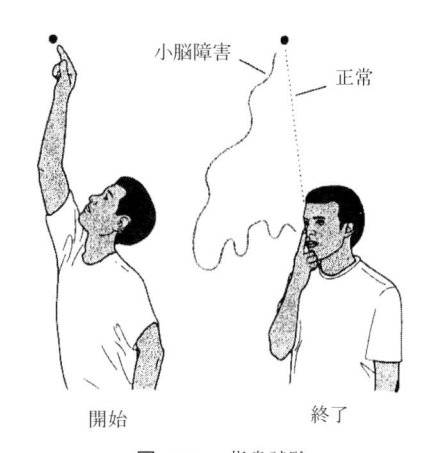

図 3.28　指鼻試験

れと，ゲインコントロールの異常による運動の速度の低下が起こり，運動は総じて不正確になる．小脳障害による運動異常を運動失調と呼ぶ．その典型例が，臨床神経学で指鼻試験と呼ばれる指を鼻に到達させる運動を自分の意志で行った場合に見られる（図 3.28）．鼻に自分の指を到達させるとき，最初は鼻の位置と指の位置を，視覚を使って確認しながら行うが，繰り返すことによって小脳による学習が生じ，その結果，眼をつぶって視覚性フィードバックを使わずに，円滑に鼻に手が届くようになる．実はこのような運動は，日常生活で頻繁に行っているので，すでに小脳が学習しており，その結果前向きの予測制御に

よってこの運動を行うことができるようになっている．小脳が障害されると，この学習機能がうまくはたらかないために，前向きの制御がはたらかず，視覚を使わないと正確に鼻に手が届かなくなり，運動は不器用でかつ遅くなる．このような症状を推尺異常 (Dysmetria) と呼ぶ．このように，小脳を経由するループは，学習機能によって，大脳運動野から出力される運動司令を最適化し，前向き制御によって運動が円滑にできるように作用する．

　小脳を経由するループの機能については，神経結合の解剖学所見を基に，Allen & Tsukahara (1974) 以来，いくつかの考え方が提案されている．半球の内側の部位は，一次運動野由来の苔状線維入力を受け，脊髄脳幹の運動系に出力する．一方，半球の外側の部位は，主に大脳皮質の連合野，補足運動野や運動前野由来の苔状線維入力を受け，一次運動野に出力する．小脳中位核には半球の内側と外側の部位からの出力線維がともに収束し（図 3.29(a)–(b)），外側核には主に半球の外側の部位の出力線維が収束する（図 3.29(c)）．図 3.29(a) からわかるように，感覚皮質を介する感覚系の外部フィードバックにより運動司令を作成する一次運動野に対して，小脳半球を経由するループは内部フィードバックとして作用する．Ito (1970, 1984) は，この部分の小脳半球系が，前述の指鼻試験の例のように，骨格筋の運動の内部モデル（以下の逆モデルと区別するために順モデルとも呼ばれる）を学習し，それを用いて運動の予測制御を行うという考え方を提案している．さらに，Kawato ら (1987) は，図 3.29 のように，外部フィードバックを使う皮質一次運動野と，前向き制御を行う小脳半球系が並列に作用し，大脳皮質から出力される運動司令を用いて小脳が学習を行うことで脊髄以下の運動系の逆モデルができると，一次運動野にそれほど頼らなくとも，小脳だけで運動の前向き制御ができるようになるという考え方を提案している．この考え方は，脊髄以下の運動系の逆モデルを一次運動野の逆モデルに置き換えることで，さらに図 3.29(c) の外側核系にも拡張できる．また Fujita (2005) は，高次の運動野が，登上線維と苔状線維の両系統を使って情報を小脳皮質に送り学習させ，それにより一次運動野を前向き制御するという考え方（フィードフォワード連合学習）を提案している（図 3.29(c)）．実際の随意運動では，これらの考え方が提案するしくみが複合的に作用しているのではないかと推測されるが，モデルと実験を融合させた研究による検証が待たれる．このような大脳—小脳ループによる随意運動の制御についての考え方で

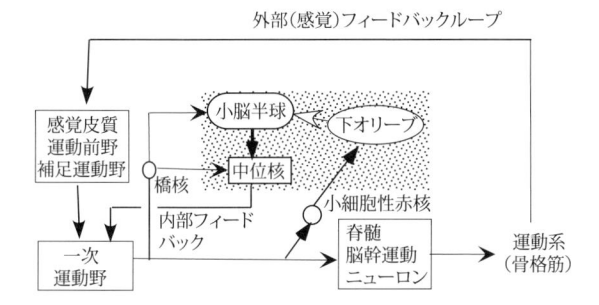

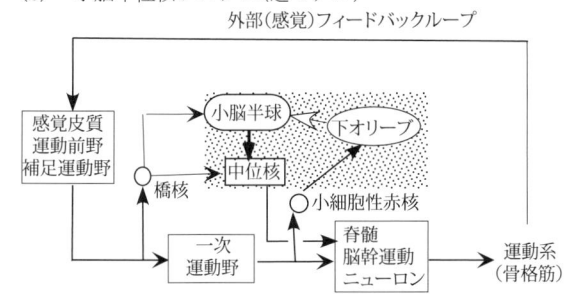

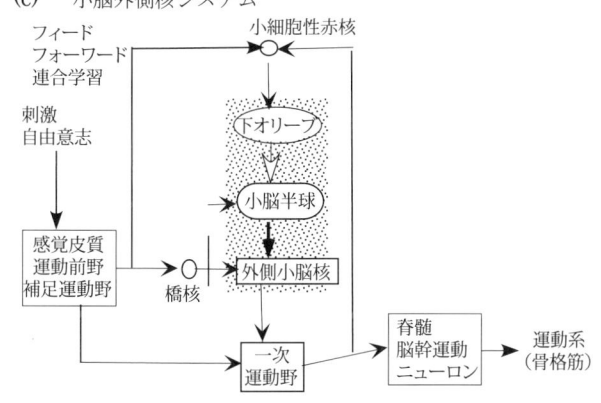

図 3.29 大脳—小脳ループの随意運動制御モデル
(a) 小脳半球中位核系の順モデル仮説．(b) 小脳半球中位核系の逆モデル仮説．
(c) 小脳半球外側核系の逆モデル仮説とフィードフォワード連合学習仮説．

は，運動の結果生じた誤差のみならず，大脳皮質運動関連野から出力される運動司令や運動の目標値（ゴール）に関係した情報が，皮質核微小複合体の学習に利用されることになる．視標を手がかりとしたサルの上肢の到達運動 (Hand reaching) 時に，小脳半球のプルキンエ細胞に，運動の結果生じた誤差のみならず，視標の提示や視標への手の到達完了に関係する複雑発射活動がみられる (Kitazawa et al., 1998) ことが知られている．

3.5 大脳基底核と運動制御

3.5.1 大脳基底核の構造

大脳基底核は尾状核 (caudate nucleus)，被殻 (putamen)，淡蒼球 (globus pallidus)，視床下核 (subthalamic nucleus)，中脳に属する黒質 (substantia nigra) からなる．淡蒼球は内節と外節，黒質は緻密部 (pars compacta) と網様部 (pars reticulata) に区分される（図 3.30）．被殻と尾状核はまとめて線条体 (striatum) と呼ばれる．基底核は視床を経由した大脳皮質とのループを形成する（図 3.31）．大脳皮質運動野，運動前野，補足運動野や頭頂葉からの興奮性出力（皮質線条体路）はまず線条体に入る．線条体からの出力は抑制性である．出力経路には，淡蒼球内節と黒質緻網様部に直接投射する直接路と，視床下核を経由して間接的に投射する間接路がある．視床下核は興奮性の出力を淡蒼球内節と黒質網様部に送る．淡蒼球内節と黒質網様部は視床に抑制性の出力を送

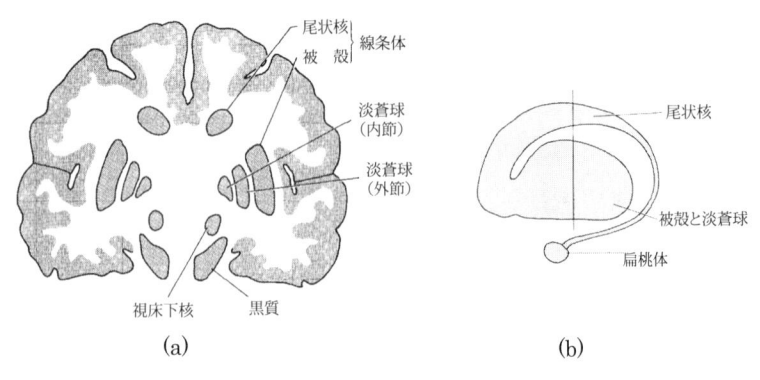

図 3.30 大脳基底核の構造

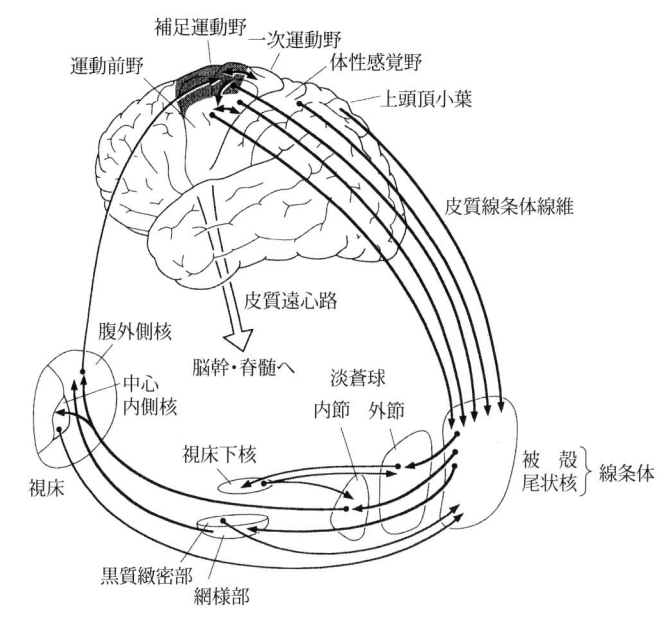

図 3.31 大脳皮質—基底核ループ（Kandel et al., 2000 を改変）

ると同時に，一部は上丘を経て脳幹に投射する．したがって，基底核の出力は主には視床を介して補足運動野や運動前野に戻ることになるが，一部は直接脳幹運動系に送られる．さらに黒質緻密部にはドーパミンを含むニューロンが多数あり線条体に投射する．また黒質緻密部は，線条体より抑制性の投射を受ける．切片標本を用いた実験から，線条体ニューロンのシナプスには，ドーパミン依存性の長期増強や長期抑圧のような可塑性があるようであり，基底核が学習に関与する可能性が示唆されている．

　基底核に小脳の皮質核微小複合体のような機能単位が存在するかどうかはわかっていない．解剖学的に線条体には，斑 (patch) とマトリックス (matrix) と呼ばれる縞状の構造がある．斑には，大脳皮質の第 V 層の深層からの出力線維が終止するのに対して，マトリックスには大脳皮質 II, III, V 層の浅層からの出力線維が終止する．また斑は黒質緻密体のドーパミンニューロンに投射するのに対して，マトリックスは黒質網様部の GABA 作動性抑制ニューロンに投射する．これらの機能的な意義は知られていない．

3.5.2 基底核と運動制御

基底核が障害されると，ヒトでは，運動亢進 (hyperkinesia) と運動低下 (hypokinesia) の両極端の顕著な運動異常が生じる．運動亢進に属するのが，急速なダンス様運動を伴うことで知られるハンチントン舞踏病，持続的なゆっくりと身悶え様運動が特徴のアテトーシス，大きく物を投げるような運動が見られるバリスムである．舞踏病やアテトーシスは線条体のニューロンの変性，バリスムは視床下核の障害時に出現する．運動低下の代表はパーキンソン病で，筋の固縮，静止振戦がその主な症状である．パーキンソン病は，黒質緻密部のニューロンの変性に伴う線条体のドーパミンの低下によって生じる．

基底核の障害は顕著な運動障害を起こすにもかかわらず，基底核の運動制御における役割についての定説はない．図 3.32 で示すように，大脳皮質から出力されるバースト状の信号が基底核に入力すると，黒質網様部や淡蒼球内節には，間接路からは脱抑制により活動電位の増加が見られるのに対して，直接路からは強い抑制によって活動電位の減少が引き起こされる．つまり間接路と直接路のバランスを調節することによって，基底核の出力を強い抑制から強い興奮まで切り替えることができることになる (Alexander & Crutcher, 1990)．基底核の出力のうち，上丘や脳幹に実際に出力するものは，運動を実際に行うか (Go)，しないか (NoGo) の決定に関係しているのではないかと推測される．さらに，基底核は広範な大脳皮質から入力を受け，運動前野や補足運動野に出力することから，図 3.32 のメカニズムを用いて，大脳皮質でつくられた運動プログラムの取捨選択や，運動の順序を決定するという考え方や，運動の安定化に寄与するという考え方が提案されている．

基底核は，運動機能のみならず，認知機能をもつことが注目されている．Schultz ら (1997) は，サルの黒質のドーパミン作動性ニューロンが行動の結果得られる報酬の予測に関与するという実験根拠を提出している．図 3.33 に示すように，ドーパミン作動性ニューロンは，サルが報酬を得ることを期待していないときに報酬を得られた場合には，活動を増加させるが，前もって提示された手がかりから報酬が期待されるときには，報酬が得られても活動は変化しない．逆に，報酬が期待される状況下で，報酬が得られないときには活動を減少させる．このようにドーパミン作動性ニューロンは行動中の報酬の予測誤差の情報

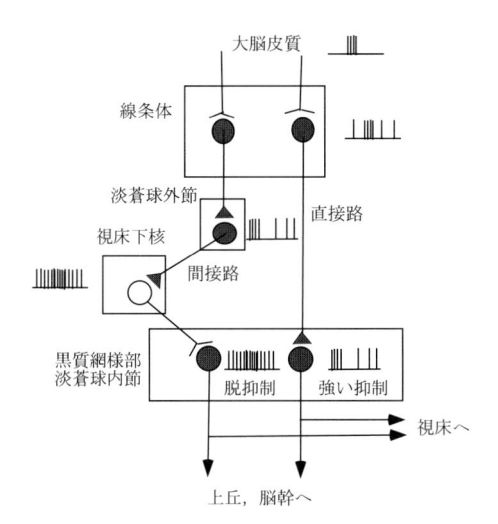

3.5 大脳基底核と運動制御　117

図 3.32　大脳基底核の直接路と間接路

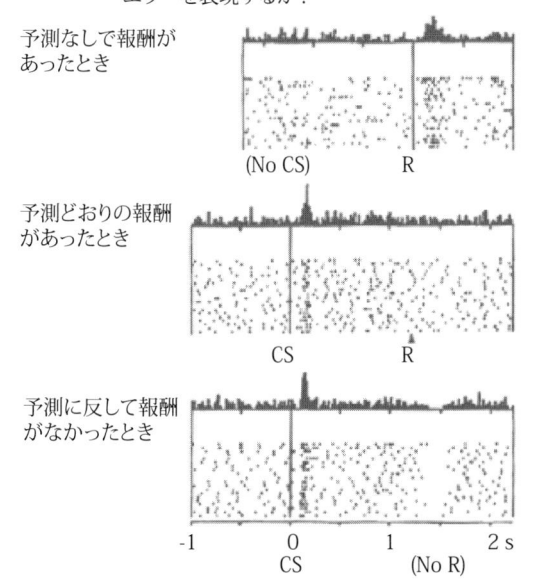

図 3.33　報酬予測を表現するドーパミンニューロンの活動
CS：条件刺激．R：報酬ありのとき．NoR：報酬なしのとき．

を担っているが，これが運動学習に使われている可能性が示唆されている．つまり，報酬を期待しながら，運動を試み，試行錯誤の結果，報酬を高率に得られるような行動を獲得するのに基底核が作用しているのではないかということが考えられている．認知科学の観点から，小脳が運動誤差のような教師信号を基に学習するのに対して，基底核は教師信号を用いない強化学習に関与するというような考え方が提案されている．行動の価値や報酬に関係する情報は情動系に属する大脳辺縁系や前頭前野に広く存在する．強化学習の考え方では，線条体は大脳皮質のさまざまな領域からくる信号を，報酬予測に基づいて取捨選択し，運動前野や補足運動野に送る役割を演じていることが想定される（図3.31, 3.32）．このように，基底核は，情動・認知機能と運動制御の接点の場であると考えられるようになってきているが，今後多方面からの実験的な検証が必要である．

3.6 運動制御の脳機構のまとめ

随意運動の発現に関与する大脳皮質運動野，大脳基底核と小脳皮質の役割についての見解を図3.34にまとめた．小脳に関する研究についての詳細は，筆者らによる国際ニューロインフォーマティックス統合機構の日本ノードにある小脳

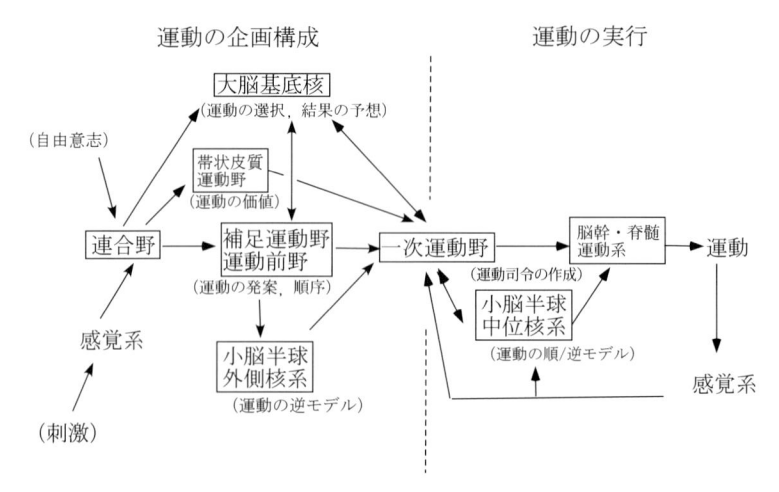

図 **3.34** 脳による随意運動制御のまとめ

プラットフォーム (http://platform.cerebellum.neuroinf.jp) を参照されたい．高次運動野や大脳基底核については，未知の部分が多く残されており，今後の脳科学の主要なテーマである．日本の脳科学は，小脳，大脳運動野や基底核を始めとする運動制御の研究に過去多大なる貢献をしてきた．この伝統を生かして，実験と理論の両面からなるこの分野の幅広い研究の進捗を期待したい．

最後に図版と原稿の作成に協力していただいた首藤文洋（筑波大学院），北澤宏理（理化学研究所脳科学総合研究センター）の両博士に感謝する．

参考文献

[1] Albus J (1971) A theory of cerebellar function. *Mathematical Bioscience* **10**: 25–61.

[2] Alexander GE, Crutcher MD (1990) Functional architecture of basal ganglia circuits: Neural substrates of parallel processing. *Trends in Neuroscience* **13**: 266–271.

[3] Allen GI, Tsukahara N (1974) Cerebrocerebellar communication systems. *Physiological Review* **54**: 957–1006.

[4] Andersen P, Hagen PJ, Phillips CG, Powell TPS (1975) Mapping by microstimulation of overlapping projections from area 4 to motor units of baboon's hand. *Proceeding of Royal Society of London, Series B: Biological Sciences* **188**: 31–60.

[5] Brinkman C (1984) Supplementary motor area of the monkey's cerebral cortex: Short- and long-term deficits after unilateral ablasion and the effects of subsequent callosal section. *J Neuroscience* **4**: 918–929.

[6] Christian KM, Thompson RF (2003) Neural substrates of eyeblink conditioning: acquisition and retention. *Leaning & Memory* **10**: 427–455.

[7] Delong MR (2000) *"The basal ganglia"* in Kandel ER, Schwartz JH, Jessell TM (eds.)Principles of Neural Science 4th ed. McGraw Hill, New York.

[8] Evarts EV (1968) Relation of pyramidal tract activity to force exerted during voluntary movement. *Journal of Neurophysiology* **31**: 14–27.

[9] Fetz EE, Cheney PD (1980) Postspike facilitation of forelimb muscle activity by primate corticomotoneuronal cells. *Journal of Neurophysiology* **44**: 751–772.

[10] Fujita M (2005) Feed-forward associative learning for volitional movement control. *Neuroscience Research* **52**: 153–165.

[11] Gallese V, Fadiga L, Fogassi L, Rizzolatti G (1996) Action recognition in the premotor cortex. *Brain* **119**: 593–609.

[12] Georgepoulos AP (1988) Neural integration of movement: role of motor cortex in reaching. *FASEBJ* **2**: 2849–2857.

[13] Grillner S, Delagina T, Ekeberg O, El Manira A, Hill RH, Lansner A, Orlovsky GN, Wallen P (1995) Neural networks that co-ordinate locomotion and body orientation in lamprey. *Trends in Neuroscience* **18**: 270–279.

[14] Hoshi E, Tanji J (2000) Integration of target and body-part information in the premotor cortex when planning action. *Nature* **408**: 466–470.

[15] Ito M (1970) Neurophysiological aspects of the cerebellar motor control system. *International Journal of Neurology* **7**: 162–176.

[16] Ito M (1982) Cerebellar control of the vestibulo-ocular reflex-around the flocculus hypothesis. *Annual Review of Neuroscience* **5**: 275–296.

[17] Ito M (1984) *The cerebellum and neural control.* Raven, New York.

[18] Ito M (1998) Cerebellar learning in the vestibulo-ocular reflex. *Trends in Cognitive Sciences* **2**: 313–321.

[19] Ito M (2001) Cerebellar long-term depression: characterization, signal transduction and functional roles. *Physiological Review* **81**: 1143–1195.

[20] Ito M (2002) The molecular organization of cerebellar long-term depression. *Nature Review Neuroscience* **3**: 896–902.

[21] Ito M (2006) Cerebellar circuitry as a neuronal machine. *Progress in Neurobilogy* **78**: 272–303.

[22] Ito M, Sakurai M, Tongroach P (1982) Climbing fibre induced depression of both mossy fibre responsiveness and glutamate sensitivity of cerebellar Purkinje cells. *Journal of Physiology* (London) **324**: 113–134.

[23] Ito M, Yoshida M (1964) The cerebellar-evoked monosynaptic inhibition of Deiters' neurons. *Experientia* **20**: 515–516.

[24] Kandel ER, Schwartz JH, Jessel TM (2000) *Principles of Neural Science* 4th Edition, McGraw-hill, New York.

[25] Kawato M, Furukawa K, Suzuki R (1987) A hierarchical neural-network model for control and learning of voluntary movement. *Biological Cybernetics* **57**: 167–185.

[26] Kitazawa S, Kimura T, Yin P-B (1998) Cerebellar complex spikes encode both destinations and error in arm movements. *Nature* **392**: 494–497.

[27] Marr D (1969) A theory of cerebellar cortex. *Journal of Physiology* (London) **202**: 437–470.

[28] Nagao S (1983) Effects of vestibulocerebellar lesions upon dynamic characteristics and adaptation of vestibulo-ocular and optokinetic responses in pigmented rabbits. *Experimental Brain Research* **53**: 36–46.

[29] Nagao S (1988) Behavior of floccular Purkinje cells correlated with adaptation of horizontal optokinetic eye movement response in pigmented rabbits. *Experimental Brain Research* **73**: 489–497.

[30] Obata K, Ito M, Ochi R, Sato N (1967) Pharmacological properties of the postsynaptic inhibition by Purkinje cell axons and the action of γ-aminobutyric acid on Deiters neurones. *Experimental Brain Research* **4**: 43–57.

[31] Rizzolatti G, Fadiga L, Gallese V, Fogassi L (1996) Premotor cortex and the recognition of motor actions. *Cognitive Brain Res* **3**: 131–141.

[32] Sakurai M (1987) Synaptic modification of parallel fibre-Purkinje cell transmission in *in vitro* guinea-pig cerebellar slices. *Journal of Physiology (London)* **394**: 463–480.

[33] Schultz W, Dayan P, Montague PR (1997) A neural substrate of prediction and reward. *Science* **275**: 1593–1599.

[34] Shidara M, Kawano K, Gomi H, Kawato M (1993) Inverse-dynamics model eye movement control by Purkinje cells in the cerebellum. *Nature* **365**: 50–52.

[35] Shima K, Tanji J (1998) Role for cingulate motor area cells in voluntary movement selection based on reward. *Science* **282**: 1335–1338.

[36] Shima K, Tanji J (2000) Neuronal activity in the supplementary and presupplementary motor areas for temporal organization of multiple movements. *Journal of Neurophysiology* **84**: 2148–2160.

[37] Shutoh F, Ohki M, Kitazawa H, Itohara S, Nagao S (2006) Memory trace of motor learning shifts transsynaptically from cerebellar cortex to nuclei for consolidation. *Neuroscience* **139**: 767–777.

[38] Thach WT, Goodkin HG, Keating JG (1992) The cerebellum and the adaptive coordination of movement. *Annual Review of Neuroscience* **15**: 403–442.

[39] 田中啓治 (2006)「随意運動制御」田中啓治・岡本仁編『脳科学の進歩——分子から心まで』放送大学振興会.

[40] Tanji J (1994) The supplementary motor area in the cerebral cortex. *Neuroscience Research* **19**: 251–268.

[41] 丹治　順 (1994)「運動系の生理学」伊藤正男・安西祐一郎・川人光男・市川伸一・中島秀之・橋田浩一編『運動』(岩波講座認知科学 4 巻).

[42] 丹治　順・嶋　啓節・松坂義哉 (2003)「大脳と随意運動」伊藤正男編『脳神経科学』三輪書店.

第4章

記憶

4.1 今日の記憶研究

　生物の適応能力を広い意味で学習と規定すれば，記憶とは学習の結果として細胞またはその特殊に分化した神経細胞の集合体としての脳に貯蔵される情報のことを指す．地球上に生命誕生以来，ほとんどの生物種は環境の変化に臨機応変に適応して進化してきた．ヒトの脳はその外界適応能力においてその機能の多様性，柔軟性と正確性の点で現代における最も優れた生物マシーンといえる．情報の保持という観点から見れば，細菌も含めたすべての生物が学習し「記憶」を形成するが，本章では脳神経科学の立場からヒトの記憶を中心に述べる．

　記憶の研究はヒトを被験者にして19世紀後半から始まり，神経解剖生理学，精神神経病理学から健常人の認知心理学まで広範疇にわたり常に動物を用いた研究のガイドとなってきた．これはヒトでは会話によって記憶の種類と内容を調査することができるからで，結果的に記憶の分類はヒトの分類が模範である．

4.1.1 記憶の分類方法

　ヒトの記憶にはさまざまな分類方法があるが，大きく過去の記憶はその保持時間で短期記憶 (short-term memory) と長期記憶 (long-term memory) とに分けられる．さらに長期記憶をその記憶情報（意識的にアクセスできるか，機能的役割，神経基盤の違いなど）に応じて分類していくが，後述のように宣言的記憶 (declarative memory) と非宣言的記憶とに分類するのが一般的である．また出来事に関する日常的な記憶の場合，過去に関する回想性記憶 (retrospective memory) のみならず，現在進行中のワーキングメモリーと未来情報に関する展

望的認知 (prospective cognition) に便宜上分けられる．意識的にアクセスできるかに関しては，自発的に思い出すことができる顕在記憶 (explicit memory) と，普段気がついていないが無意識での思考や行動に強い影響を与える潜在記憶 (implicit memory) に分類される．また情報処理の観点から記憶の機構をいくつかの過程，たとえば記憶の記銘または獲得 (acquisition)，固定 (consolidation)，保持 (retention)，再生 (recall) または想起 (retrieval)，そして消去 (extinction) などに分類することも研究上有益である．

4.1.2 研究手法

ヒト記憶の研究手法としては，脳損傷患者，健忘症患者や健常人などに聞き取り調査や認知心理学的課題を課して答えさせるのが依然主流である．以前は死後脳の損傷部位の情報とあわせて脳のどの部位がどの記憶に関与するか議論されたが，1960年代に信号処理技術を駆使して，脳の内部の3次元画像がX線CTによって得られるようになって以来，非侵襲的脳機能画像の技術が進歩してきた．その結果最近10年で非侵襲手法を認知心理学的課題と組み合わせて記憶学習を扱う研究が盛んになった．非侵襲的脳機能画像法の代表例として，放射性同位体の出す放射線を信号源として用いる PET (positron emission tomograpy)，血流におけるヘモグロビンの磁化率の相対変化を通じて血流の変化を捉えて活性化した脳部位を可視化する機能的磁気共鳴画像法 (functional magnetic resoning imaging: fMRI)，活性化したニューロンが発生する磁場を測定する脳磁図 (magnetic encephalon gram: MEG)，事象関連電位を多チャネル高解像度で測定し平面画像化する ERP (event-related potential) などがある．とくに近年は事象関連磁気共鳴機能画像法 (event-related fMRI) を用いて持続時間が 1–2 秒と短い脳内機能変化も良好な空間解像度で計測することが可能となり，過度的な認知神経活動を直接 fMRI 信号として捉えることができるようになった．

それではサルやラット・マウスなどの実験動物は記憶研究にどう貢献しているのだろうか？　動物を用いる第1の利点は，侵襲性実験などヒトを使ってできない手法を適用でき，かつ脳検体を実験後に解析できる点にある．たとえば慢性埋め込み電極から行動実験の最中に特定の（複数の）脳領域の神経活動を同時記録したり，学習行動実験の前後に薬剤や遺伝子ベクターを注入したりし

て行動の変化を調べられる．サルなど霊長類を用いる利点は複雑な学習課題を課すことが可能なうえ，生理解剖的にヒト脳に一番似ている点が挙げられる．脳が大きく脳活動の多領域同時計測に難があったが，空間解像度の向上とともに非侵襲的脳機能画像法のサルへの適用も盛んになりつつある．

　サル以外の生物は多くの個体を用意できる点で統計的処理が容易であり，データの個体差の問題を排除しやすい．とくにラットは長年の動物心理学や電気生理・薬理学実験の対象であったために，詳細な生理心理学の知見や解剖学的知識が蓄積し，多くの記憶学習課題が使えることが利点である．他方マウスは約100年前に実験用近交系マウスとして樹立され，蓄積された遺伝学的知識から個体レベルで遺伝子操作が自在にできる代表的な哺乳類である．最近では特定の脳細胞種に限ってある遺伝子の発現を人為的にコントロールできる遺伝学的手法を用いて神経ネットワークレベルで特定の遺伝子操作が可能となった．解剖生理は同じげっ歯類のラットに酷似し，実験課題はラットの学習課題をおおむね準用可能である．

　くわえて近年では，線虫，ショウジョウバエやゼブラフィッシュも記憶学習の研究に盛んに用いられてきた．これら生物の遺伝学的操作の効率はマウスよりもさらに良く，記憶の分野に限らず分子細胞レベルでの研究全般で長年多大な貢献をしてきた．そのなかでもこれら遺伝学材料生物の記憶研究への一番の貢献は，ヒトと共有するであろう記憶メカニズムを支える分子基盤の解明であろう．これら生物の脳の構造や個体行動は確かにヒトと異なるが，実はグルタミン酸，GABA，セロトニンなどの神経伝達物質のシナプスでのはたらきやそれら受容体を介したシグナル伝達機構は，ヒトとそれと大変似ていることがすでに明らかとなっている．これからもこれら実験生物の有用性は変わらない．なぜなら記憶研究の究極の目標の1つとして記憶関連障害の薬物治療があり，そのためには学習記憶に関わる個々の遺伝子産物の機能を分子細胞レベルで突き止める必要があるからである．

　このように記憶の研究は多岐にわたり，全体像をつかむのは容易なことではない．そこで本章ではまず記憶研究の歴史を概観して今日の最先端の研究までの足取りをたどった後，今日の記憶研究の動向をその代表的実験とともに順次紹介していきたい．

4.2 記憶研究の歴史

4.2.1 記憶研究のはじまり

　記憶現象が今日的な実験研究の対象となったのは1世紀以上前で，Ebbinghausが1885年に有名な記憶の忘却曲線を発表してからである．Ebbinghausは記憶と忘却の時間的関係を自分自身で測定するために，「子音・母音・子音」の無意味3文字綴り（「ROD」「YAV」など）のリストを暗記し，一定期間後にふたたびそのリストを学習し，リストを暗記するまでの時間がどのくらい節約されたかという節約法を考案した．その結果，記銘してから1日の間に急激な忘却が起こるが，その後の忘却はゆるやかに起きた．なお学問などの体系的な知識ではよりゆっくりと忘却が起こると考えられる．

　ほぼ同じころ，William Jamesは『The Principles of Psychology』（1890年）を著し，記憶が意識的な精神活動のなかに一時的に情報を意識に留めておく一次（短期）記憶と，それが"過去の部分"に入ったがために検索の努力が必要な二次（長期）記憶に区分されることを指摘した．この短期記憶は1970年代になってからワーキングメモリー（作動記憶または作業記憶）と呼ばれて，現在盛んに研究されている記憶の1つなので後述する．

　他方長期記憶に関してRibotが，古い記憶は忘れにくく新しい記憶ほど忘却されやすいことを1881年に指摘し（リボー(Ribot)の法則），それを踏まえてMüllerとPilzeckerが，学習に発した神経活動がときに遷延し(perseveration)記憶痕跡を固定させるという現在でいう長期記憶の固定化(consolidation)の仮説（1900年）を提唱している．

4.2.2 記憶障害の研究と2つの記憶システム

　しかし，短期記憶と長期記憶という2つの記憶システムの概念が広く確立するのは，ヒトの健忘症の著名な症例H.M.に関する記述が発表されてからである(Scoville & Milner, 1957)．H.M.は27歳のときに難治性てんかん(epilepsy)の治療のために側頭葉内側部(medial temporal lobe)の両側切除術[1]を受けて

---

[1] 後年fMRIで精査すると，海馬(hippocampus)前側3分の2，嗅内皮質(entorhinal cortex)，扁桃体(amygdala)が切除され，嗅周囲皮質(perirhinal cortex)と海馬傍回(parahippocampal

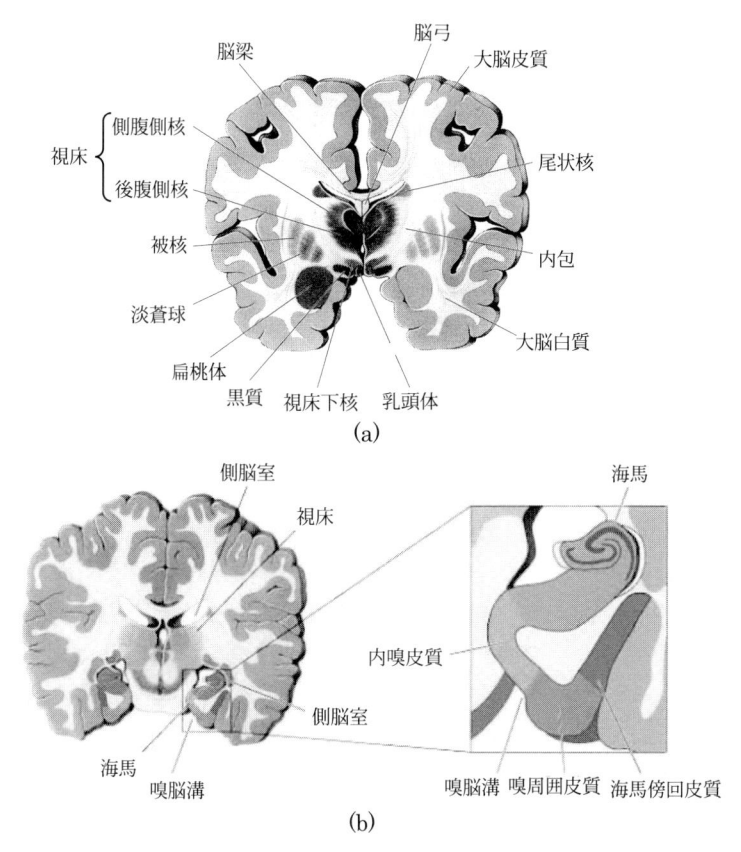

図 4.1 側頭葉性健忘と間脳性健忘から推定される記憶の座 (Bear et al., 2006)
乳頭体 (a) または海馬 (b) を透視した位置の脳の冠状断の図譜を示す.

てんかん症状は軽減したが,記憶に大きな問題が残った.彼は身に起きた出来事を数分間は短期記憶として記憶に留めておくことはできてもそれ以上は困難であった(前向性健忘:anterograde amnesia).またてんかんの大発作が起こり出す 16–17 歳頃までの古い記憶はよく覚えていたが,それ以降の最近の記憶には逆向性健忘 (retrograde amnesia) が認められた.認知機能は記憶関連以外は正常(これは健忘症の定義でもある)で,鏡に映った逆さ文字を読む技能などの手続き記憶も正常であった (Cohen & Squire, 1980).これらのことから,

---

cortex) は残っていた.

長期記憶は短期記憶とは異なるメカニズムであること，長期記憶でも新しい記憶の方が失われやすいこと，記憶にさまざまな種類があってそれぞれ異なる脳領域に対応している可能性が示され，H.M. の症例は歴史的な報告となった．

　他の有名な健忘症例としては，遡って 1887 年に精神科医 Korsakoff が報告したコルサコフ (Korsakoff) 症候群がある．ビタミン B1 が欠乏したまま炭水化物（アルコール）を継続的に摂取する慢性アルコール依存症患者や，外傷，脳卒中，腫瘍，脳炎などによって視床 (thalamus)（とくに前核や背内側核）や乳頭体 (mammillary body) などが損傷した場合に起こる．この場合，古い記憶は正常だが最近数週間から数ヵ月の逆向性健忘と前向性健忘，および作話（実際には体験しなかったことを後からあたかも実際に経験したかのように話すこと）と失見当識（時・場所・自己の置かれた状況を認識できないこと）を頻発し，急性の錯乱状態（ウェルニッケ脳症）を伴うことが多い．またフェンシングの剣が左視床背内側核や乳頭体を中心に間脳を突き刺した患者 N.A. では，逆向性健忘はほとんど認められなかったが，言語性の短期記憶の獲得障害が顕著で前向性健忘を呈した（1938 年）．

　このようにその多様な症例報告から健忘症は H.M. に代表される側頭葉性健忘と N.A. やコルサコフ症候群に代表される間脳性健忘に大別され，脳内に記憶の座がその種類に応じて存在することが推測されてきた（図 4.1）．

4.2.3　動物行動を指標にした研究

　20 世紀に入り記憶学習の研究に動物が用いられるようになるが，その発端として Edward Thorndike と Ivan Pavlov が挙げられる．Thorndike は William James の門下生であり，以下のような実験を行った．すなわち空腹の猫を箱に入れ箱の外に餌を置き，猫が錠を開けて箱から出る時間を測定すると，偶然の成功を繰り返すうち無駄な反応が減少し，脱出するまでの時間が短くなった．つまり試行を繰り返すことで誤反応が少なくなり，正しい反応に達する時間が短くなる試行錯誤学習を見いだし（猫の問題箱，1898 年），その後の実験心理学や教育心理学に大きな影響を与えた．

　たとえば Burrhus Skinner は猫の問題箱に発想を得て，レバーを押すと自動的に餌が出てくる仕掛けを施したラット用の箱型実験装置スキナー箱を考案し（1950 年頃），Thorndike の試行錯誤学習をオペラント条件付けとして再定式

化して精力的な研究を行った．オペラント行動とは個体が自発的にする行動という意味で，その行動がある環境に操作を加えることで自発的に学習を促すことになる．また教師付き学習とは異なり報酬を手がかりに試行錯誤的にオペラント行動の自発頻度を高めていくため，オペラント条件付けは一種の強化学習 (reinforcement learning) である．

　他方，Pavlov はもともと犬の消化腺の研究で 1904 年にノーベル生理学・医学賞を受賞した高名な生理学者であった．1902 年に唾液が口の外に出るよう手術した犬で唾液腺を研究中，飼育係の足音で犬が唾液を分泌していることをヒントに，ベル（条件刺激：conditioned stimulus: CS）を鳴らしてから餌を与えることを繰り返した結果，ベルを鳴らしただけでよだれを出すようになった（条件反応 (conditioned response: CR) の成立）．さらに餌を与えずにベルを鳴らし続けると次第に反応は消えていった（消去）が，数日後同様の実験をしても犬は唾液を分泌した（自発的回復：spontaneous recovery）．レモンを見ると唾液が出るなどの現象は，実は 18 世紀にすでに記載があるが，Pavlov の偉さは，中性刺激を与えた直後に無条件刺激を与えることを繰り返すと中性刺激が条件刺激となり，中性刺激のみで反応が起こるようになることを明確に示したことにある．後述するようにこの Pavlov の条件付けは古典的条件付け (classical conditioning または Pavlovian conditioning) として現在盛んに使われている．

4.2.4　学習モデルとしてのシナプス可塑性

　シナプス変化の問題は今日に至るまで記憶学習研究の中心課題であるが，シナプスの可塑性が記憶や学習の神経基盤であろうことが広く推測されるようになったのは，1949 年に Donald Hebb が名著『*The Organization of Behavior*』を著してからである．Hebb は，記憶のエングラムを考えるユニットとして Cell Assembly を考え，その中でシナプスの伝達効率の永続的変化のパターンがエングラムを構成すると考えた．そしてシナプス前細胞を持続的に頻回刺激すればシナプスに変化が起き，シナプス後細胞を興奮させる効率が永続的に高まるとする「ヘブ則」を提唱した．記憶学習に関するこの理論的考察は後世に大きな影響を及ぼした．

　まず当時すでに始まっていた artificial neuron の研究の流れを加速させ，さ

らに神経生理学者にシナプス可塑性の理論的根拠を与え，理論どおり脳の中にシナプスの可塑的な現象が認められるか世界各地で探索が始まった．そして Per Andersen の指導の下，Terje Lømo が 1966 年に麻酔下ウサギの嗅内皮質 (entorhinal cortex) からの貫通枝を高頻度刺激するとその後の単発刺激で海馬 (hippocampus) の歯状回 (dentate gyrus) から興奮性後シナプス電位 (EPSP) が持続的に亢進していることを学会発表し，その後研究に参加した Tim Bliss とともにその性質を解析し，後に詳細な報告をした (Bliss & Lømo, 1973)．長期増強 (long-term potentiation: LTP) と命名されたこの現象では，入力特異性 (input specificity)，協同性[2]と連合性[3]といったヘブ則で予言されたことが確認された．

長期増強とは反対に，可塑的変化の後，EPSP が持続的に抑圧される長期抑圧 (long-term depression: LTD) も小脳皮質の平行線維—プルキンエ細胞間で見つかり (Ito et al., 1982)，海馬でも報告された (Dunwiddie & Lynch, 1978)．近年では長期増強・長期抑圧とも多くの脳領域の興奮性および抑制性シナプスで報告されている．その誘導と維持の分子メカニズムこそさまざまであるが，動作原理は共通しており，記憶学習の細胞レベルでの素過程として多くの研究者の注目を集めている．

学習のモデルとしてのシナプス可塑性の現象は長期増強・長期抑圧以外にも数多い．たとえば Eric Kandel のグループは，海産腹足類アメフラシの侵害反射である'えら引っ込め反射'の神経回路を詳細に調べ，感作 (sensitization) と呼ばれる反射の増強が感覚ニューロンと運動ニューロンの間の異シナプス性促通であることを明らかにし，さらに cAMP が関与するその分子メカニズムを解明した (Cedar et al., 1972)．また中脳に位置する赤核 (red nucleus) での条件反射成立後見いだされたシナプスの発芽 (sprouting) は，学習後のシナプスの構造変化に関する最近の研究成果から翻れば真に先駆的な研究であった (Murakami et al., 1976)．

---

2) cooperativity：多くのシナプスが同時に活性化して有意な EPSP の空間的加算が起きて，閾値を超えた場合にのみ長期増強が生じる．

3) associativity：閾値に達しない弱い刺激でも，他の刺激の助けを借りて長期増強が起こる．

4.3 短期記憶

4.3.1 「記憶の貯蔵庫」モデルと短期記憶

研究の歴史を振り返った後は，記憶研究を項目ごとに詳述していきたい．まずは短期記憶と長期記憶の区別である．認知心理学分野で短期記憶と長期記憶の区別を「記憶の貯蔵庫」モデルで説明したのが Atkinson と Shiffrin であり，彼らの短期記憶と長期記憶の貯蔵庫に関する理論モデルを「二重貯蔵モデル (dual storage model)」（図 4.2）という (Atkinson & Shiffrin, 1968)．すなわち記憶を感覚記憶 (sensory memory)，短期記憶，長期記憶に 3 つに分けるが，これらは情報の保持時間によって分けられていて，感覚＜短期＜長期の順に保持できる時間が長くなり，つまり貯蔵庫の大きさが大きくなるというわけである．

図 4.2 の感覚記憶というのは，我々が認識する以前の感覚レベルの貯蔵のことである．たとえば「アイコニック・メモリー (iconic memory)」と呼ばれる視覚刺激の感覚記憶の持続時間は約 500 ミリ秒以内であるし，「エコイック・メモリー (echoic memory)」と呼ばれる聴覚刺激の感覚記憶は約 5 秒以内である．このように本人が意識しない間に自然に外界から入ってくる情報は，その持続時間はきわめて短いことが知られている．こうして感覚器官から入力された情

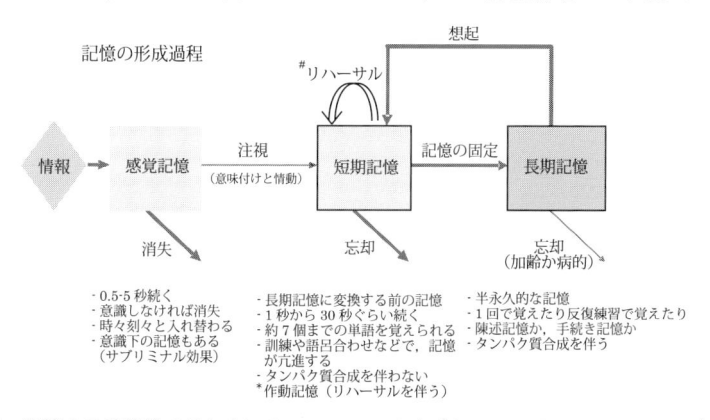

図 4.2 記憶の二重貯蔵モデル (dual storage model)（Atkinson & Shiffrin, 1971 を参考）
　　情報はまず感覚登録器に一時的に保持され，そこで注意などにより選択された情報が短期貯蔵庫に入力され，一定期間保持される．そしてリハーサルを受けた情報は長期貯蔵庫へ転送され，永続的に貯蔵されることになる．

報のうち，選択的注意 (selective attention) を向けられた情報のみが短期記憶または即時記憶 (immediate memory) として短期貯蔵庫に格納されて情報保持の持続時間が約 15–30 秒に延長され，さらに短期貯蔵庫にある情報の一部がリハーサル（復唱）やコーディング（符号化）を通して長期貯蔵庫 (long-term store) に転送され，長期記憶として半永久的に貯蔵されると考えた．

彼らのモデルのもう 1 つの特徴として記憶の容量には限界があり，記憶情報の保管場所の数は 7±2 になるという．この「マジカルナンバー 7+/−2」で有名な認知心理学の草分け Miller は，一度聞いただけで直後に再生するような場合，日常的なことを対象にする限り意味をもった「かたまり（チャンク）」の記憶容量は 7 個前後になることを示している．

なお上述の Atkinson と Shiffrin の短期記憶と長期記憶の貯蔵庫に関する二重貯蔵モデルは，長期記憶に障害を示した H.M. では短期記憶が正常であったことを基にしており，当時急速に発展しつつあった記憶の情報処理モデルで定番となった．

4.3.2 短期記憶と長期記憶の違い

では果たしてこのモデルに示されたように短期（即時）記憶は長期記憶に移行するための前段階なのだろうか？ それとも長期記憶は感覚記憶から直接つくられるのであって，短期記憶は長期記憶から独立しているのだろうか？ 実はこの問題はいまだに結論が出ていない．

まず，確かに症例 H.M. とは逆のパターン，つまり聞いた数字を音声的にすぐに繰り返す短期記憶に重度の障害があるが長期記憶は正常という頭部外傷患者 K.F. に関する有名な報告（1969 年）がある．この患者では左の傍シルビウス皮質 (perisylvian cortex) 付近に障害があるとされたが，その後の研究でこの類の患者では意味のある音声刺激による長期記憶は確かに正常だが，意味のない音韻刺激の長期記憶は障害されるという反論があり (Ranganath & Blumenfeld, 2005)，この症例から短期記憶が長期記憶から独立しているといえるか疑わしい．

また短期記憶の定義自体に一部混乱があることもここで触れておく．認知心理学分野では James の名著『*The Principles of Psychology*』(1890 年) 以来，短期記憶というと 30 秒程度のいわゆる即時記憶である．ところが 1960 年代に神経化学的な手法で記憶物質を探し当てようという試みが盛んになり，そのな

かでタンパク質合成阻害剤が動物の長期記憶の形成を阻害するが短期記憶には影響ないという Flexner らの一連の仕事（Flexner et al., 1962 など）によって記憶がタンパク質合成阻害剤で阻害される長期記憶と阻害されない短期記憶に分類されるようになり，神経生化学者や薬理学者に広まった．短期記憶は 30 分以内でそれ以上は長期記憶という一部研究者の'常識'は，たとえばタンパク質合成に関与する転写調節因子 CREB（cAMP 応答配列結合タンパク質）欠損マウスの行動解析で文脈性恐怖条件付けなどの記憶想起が学習後 30 分までは正常であること (Bourtchuladze et al., 1994) などから，学習後 30 分まではタンパク質合成が必要ない短期記憶であろうとの観測が広がったためと思われる．しかし最近の研究から，樹状突起でのタンパク質翻訳はグルタミン酸受容体アゴニスト刺激後少なくとも 15 分で起きることが確認されており（たとえば Gong et al., 2006），"翻訳非依存性の短期記憶"は厳密には相当短く，実験心理学的な短期記憶と大差ないのかもしれない．

そうなると短期記憶的な細胞変化とは独立に，翻訳依存性の長期記憶のための物質変化が細胞で起きている可能性が注目される．短期記憶と長期記憶の分子メカニズムが異なることが示されたのはアメフラシの短期および長期感作の系である．アメフラシは水管に対して刺激を与えられると鰓引き込み反射を示し，水管への外的刺激に対する感覚ニューロンの異シナプス性促通はセロトニンを含む調節ニューロンによって制御される．この系で，セロトニン受容体阻害剤がセロトニン刺激後 6–7 分後に見られる短期促通を阻害するが，24 時間後の長期促通を阻害しないことなどが示された (Emptage & Carew, 1993)．

生理学の立場からは，短期記憶と長期記憶のメカニズムの違いはそんなに問題にされてこなかった．1970 年代に短期記憶またはワーキングメモリーを評価する遅延反応課題の遅延期に持続的に発火するニューロン活動（後述）とシナプスの可塑性を示す長期増強現象の両方が報告されて以来，短期記憶のメカニズムはニューロン間の反響回路 (reverberating circuit) での興奮性発火の持続的な亢進であり (Durstewitz et al., 2000)，他方，長期記憶はその間にシナプスの可塑性が変化し，新しいシナプスができて新しいネットワークが形成されること (Bliss & Collingridge, 1993) と考えられてきたからである．しかし，果たして数秒持続的に繰り返し発火するニューロン活動が本当に短期記憶か否かなどの肝心な点は検証が進んでいない．

4.3.3 ワーキングメモリー

(a) ワーキングメモリーとは

長期記憶とは質的に異なる短期記憶の重要性に早くから気づき，短期記憶の意義について独自のモデルを提示したのが認知心理学者 Alan Baddeley である．彼は短期記憶の一種として，日常生活における認知活動の遂行中に情報の一時的な保持に使用されるワーキングメモリー（作動記憶または作業記憶）を提唱した．

短期記憶とは従来は「情報の保管場所」によって一時的な情報の保持を説明する静的な概念であったが，彼のワーキングメモリーという呼び名の短期記憶では，計算・読書・会話・記憶課題への回答・学習行動などの認知活動で，情報がどのように操作されて利用されるのかという「情報処理機能としての記憶」の意味合いを強調した．すなわち Baddeley は短期記憶の容量は「処理資源 (processing resources) としての注意 (attention) の量」で決定されるとした Kahneman (1973) の「注意の容量モデル (capacity model)」に注目して，ヒトが認知課題を効率的に遂行できるか否かは，認知課題に必要な「処理資源（注意）の需要」とそのヒトが持っている「処理資源（注意）の供給」とのバランスによって決まると考えた．たとえば7–8項目のチャンクを暗唱しながら，同時に友人と意味のある会話はできないだろう．これは短期記憶保持のための処理資源としての注意と友人との雑談に必要な注意の合計が，そのヒトの処理資源としての注意の容量を超えているからと説明される．これはパソコンが複数の課題をしている場合に処理需要が大きすぎて RAM が足りなくなれば，課題のどれかを一時停止して1つの課題に集約せざるをえないことに似ている．以上を踏まえて Baddeley らのワーキングメモリーモデルでは，リハーサルのしくみを持つ短期記憶（短期貯蔵庫）を，機能分担なシステムを持つ「ワーキングメモリーシステム」の一部として定義しなおした (Baddeley & Hitch, 1974)．

そのシステムは音韻ループ (phonological loop)・視空間的記銘メモ (visuo-spatial sketchpad)・中央実行系 (central executive) の3つのコンポーネントから成り立つ．音韻ループとは，音声的コードとしての言語情報をときにリハーサルを伴って一時的に保持する特殊システムであり，二重貯蔵モデルでは短期貯蔵庫に該当する．視空間的記銘メモとは，視覚情報と空間的な位置情報を視

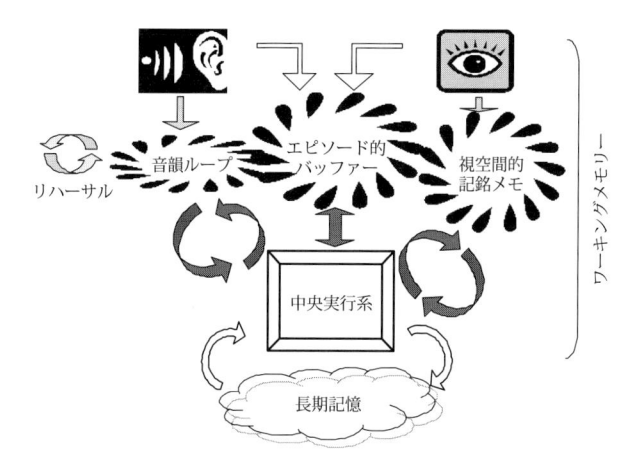

図 4.3 Baddeley のワーキングメモリーモデル
　音韻ループとは言語を理解したり推論を行うための音韻情報をリハーサルなどで保持するシステム，視空間的記銘メモとは視覚的・空間的なイメージを操作したり保持するシステムである．エピソードバッファーとは音声/視覚/空間情報を統合した表現を保持し，さらに意味情報や音楽情報も統合する．そして中心の中央実行系とは音韻ループ，エピソードバッファーと視空間的記銘メモを制御し長期記憶と情報をやりとりするシステムである．

空間コードを用いて保持するもう 1 つの特殊な短期貯蔵庫である．そしてワーキングメモリーの中枢的な機能を果たすのが，「心の作業場」ともいわれる中央実行系であり，音韻ループと視空間的記銘メモは中央実行系によって制御され統合される従属システムとされる．

　なお最近 Baddeley は第 4 のコンポーネントであるエピソードバッファー (episodic buffer) を提案し，ここに音声/視覚/空間情報さらに意味情報を統合した表現をエピソードとして統合保持する役割を持たせた（図 4.3；Baddeley, 2000）．エピソードバッファーはエピソード記憶に似ているが，短期記憶であるという点で異なる．以上，要するにワーキングメモリーは人間が複雑な認知的作業を行う際に必要とする情報を短期間利用可能な状態で保持し処理するしくみのことであり，ワーキングメモリーで保持・処理される内容には長期記憶から想起した情報と新たに覚えた情報とがある．

(b)　ワーキングメモリーが関与する脳内部位
　それでは，ここまで述べたコンポーネントは実際脳内に存在するのだろうか？音韻ループの神経基盤に関してはヒト脳機能画像を用いた音声短期記憶の研究や失語症の研究から左頭頂葉の下部，とくに縁上回 (supramarginal gyrus) の

left temporo-parietal junction が音声短期記憶に関与するというデータが蓄積しつつある．視空間的記銘メモに関しては，ヒトの視覚空間記憶 (visual spatial memory) の研究から後頭頂葉などの視覚連合野が想定されているが，サルの電気生理実験からは背外側前頭前野 (dosolateral prefrontal cortex) が視覚空間ワーキングメモリーに関与することが強く支持されている．

　それでは Baddeley のいう中央実行系はどこか？　これに関連して Norman & Shallice (1980) は前頭葉の機能モデルとして SAS (supervisory attentional system) を提唱した．前頭葉損傷患者では知能指数の低下は認められないが，自発性の減退，固着などの認知行動の転換障害，衝動性や脱抑制などが報告されており，SAS モデルはこの多様な症状を説明する目的に考案された．このモデルはヒトの行動は日常経験や何度も繰り返し行う体験的な知識からなる行動図式（スキーマ：schema）から成るという Bartlett の提唱したスキーマ理論（1932 年）を前提にしている．スキーマ間の共同や競合はある程度自動的に調整されているが，この調整システムを監視制御しているのがさらに高次に位置する SAS であり，前頭葉損傷で SAS が障害されると提唱している．Baddeley 自身は中央実行系の神経基盤の同定を試みてはいないが，彼も SAS モデルを採用し中央実行系の前頭葉仮説を支持したため，盛んに研究されるようになった．ヒトでのワーキングメモリーに関する実験課題では，情報を一時保持しながら，n 個前の情報と同じかどうかを判断する「n-バック課題」が汎用され，確かに前頭前野を損傷した患者は「n-バック課題」で著しい障害を示す．

　実験心理学的には Jacobsen（1936 年）が，サルの前頭前野背外側部を両側外科切除すると空間や場所を一時的に記憶しておく遅延反応課題が障害されることを示しており，空間的ワーキングメモリーが障害されたと解釈できる．神経生理学の分野では久保田・二木と Fuster らがそれぞれ独立に，無麻酔のサル脳からの単一細胞記録で，遅延反応課題の遅延期に持続的に発火するニューロン活動を報告し，前頭前野がワーキングメモリーに関与することを初めて示唆した（1971 年）．さらに Goldman-Rakic らは，記憶誘導性のサル眼球運動を利用した遅延反応課題の中で数秒の遅延期間に生じるニューロン活動を記録して，主溝領域を中心とした前頭前野背外側部の錐体細胞間の反響回路を介した持続的なニューロン活動が，ワーキングメモリーにおける情報の一時的貯蔵機構を反映する可能性を示した (Funahashi et al., 1989)．

(c) ワーキングメモリーの物質的基盤

それでは前頭前野でのワーキングメモリーの物質的基盤は何か？ 歴史的な論文として Goldman-Rakic らがサルの前頭前野選択的にカテコールアミンを枯渇させた研究が挙げられる (Brozoski et al., 1979). 彼らは，神経終末に取り込まれて選択的にドーパミン作動性神経とノルアドレナリン作動性神経を損傷させる 6-Hydroxydopamine を前頭前野に直接注入すると，空間的遅延交代反応課題 (spatial delayed alternation task) の成績，つまりワーキングメモリーが障害され，L-ドーパの注入で軽快することを示した．以来，前頭前野でのドーパミンとその前駆体神経伝達物質であるノルアドレナリンの濃度が適切に維持されることが，ワーキングメモリーに必須であることが繰り返し示されてきた．すなわち両伝達物質とも，その量が少なすぎても多すぎてもワーキングメモリーが障害される逆 U 字型の量—反応関係が見られた．具体的にはノルアドレナリンの適度の放出で，前頭前野錐体細胞の主に $\alpha 2A$ 型ノルアドレナリン受容体を介して細胞内 cAMP が下がり，遅延期の細胞発火が刺激特異的に亢進することが報告され，ノルアドレナリンは前頭前野の活動（シグナル）を上げると考えられている．他方，ドーパミンはおそらくその D1 受容体，さらに IP_3 を介して細胞内カルシウムを動員するが，その役割として D1 受容体の適度の活性化で全体的に細胞発火が減弱することからノイズを下げていることが考えられており，ノルアドレナリンと共同で前頭前野の活動のシグナルノイズ比を上げているらしい．さらに最近 cAMP の 1 つのターゲットである過分極賦活型カチオンチャネル (HCN channel) の活性阻害で遅延期の細胞発火が刺激特異的に亢進し，ワーキングメモリーも成績が向上することが報告された (Wang et al., 2007). これは前頭前野の遅延期間に生じる持続的なニューロン活動とワーキングメモリーの成績の両方ともに，ノルアドレナリン受容体—cAMP—HCN チャネル経路の正常な働きに依存することを示唆する．

4.3.4 ワーキングメモリーと長期記憶の相互作用

日常生活で，たとえば友人の電話番号など曖昧な記憶情報を何とか想起，保持しながらその情報を利用することがあるだろう．その後，使った情報が後でより簡単に想起できたというような経験があると思う．このことから長期記憶からワーキングメモリーへ情報が想起され，ワーキングメモリーとしてさらに使われ

ることで，その情報が長期記憶として強く固定になることが予想される．確かに事象関連 fMRI を用いた研究から，ワーキングメモリーで深い処理をした方が，その中枢とされるヒトの前頭前野外側部や側頭葉内側部が強く活性化され，長期記憶の成績も良いという報告が近年蓄積してきた（総説として Blumenfeld & Ranganath, 2007）．

課題としては，健常者に数多くのイメージを約2秒見せてその間に情報処理させる．たとえば景色の写真を提示し屋内か屋外かとか判断させたり，または単語を見せて抽象語か具象語かを判断させて，その間 fMRI 測定を行う．測定終了30分後に，先に見せたイメージ（または単語）と新規のイメージ（単語）を混ぜて提示して，見たことがあるか想起テストを行うのである．これを subsequent memory 課題と呼ぶ．その結果，記憶記銘時に前頭前野外側部や側頭葉内側部が強く活動したイメージ（単語）ほど，後の想起テストで確信を持って正しく想起される傾向があった．これらの実験結果は相関関係を示すだけで必ずしも因果関係を表すものではないが，最近，視覚性ワーキングメモリー課題の遅延期（9秒）の間に1秒間の干渉図形を見せて，サンプル刺激の維持が止まった場合にその後の視覚性記憶の想起が妨げられるか否かが調べられた (Ranganath et al., 2005)．結果は遅延期の初期 (refreshing period) に干渉を導入するとその後の想起が障害され，ワーキングメモリーが正常に維持されることがその後の想起に必要であることが示唆された．

それでは側頭葉内側部と前頭前野外側部とはワーキングメモリーにどう選択的に関与するのか？　定説はないが，注目したい仮説として，側頭葉内側部の海馬傍回 (parahippocampal cortex) や嗅内皮質は新規情報のワーキングメモリーを処理し，前頭前野外側部（や頭頂葉）は長期記憶から想起した過去の情報のワーキングメモリーを処理する可能性が挙げられる (Hasselmo & Stern, 2006)．これは，サルで海馬傍回や嗅内皮質を切除して障害されるワーキングメモリー課題は新規な事象を扱った場合に限られるとする報告が多いからである．

4.3.5　げっ歯類を用いた作業記憶の研究

短期記憶は意識的にメンタルリハーサルするワーキングメモリーだけではない．ではリハーサルなしの数分単位の短期記憶のメカニズムは何か？　これは中間記憶 (intermediate memory) とも呼ばれ，ワーキングメモリーと同じくシナ

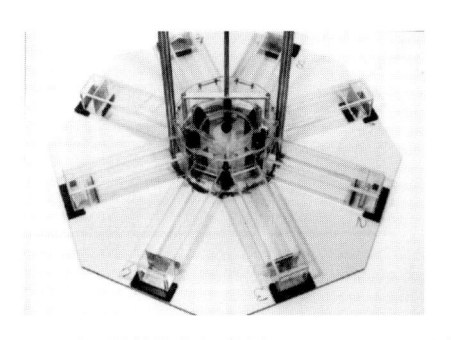

図 4.4 8字型放射状迷路（写真は Crusio, 1999 より）
げっ歯類の採餌行動を利用した迷路で，装置の周囲に視覚的な目印を置くことにより空間作業記憶および空間参照記憶を評価できる．あらかじめ食餌制限をしてからすべてのアームの先端に餌ペレットを置き 1 日 15 分数日間探索馴化させる．そして本試験では 8 本中 4 本（場所は固定）にアーム先端に餌を置き毎日訓練を繰り返す課題が代表的で，迷路中央からスタートした動物がすべての餌を採り終える（または 5 分間）までの行動を記録する（マウスで 1 日 1–2 試行，3–4 週間）．一度進入したアームに再進入した回数を作業記憶エラー数とし，餌を置いてないアームに進入した回数を参照記憶エラー数として評価する．なお迷路中央に戻ってから次のアームに進入される間ドアを閉めて遅延期間（5 秒以上）を設けることが望ましい．

プスの構造変化ではやはり説明しにくく持続的な神経活動が予想され，ヒトではワーキングメモリーの固定化 (consolidation) として研究が始まったばかりである．しかし動物を使った研究では，1 試行が数分程度の記憶は David Olton らが放射状迷路の有用性を報告して以来 (Olton & Samuelson, 1976)，ラットなどのげっ歯類を用いて盛んに行われてきた．

放射状迷路（図 4.4）は，たとえば 8 本のアームのいくつか（たとえば 4 本）に餌を置き，摂食制限をした動物に餌のある空間的位置情報の学習をさせるものである．空腹なラットはすべての餌を効率よく摂食するために空間的に配置された視覚手がかりを基に餌のあるアームの位置関係を記憶し，学習後は 1 試行中一度入ったアームには二度と入らずに餌を摂取するようになる．この系で Olton は 1 回の試行中，餌をすでに獲得したアームを再び訪れる記憶エラーを空間作業記憶 (spatial working memory) エラーとして評価できるとした．この課題ではアームから中心広場に戻ってきた動物は逐次 5–30 秒，広場に隔離されるのが普通である．この課題の優れた点は，餌がもともと置かれていないアームを訪れることを，長期記憶の 1 つである空間参照記憶 (spatial reference memory) として同時に評価できる点で，げっ歯類の空間作業記憶と参照記憶を評価する課題として現在でも盛んに利用されている (Jarrard, 1993)．げっ歯類の内側前頭前野

(medial prefrontal cortex) の機能は，視床背内側核 (mediodorsal thalamus) と双方向性の結合を持つ点において霊長類の「内側＋外側前頭前野」に相当するとされており，実際，海馬のみならず内側前頭前野の選択的破壊で放射状迷路を用いた空間作業記憶のエラーが亢進するとする報告がある．よって，げっ歯類の作業記憶の座として，海馬と内側前頭前野の両方が想定されてきた．

げっ歯類の作業記憶を評価しうる別の課題として，放射状迷路を簡略化したのが T 迷路における遅延交代反応課題 (delayed alternation) である．見本走行で報酬を得た側と反対側の目標箱に行くと報酬が得られるため，見本走行で報酬を得た箱の位置を逐次記憶しておくことがこの課題の作業記憶になる．見本走行とテスト走行を分けず，連続的に遅延交代反応を繰り返すやり方もある．海馬破壊で障害され，遅延期を 30 秒以上にすると内側前頭前野の破壊でも障害されるとした報告が多い．ただこの課題が空間学習であるかは疑問視されており，障害された場合の解釈の難しさがある．たとえば報酬予測に基づいた行動選択 (action selection) を評価する課題とも考えられる．またここで注意したいのは放射状迷路や T 迷路は 1 日に 1 試行から数試行の学習の結果，1 日平均のエラー数が 3，4 週間かけてどれだけ低下したかを評価するもので，作業記憶そのものの評価のみならず，課題を効率的に解くルール学習の評価でもある．

4.4 長期記憶

4.4.1 ヒトの長期記憶の分類

ヒトの長期記憶を分類するうえで前述した患者 H.M. の果たした功績は計り知れない．彼の健忘症の特徴は大きく分けて，長期記憶のうち日常体験の記憶に障害があるが，知能テストや運動技能に関する記憶は正常であること，日常記憶も最近の記憶の想起が障害され，古い記憶の想起は正常であったこと，そして新たな記憶の獲得障害は長期記憶に著しく短期記憶の障害は目立たないことの 3 つであり，それぞれ後世の研究に大変大きな影響を与えた．すなわち側頭葉内側部は，①日常体験に関する記憶を扱っており，運動技能に関する記憶などは脳の別の部位が関与する（記憶の局在性）こと，②最近記銘化された記憶に関与するが記憶の最終的な貯蔵庫ではないこと，③短期記憶から長期記憶

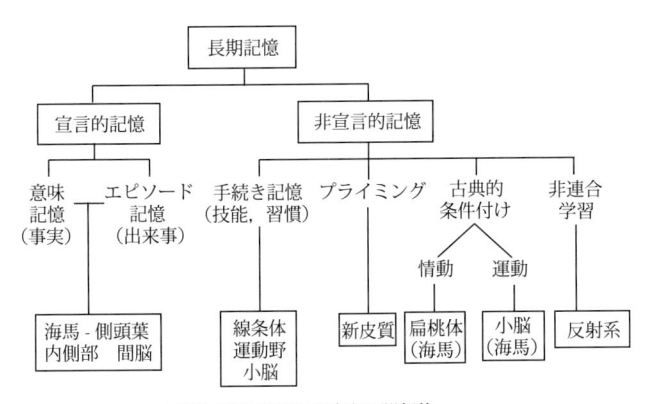

```
                    長期記憶
                   /        \
            宣言的記憶      非宣言的記憶
           /       \      /    |      |        \
        意味    エピソード 手続き プライ 古典的    非連合
        記憶     記憶    き記憶 ミング 条件付け   学習
       (事実)   (出来事) (技能,            /    \
                        習慣)        情動    運動
           |              |      |     |      |      |
        海馬-側頭葉    線条体  新皮質 扁桃体 小脳   反射系
        内側部 間脳   運動野         (海馬) (海馬)
                      小脳
```

長期記憶の分類と関連する脳部位

図 **4.5** 8字型放射状迷路
Squire によるヒトの長期記憶の分類と関連する主な脳部位（Milner et al., 1998 より改変）

への固定に関与すること，が示唆された．しかしこれら3点は，いまだ現在でも活発に議論されているいわば未解決問題なので，この節ではこれらを順番に詳述したい．

長期記憶はすべて意識の外で保持される潜在的な記憶であり，現在便宜的に受け入れられているヒトの長期記憶の分類（図 4.5）は，神経心理学者 Squire らが唱えたものである．これによると，まず意識によってその検索が影響を受けやすい宣言的記憶（declarative memory，陳述記憶とも訳される）と検索に意識が伴わず行動によってのみ記憶していたか否かが明らかになる非宣言的記憶[4]（non-declarative memory）に大きく分類される (Cohen & Squire, 1980)．これは H.M. など多くの健忘症患者が前者のみに障害を持つことから，少なくとも2つが異なる神経基盤にあることを想定した分類である．宣言的記憶の定義は，想起内容を少なくともヒトでは視覚的にまたは言語的にイメージまたは説明できることである．想起における意図的な検索 (explicit recall) が可能であることも特徴であるが，日常生活の記憶においては実は無意図的検索が大半であり検索意図は必須ではない．これに対して非宣言的記憶は記憶再生中も意識できないことを特徴とし，手続き記憶とプライミングの2つが代表的であるが，古典的条件付け（たとえば恐怖条件付けや味覚嫌悪条件付けなど）や反射（瞬目反射や前庭動眼反射など）における長期学習の結果も広義の非宣言的記憶

---

[4] もっとも Squire は当初は手続き記憶としていた．

に分類される (Squire, 1987).

　手続き記憶はいわゆる体で覚える「やり方」についての記憶であり，数十年と非常に永続性がある場合もある．たとえば歩行，自転車の練習，水泳の練習などの運動技能学習や，逆さ文字を読む技能，タイピングの練習，楽器の練習，長い文章の暗唱（コーランや般若心経など）などの認知技能学習が含まれる．運動技能学習については，動物やヒトを用いた最近の研究によれば，前頭皮質や頭頂連合野と大脳基底核がその獲得に深く関与し，さらに繰り返し学習によって小脳および小脳核に記憶の内部モデルが形成され，技能として永続的に固定される．

　プライミング効果とは，単語，絵，音など先行する事柄（プライム）が後続する事柄（ターゲット）に影響を与える状況を指す．とくにプライムとターゲットが意味的関係によるものを意味プライミング効果という．たとえば，「医者」という言葉を聞くと，その後「患者」，「切開」などという言葉の読みが，「帰省」や「南極」という言葉の読みよりも速くなる．プライムとターゲットの関連は意味だけでなく，音韻や綴りなど個別刺激レベルでも起こりうる．多くの場合その効果が無意識的である点で非宣言的であり，かなりの長期間にわたり効果が持続する点で長期記憶である．さらにプライミング効果は宣言的記憶に障害を受けていても損なわれないという報告が多い．非宣言的記憶のさらなる概説は割愛して，本章ではつづいて宣言的な記憶について詳述する．

4.4.2　エピソード記憶と意味記憶

　多くの哲学者や心理学者が過去数十年にわたりヒトの multiple memory system について議論してきたが，最も示唆に富んだ提案をしたのは Endel Tulving である (Tulving, 1972)．彼は回想的記憶を，個人や世界に関するさまざまな事柄について個々それぞれの情報を保持するという意味で命題記憶 (propositional memory) と定義しなおし，言葉で表現することが比較的たやすいがために，記憶を獲得するために繰り返し実演する必要がない点で手続き的記憶と対比させた．そして彼の最も大きな功績は命題記憶をさらに意味記憶 (semantic memory) とエピソード記憶 (episodic memory) に分けたことで，現在の記憶の研究に多大な影響を与えている．

　彼の最近の論文「The serial parallel independent model of memory（命題

4.4 長期記憶

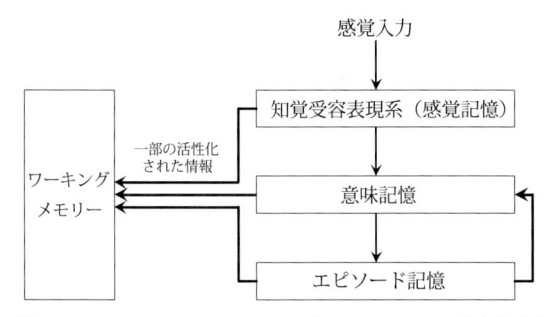

図 4.6 Tulving の SPI モデル（Tulving, 1995 より改変）
このモデルでは記憶情報は知覚表現系からまず意味記憶系へ，さらにエピソード記憶系へと流れる．エピソード記憶から意味記憶への情報抽象化はありうる．それぞれのシステムから想起された記憶情報はワーキングメモリーに利用される．

記憶に関する SPI モデル)」では次のように述べられている（Tulving, 1995；図 4.6)．感覚入力はまず知覚表現系 (perceptual representation system) に入り，そこから記憶として意味記憶，つづいてエピソード記憶が順 (serial) につくられ，その3つの情報が活性化されて並列的 (parallel) にワーキングメモリーと相互作用をするが，想起に関しては意味記憶とエピソード記憶の想起は独立 (independent) しているというものである．情報表現系からまず意味記憶がつくられ，さらに意味記憶からエピソード記憶がつくられるというのが特徴である．Tulving によると，意味記憶とは単語の意味や概念などに関する記憶で特定の場所や時間にとらわれない．これに対してエピソード記憶は特定の場所や時間などの文脈情報を含む，個人が過去に経験した特定の出来事に関する記憶である．この分類を支持する根拠は Tulving 自身が報告した K.C. のように，健忘症患者の多くがエピソード記憶の想起は損なわれるが意味記憶や知能は正常であることにある．

これに対して Larry Squire は著書『*Memory & Brain*』(1987 年) の中で Tulving の分類を取り入れたが，Tulving のいう命題記憶を Squire は宣言的記憶と定義しなおし，さらにエピソード記憶と意味記憶に並列的に分けた (図 4.5)．これは，健忘症患者のなかには K.C. のようにエピソード記憶が障害されて意味記憶や知能は正常な場合があれば，また逆に De Renzi らが報告した脳炎患者 L.P. のようにエピソード記憶は正常だが意味記憶の選択的な障害を示す例もあるからだ (De Renzi et al., 1987)．ちなみに L.P. の事例を MRI で調べたところ，海馬，海馬傍回，扁桃体 (amygdala) などを含む左側頭葉の前方内側部

に病変があったという．そこでSquireはエピソード記憶と意味記憶をまとめて宣言的記憶として側頭葉内側部に神経基盤があると提唱したのである．

(a) エピソード記憶と意味記憶の神経基盤

その後，側頭葉内側部がエピソード記憶の神経生物学的基盤であることを最初に示唆したのはDavid Gaffanの研究成果である．サルの再認記憶を長年研究していた彼は"背景"記憶 (scene memory) を認め，ヒトのエピソード記憶とラットの空間記憶をつなぐ記憶概念になると提唱した (Gaffan & Harrison, 1989)．すなわち脳弓 (fornix) 切除で遅延見本合わせ課題 (delayed matching-to-sample task: DMTS) が障害されることを確かめていた彼は，あるオブジェクトが特定の複雑な背景にあるときのみに報酬を与えるように学習させた場合，その後の脳弓切除でオブジェクトと背景の連合想起がまったくできなくなることに気がついた．オブジェクトとそれを置いたお皿やオブジェクトのそばにある物との組み合わせでの想起は障害されなかったので，スナップショット記憶（複雑な背景とその中にあるオブジェクトの空間的な関係の記憶）の形成が脳弓切除でできなくなると結論づけた．これを確かめるために映画「レイダース――失われたアーク」の一部シーンをサルに観せたり，コンピューター画面上にユニークな背景をつくりobject-in-place課題を考案して (Gaffan, 1994)，報酬と条件付けし，脳弓切除で障害されることを確かめた．さらにO'Maraらにより，サルが見つめている先のオブジェクトや風景に選択的に発火するspatial view cellが海馬の錐体細胞層で多数見つかり，電気生理学的にも海馬が背景記憶を担っていることが確実になった (O'Mara & Rolls, 1995)．

それでは果たしてエピソード記憶と意味記憶はそれぞれ異なる神経基盤を持つのだろうか？　この重要な問題にはTulving自身が2つの可能性を提示してきた．彼の自説（SPIモデル）となった最初の可能性は，K.C.などの例から考えて，記憶情報は大脳一次感覚野から順次入力し，まず意味記憶として形成されて最終的に海馬でエピソード記憶としてまとめられるというもので，意味記憶の形成基盤は情報が海馬に到達する以前にあるという学説を導き出した．第2は，意味記憶は多くのエピソードから文脈要素が抜けて意味だけ抽出されて形成されるという可能性で (Tulving, 1984)，神経基盤としてはエピソード記憶と同様に意味記憶の符号化は海馬に依存することになる．

この2番目の可能性を強く支持したのがSquireで，彼はヒト健忘症の数々の

症例を挙げて，側頭葉内側部の中でのエピソード記憶と意味記憶の機能局在はほとんどないと主張している (Squire et al., 2004). すなわち H.M. などのように広範に側頭葉内側部が損傷した場合でも，患者 R.B. のように両側海馬 CA1 領域のみが選択的に破壊された場合でも，インタビューの結果は自伝的出来事を想起させるエピソード記憶も過去の事実を想起させる意味記憶も同程度障害されていて，より広範に破壊されれば双方の記憶の逆向性健忘がより過去に遡ると結論づけている. 実際，意味性痴呆 (semantic dementia) といわれる意味記憶のみが障害されたとされる症例をあたってみても，L.P. の症例以外はほとんどすべてエピソード記憶の障害も伴うとの報告がある (Hodges & Graham, 2001).

しかし Squire らの聞き取り調査研究では，個人的意味的知識（personal semantic knowledge，たとえば高校時代の自宅の住所など）をエピソード記憶の一種である自伝的記憶に対する意味記憶の指標として使っている. このような個人的意味的知識の想起は自伝的記憶，すなわちエピソード記憶に大いに関連すると考えられているため，意味記憶の障害はエピソード記憶の障害に影響を受けた結果の可能性が指摘されている. また，たとえば患者 H.M. を再検査した最近の報告 (O'Kane et al., 2004) で，彼は術後に引っ越して住んでいた家の間取りを書くことができるし，術後の有名人ケネディーやゴルバチョフを知っているので，意味記憶は新たに獲得できることが確認されている.

Tulving が SPI モデルで唱えたように，意味記憶はエピソード記憶とは神経基盤が異なることを示唆した健忘患者の症例報告が 1997 年になって発表されて大きな話題となった. Vargha-Khadem と Mortimer Mishkin らは生後遅くとも 9 歳までに健忘症に陥った developmental amnesia の 3 症例を調べた. 彼らは深刻な順向性健忘のため少し前に聞いた話を覚えていることが困難なのにもかかわらず，言葉を覚えて話すことができ，学校に通って授業を受けて平均的な成績だったという (Vargha-Khadem et al., 1997). つまりエピソード記憶が障害されているにもかかわらず，意味記憶の獲得は正常だったのである. 特筆すべきことに，これらの症例では海馬が選択的に障害されていた. この報告は意味記憶が情報が海馬に到達する以前に形成され，他方エピソード記憶は海馬で獲得されることを明快に支持する最初の報告となった.

また彼らは最近，意味記憶がエピソード記憶とは独立に，海馬とは関係なく

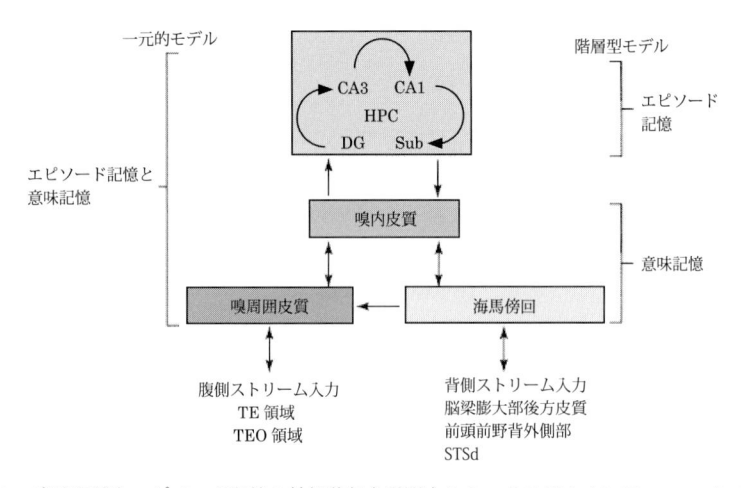

図 4.7 意味記憶とエピソード記憶の神経基盤を説明する 2 つのモデル (de Haan et al., 2006)
　　視覚系の腹側経路（'What' またはアイテム）と背側経路（'Where' または文脈）情報はまず嗅周囲皮質と海馬傍回にそれぞれ入り，さらに嗅内皮質を介して海馬に到達する．右の階層型モデルでは意味記憶は嗅周囲皮質，海馬傍回後部と嗅内皮質で形成され，エピソード記憶は海馬でつくられる．つまり記憶情報はまず意味記憶のために使われ，海馬に到達してエピソード記憶の形成に使用される．このモデルでは選択的海馬破壊ではエピソード記憶のみが障害され，意味記憶は冒されない．他方左の一元的モデルでは，意味記憶もエピソード記憶も両方とも海馬とその周辺部位に依存し，それらの部位の選択的破壊はどこでも意味記憶もエピソード記憶の両方を障害する．

形成される証拠として人の幼少時の意味記憶が海馬の完成する以前に獲得されることを示唆し，注目を浴びている (de Haan et al., 2006)．つまり意味記憶の情報はまず，より発達の早い海馬周辺皮質（嗅周囲皮質 (perirhinal cortex)，海馬傍回 (parahippocampal cortex)，嗅内皮質 (entorhinal cortex) など）で処理され，その一部の情報がエピソード記憶の形成のために海馬に入って処理されるというわけである（図 4.7）．

　このように命題記憶または宣言的記憶の側頭葉内側部における機能解剖学的区分については長年の論争の種であった．最近では，側頭葉内側部は宣言的記憶に包括的に携わる 1 つのまとまった記憶システムであるという Squire の仮説は劣勢で，側頭葉内側部は機能的解剖学的に細分化されるという見解が有力になってきている．次に後者を支持する研究の流れをもう 1 つ紹介したい．

4.4.3 回想性想起と親近性想起

　ヒトの日常記憶の想起の研究では，以前見たことがあるかどうかを覚えている

(remember) かまたは知っている (know) か (すなわち RK judgement) で答えさせる再認記憶 (recognition memory) 課題の手法が好んで用いられてきた．側頭葉内側部の機能分化に関連して長年議論されてきたもう1つの問題とは，この再認記憶とエピソード記憶との関係である．この2つは同じ範疇に属すると主張する研究者もいるが，多くの研究者は以前から再認記憶には少なくとも2つ以上の異なる神経基盤があると考えてきた．その1つ，回想性 (recollection) は意識を伴い過去のエピソードを想起したりその時点にあったことを追体験する，いわばエピソード記憶といってもよい要素である．もう1つの親近性 (familiarity) は，いつそのエピソードがあったかを思い起こすことはできないが見覚えがある，それを見たのは初めてではない，ということを基にした判断で，意味記憶に近い．そのため，再認記憶課題を課して質問から想起までの反応時間を調べた場合，知っているか知らないかを答えるのは即座にできるが，その関連事項までを答えさせようとすると時間がかかることはよく知られており，再認記憶には回想性と親近性の2つの神経基盤がある1つの根拠とされる．

この論争に理論的意味付けをしたのは Yonelinas (2002) で，彼は信号検出理論を用いて親近性と回想性を分離して測定する方法を考案し，再認記憶とは回想性と親近性の2つの要素から支えられていると提唱した（二重過程信号検出モデル）．そして試行ごとに remember（回想性）したのか know（親近性）だったのかを報告してもらう課題を健忘患者に課し，海馬に選択的な障害では回想性の想起が障害され，海馬周辺領域の障害によっては親近性が障害されるということを示した．最近 Daselaar らは，この信号検出理論をヒントにして fMRI 上の信号変化を解析し，回想性想起，親近性想起，「想起できない，新規である」という3つの判断に対応する活動が脳のどこに見られるかを調べた (Daselaar et al., 2006)．まず披験者に200種の単語と無意味綴りを2秒おきに見せた後，約30分後に再び提示し，それらが新規な単語（綴り）か否かをその自信の度合いも含めて，「絶対に新規」から「絶対に見覚えがある」まで6段階に分類して答えさせ，その各段階で脳のどこが活性化するかを解析した．再認記憶の研究から，絶対に見覚えがあって想起した場合のみ活性化する脳部位は回想性想起，「絶対に見覚えがある」で徐々に活性化する部位は親近性想起，「絶対に新規」で強く活性化するところは新規性 (novelty) に関与すると考えられる．Daselaar らの実験の結果，回想性想起のパターンは海馬後部（げっ歯類の背側海馬に相

当)に,親近性想起のパターンは海馬傍回に,新規性パターンは海馬前部(げっ歯類の腹側海馬に相当)と嗅周囲皮質などにみられた.これは近年の側頭葉内側部の機能解剖学的所見とおおむね一致する.すなわち海馬周辺領域は,事物事柄(アイテム)の情報処理に関与する嗅周囲皮質と文脈や空間情報を処理する海馬傍回に大きく分かれ,嗅周囲皮質が嗅内皮質の外側部を介して海馬の前部(げっ歯類の腹側部)に強く機能結合する一方,海馬傍回は嗅内皮質の内側部を介して海馬の後部(げっ歯類の背側部)に結合する(図4.7).つまり,海馬傍回—嗅内皮質内側部—海馬後部の投射経路のなかで回想性想起は海馬がとくに関与するが,親近性想起は海馬傍回までの関与に留まり,他方新規性の認知は嗅周囲皮質—嗅内皮質外側部—海馬前部の投射経路がすべて関与すると示唆された.

これまでアイテム認知の新規性がどこで検出されるかについては嗅周囲皮質か海馬か大きな論争であったが,この研究はその論争に一石を投じそうである.またこの報告もSquireの主張に反して,側頭葉内側部は記憶の局在に関して均一ではなく親近性想起は海馬周辺領域で生じ,エピソードの回想性想起は海馬まで関与することを示唆し,これを支持する実験結果も最近報告された(たとえばSauvage et al., 2008).

4.4.4 側頭葉性健忘と間脳性健忘——AggletonとBrownの仮説

さて,近年AggletonとBrownが側頭葉内側部と間脳の間に機能の異なる2つの日常記憶のシステム経路があるという仮説を提唱して注目されている.この仮説も,エピソードの回想性想起では海馬,新近性想起は嗅周囲皮質を中心とした海馬周辺領域であるとの立場を取り,合わせて側頭葉性健忘と間脳性健忘との関係を論じているので,ここで紹介したい.

サルの再認記憶の研究からGaffanは前述のように背景記憶を認め,エピソード記憶の中枢としての海馬の重要性を知らしめた.面白いことに背景記憶課題やobject-in-place課題は海馬破壊や脳弓切除だけでなくその'下流'の視床前核(anterior thalamus)の破壊でも同等に障害される(たとえばParker & Gaffan, 1997)が,これはどうしてであろうか?

ここでコルサコフ症候群に代表されるもう1つの代表的な健忘症,間脳性健忘を考えてみよう.間脳は主に乳頭体,視床,視床下部などからなるが,Delayと

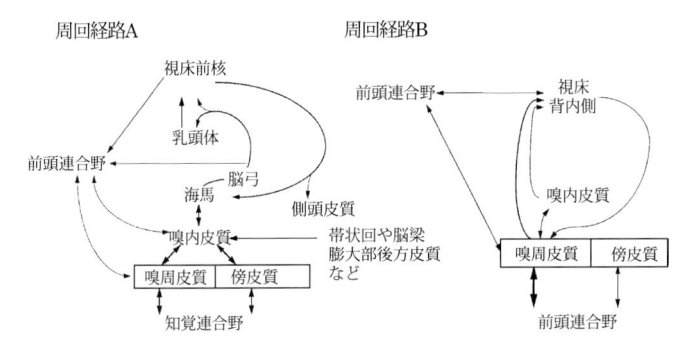

図 4.8 ラット海馬周辺と間脳を結ぶ 2 種の周回経路 (Aggleton & Brown, 1999)
周回経路 A は海馬 ⇒ 海馬至脚 (subiculum)⇒ 脳弓 ⇒ 視床前核 ⇔ 帯状回後部 (posterior cingulate) またはラットでは脳梁膨大部後方皮質 (retrosplenial cortex)⇔ 海馬周辺皮質 (海馬傍回など) ⇔ 海馬で脳弓を介し，エピソード記憶，空間記憶，または再認記憶のうちの回想性想起に関与しているとする．周回経路 B は海馬体や脳弓を含まずに嗅周囲皮質 ⇒ 下視床脚 (inferior thalamic peduncle)⇒ 視床背内側核 (medial dorsal thalamus)⇔ 帯状回 ⇔ 嗅周囲皮質で，主に視覚認識や再認記憶のうちの親近性想起に関与する．

　Brion は海馬 ⇒ 脳弓 ⇒ 乳頭体 ⇒ 視床前核のいわゆる Papez の回路（1937 年）の障害がコルサコフ症候群の前向性健忘の原因であると推測し，海馬を介して側頭葉性健忘と共通の神経病理基盤があると提唱した (Delay & Brion, 1969).

　Aggleton と Brown はこの解剖学的学説を発展させ，側頭葉内側部と間脳の間に 2 つの周回経路があることを提案した（図 4.8；Aggleton & Brown, 1999）．最初の周回経路はデュレ・ブリオン回路を基に海馬 ⇒ 海馬至脚 (subiculum)⇒ 脳弓 ⇒ 乳頭体 ⇒ 視床前核 ⇔ 帯状回後部（posterior cingulate cortex，またはラットでは脳梁膨大部後方皮質 (retrosplenial cortex)）⇔ 海馬周辺皮質（海馬傍回など）⇔ 海馬で，脳弓を介してエピソード記憶，空間記憶，または再認記憶のうちの回想性想起に関与しているとする．第 2 の周回経路は海馬体や脳弓を含まずに嗅周囲皮質 ⇒ 下視床脚 (inferior thalamic peduncle)⇒ 視床背内側核 (medial dorsal thalamus)⇔ 帯状回 ⇔ 嗅周囲皮質で，主に視覚認識や再認記憶のうちの親近性想起に関与する．実際，海馬・海馬至脚と嗅周囲皮質の皮質下核への投射はお互い異なる経路を経ることが示されている (Saunders et al., 2005).

　第 1 経路内の多くの領域の損傷や，第 2 経路の視床背内側核の損傷で前向性健忘が生ずることはよく知られているが，その理由として以下の 3 つの要因を可能性として指摘したい．まず，①記憶を海馬体とその周辺皮質の情報処理で

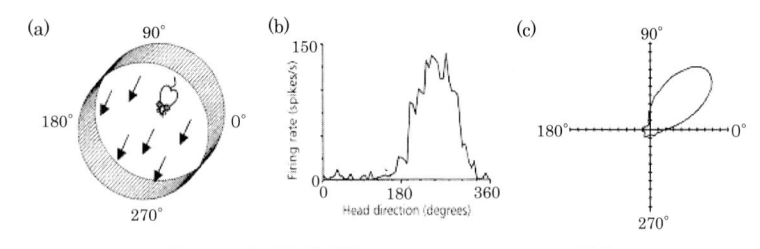

図 4.9 海馬支脚背部の Head direction cell 活動
(a) 個々の Head direction cell は動物が環境のどこにいようが，顔が特定の方角を向いた場合に発火する．(b) 頭方向の角度に応じた発火頻度の変化，(c) Polar plot で最適な頭方位角度を求める．

理解するのではなくこのようなネットワークの損傷として考えると，海馬とその周辺だけでなく間脳の損傷でも記憶障害が見られるという事実が理解される．次に，②第1の経路に重なる head direction 細胞回路の障害の結果，空間記憶やエピソード記憶が障害される可能性である．head direction 細胞は動物の居場所に関係なく顔の向く方向に選択的に発火する細胞（図 4.9）で，その特性は中脳の背側被蓋核 (dorsal tegmental nucleus of Gudden) から乳頭体外側核への経路で形成され，視床前核背側部 ⇒ 海馬支脚後部 (postsubiculum)⇒ 視床背外側核，脳梁膨大部後方皮質または嗅内皮質へと伝えられ，かつ見つかっている (Taube, 2007)．たとえば視床前核を破壊すると海馬の場所細胞 (4.5.2項) 発火が障害されることから，脳弓，視床前角から脳梁膨大部後方皮質は，海馬の場所細胞や嗅内皮質のグリッド細胞 (grid cell: 六方格子状に離散的に配置された受容野を持つ場所細胞) とともに海馬のエピソード記憶や空間記憶をサポートする空間認知マップ (4.5.2項) の形成やナビゲーションに不可欠であることが指摘されている．さらに，③視床と前頭前野との機能的結合を考慮して，海馬で形成された記憶が前頭前野に固定 (systems consolidation, 4.7.3項) されていく中継点としての視床の記憶への関与も考えられよう．

ところで，Aggleton と Brown の仮説の特筆すべきことは，海馬と嗅周囲皮質の間には嗅内皮質を介したまたは直接に双方向性の投射があるのにもかかわらず，海馬を第2の新近性想起の経路に含めていないことにある．彼らはその根拠として，サルやラットで海馬や脳弓破壊では遅延非見本合わせ課題 (DNMS) に障害がほとんど見られず，またラット脳弓 (第1経路) 破壊でオブジェクト再認課題 (object recognition) に障害が出ないにもかかわらず，嗅周囲皮質 (第2

表 4.1 ラット間脳と側頭葉内部の選択的破壊で見られる空間学習障害と視覚性再認記憶障害の二重乖離（X：障害あり，Ã：障害なし）

	海馬	脳弓	視床前核	乳頭体	帯状束	視床背内側核	嗅周囲皮質
遅延非場所合わせ課題	X	X	X	Ã	Ã	Ã	Ã
T迷路	X	X	X	X	X	Ã	Ã
放射状迷路	(X)	X	X	X	X	Ã	Ã
水迷路	(X)	X	X	(X)	X	(Ã)	Ã
自発性物体再認課題	-	Ã	Ã	-	Ã	-	X
遅延非見本合わせ課題	Ã	Ã	-	Ã	-	X	(X)

経路）の破壊では重篤な障害が出ること，逆にサルの脳弓切除や海馬破壊で空間弁別課題が障害されるが嗅周囲皮質の破壊では正常なこと，つまり海馬と嗅周囲皮質のそれぞれの破壊実験で正反対の報告があることを挙げている．Aggleton らは，この点をラットで課題 6 つを使って系統的に調べ上げた．その結果，第 1 の経路のどこかの破壊で，遅延非場所合わせ課題，T 迷路，放射状迷路（図 4.4），Morris の水迷路（図 4.15）では基本的に空間学習障害が見いだされ，オブジェクト再認課題と遅延非見本合わせ課題は正常だった．他方，第 2 の経路の視床背内側核または嗅周囲皮質の破壊では最初の 4 課題で障害が出なかったが，後の視覚性再認記憶を評価する 2 課題が障害された．すなわち海馬と嗅周囲皮質の間の機能的二重乖離を確認した（表 4.1）．要するに彼らの実験結果と主張は，海馬とその周辺皮質が合わせて 1 つの記憶機能を担っているとする Squire の宣言的記憶仮説（4.5.1 項）に反している．

4.4.5 長期記憶と前頭前野

側頭葉内側部が記憶に深く関与することは H.M. の症例以来半世紀にわたって知られているが，前頭前野 (prefrontal cortex: PFC) もエピソード記憶に深く関わることが認識されだしたのは最近 20 年のことである．

前頭前野の障害では親近性想起や意味記憶の類は一般に冒されないが，回想性想起の障害がたとえば出典健忘 (source amnesia) や作話 (confabulation) の形で現れるという．出典健忘とはある物事をなぜ知っているのかを思い出せないことで，時間的・空間的文脈に関するメタ記憶の障害と考えられ，前頭側頭

型痴呆 (frontotemporal dementia) など前頭前野の外側部の機能低下に伴って報告が多い．他方，作話は前頭前野の腹内側部や前脳基底部 (basal forebrain) の損傷で起こる病識を伴わない健忘症で，実際に体験しなかったことが誤って想起される現象である．

　いずれにしても前頭前野の機能低下の伴う記憶障害はその症状が多彩で，これは前頭前野の中の各領域に応じた機能の細分化に依存することを示唆している．たとえば，前頭前野の背外側部 (dorsolateral PFC) は記憶形成の前に記憶情報の組織化や内容確認をし，想起時にモニタリングと想起内容の評価をするという．言い換えれば，前頭前野はトップダウン信号を出して他の皮質領野からの知覚情報を行動目標や課題に応じて取捨選択し，側頭葉内側部に送り込んでエピソード記憶の側頭葉内側部での形成に貢献しているとされる．この前頭前野からのトップダウン信号の存在は，宮下らの対連合図形 (paired associates) を用いたサルの研究から明らかとなった．まず彼らは，サル下側頭葉 TE 野の細胞は視覚の脳内イメージを持つかのような反応を示すことを明らかにした．たとえばサルに図形 A の提示の後，しばらくしてから図形 B と C の提示で B を選ぶようにジュースを与えて訓練した場合，図形 A と B との間で視覚性の連合記憶が成立する．そして下部側頭葉から神経活動を記録してみると図形 A に強く反応する下部側頭葉の細胞は，最初に図形 B を提示しても発火しないが，その後 A が提示されることを予期する段階になると発火するようになる．いわば図形 B から図形 A を脳内で連想するかのようであった (Miyashita, 1993)．

　なお，その後の彼らの研究からこのような視覚性連想記憶が，下部側頭葉のうち辺縁系に属する嗅周囲皮質に長期間貯蔵記憶されることがわかっている．この嗅周囲皮質は TE 野とは異なり，視覚だけでなく聴覚，嗅覚，触覚など多くの知覚系記憶の中枢であることがわかっており，宣言的記憶の最終貯蔵場所であると考えられている．さて彼らは TE 野の記憶の想起シグナルを見いだすためにサルの脳梁 (corpus callosum) を切断し，記憶想起の手がかり刺激が下部側頭葉をバイパスしてまず前頭葉に到達し，そこから下側頭連合野に降りてくるようにした．そしてそのような処置をされたサルでは視覚性対連合記憶課題の学習後，TE 野の細胞が想起のシグナルできちんと発火すること，さらに手がかり刺激で TE 野を直接発火させた場合に比べて 0.1 秒ほど遅れて発火することから，記憶の想起信号は前頭前野を迂回して届いたと推定された (Tomita et al., 1999). 以上のことは下側頭連合野での視覚性連想記憶の想起のプロセスに前頭前野のトップダウン信号が関与することを示している (Miyashita, 2004).

　似た現象は健常人の fMRI を使った研究でも報告されている．最近では事象関連 fMRI などを用いてヒトの全脳の活動を記憶課題の最中に測定できる．機能的磁気共鳴画像の事象関連変化は脳内の複数の異なる脳部位に見られることが多く，それらの活動にいったいどのような関係があるのかなど，異なる脳部位の活動の関連を調べる方法に functional connectivity 概念がある．詳細は割愛するが，これは2つの離れた脳部位の活動の相関で解剖学的に直接結合のない領域間に使われる．Summerfield ら (2006) は functional connectivity の手法を用いて，ヒトの顔と家の対連合課題を用いたエピソード記憶形成最中の皮質間機能結合を fMRI で調べ，前頭前野の背外側部が Fusiform 'face' area と parahippocampal 'place' area とともに活性化したときに，後の想起時の正答率が高いことを報告した．これは前頭前野がエピソード記憶形成最中にトップダウン信号を出し，後頭葉の知覚認識をコントロールして知覚経験をエピソード記憶に転換することを示唆する．

　以上のように，前頭前野がエピソード記憶の形成と想起に深く関与することがヒト脳画像やサルの電気生理学的研究から明らかとなってきたが，今後は機能局在の著しい前頭前野内の記憶における部位依存的役割の解明が待たれる．

　なおヒトを用いた宣言的記憶に関与する脳部位は側頭葉内側部や前頭前野に限らない．たとえば非侵襲脳画像が盛んになりだした90年代にすでに頭頂葉の一部が，エピソード記憶の想起に伴って活性化することの報告がある．前述の Daselaar らの fMRI を用いた報告 (Daselaar et al., 2006) でも，回想性想起には脳梁膨大部後方皮質，頭頂側頭皮質 (parieto-temporal cortex) と腹外側前頭前野 (ventrolateral PFC) が，親近性想起には背側後帯状皮質 (dorsal posterior cingulate cortex), 楔前部 (precuneus) と頭頂後頭皮質 (parieto-occipital cortex) が活性化すると報告している．頭頂皮質後部 (posterior parietal cortex) の多くは海馬周辺皮質や海馬と直接結合があり，それらが認識の意思決定や注視に関与するという仮説 (Wagner et al., 2005) や，前頭前野との結合と絡めて Baddeley の提唱する音韻ループバッファーであるという説があり，今後の研究課題である．

4.5 海馬研究と2つの仮説

4.5.1 海馬と「宣言的記憶仮説」

ここから側頭葉内側部の中心的存在である海馬の機能について述べる．健忘症患者 H.M. の症例報告 (Scoville & Milner, 1957) 以来，海馬は記憶の中枢であると考えられ，現在までに少なくとも 20 以上の海馬の機能仮説が提唱されてきた．なお海馬の機能は記憶関係のみかと問われれば答えは No であり，海馬は，空間認知，ナビゲーション，不安などの情動調節などにも関与することを支持する知見は多い．しかし，ここでは記憶に関係する主要な 2 仮説を例に海馬とは何かを考えていきたい．

最初は Squire の「宣言的記憶仮説」(Cohen & Squire, 1980; Squire, 1992; Squire et al., 2004) であるが，これによると海馬の主要機能は，①長期記憶の形成であり，②事実や出来事に関する宣言的記憶を司り，③機能不可分な側頭葉内側部システムの一部として記憶の形成とその初期貯蔵にはたらき，④さらに記憶を徐々に大脳皮質に転送固定 (systems consolidation) させ，古い記憶の想起にはもはや必要とされない，とされる．この仮説が提示された根拠は，ヒトの側頭葉内側部に障害を持つ健忘症患者の神経心理学的分析と，それに準じて実験的にサルやラットの側頭葉内側部を破壊した結果，事実や出来事に関する長期記憶の障害が成立したことによる．たとえば，Squire らは海馬 CA1 領域が選択的に虚血壊死に陥った健忘症 R.B. の例 (Zola-Morgan et al., 1986) などから，海馬のみの損傷が中程度の逆向性健忘を起こすのに十分であること，しかしその健忘の程度は側頭葉内側部へのより広範な損傷患者より軽微であることから，側頭葉内側部の海馬周辺領域（嗅内皮質，嗅周囲皮質，海馬傍回など）も海馬と同様に宣言的記憶を司ると主張している．なおこの仮説では扁桃体の関与は否定されている．

この仮説を実験的に確かめるために，Squire らはサルの実験的健忘モデル作成に早くから取り組んできた．ここでサルの脳破壊実験を用いた記憶の研究の流れに簡単に触れる．サルの脳破壊実験で最初に海馬を含む回路が長期記憶に重要であることを示したのは前述の Gaffan で，最初の参照期間中にオブジェクト A を，一定期間（遅延期間）後の試行期に A と新しいオブジェクト B を同

4.5 海馬研究と2つの仮説

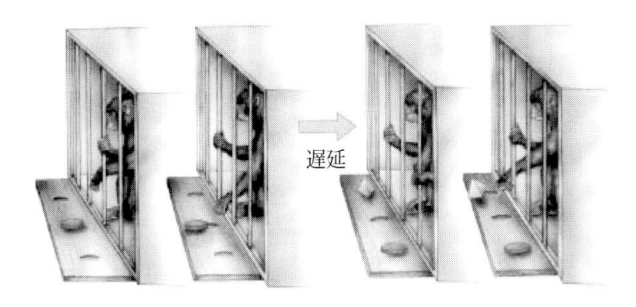

図 4.10 サルの遅延非見本合わせ課題 (Bear et al., 2006)

アイテムを用いた遅延非見本合わせ課題では，まずサルの前方に開けられた3つの穴の中央穴の上に置いた刺激アイテムを提示し，そのアイテムを移動して穴の中に入っている報酬を取らせる．一定の遅延期間後，同じアイテムおよびそれとは異なるアイテムをそれぞれ左右の穴の上に置き，サルは新規アイテムを選ぶことによってその下にある報酬を得る学習をする．視覚再認記憶を評価する課題であり，嗅周囲皮質の破壊で障害される．

時に見せてAを選んだら報酬を与えるという遅延見本合わせ課題を再認記憶の系として立ち上げた．彼は学習させた後に海馬から中隔，乳頭体，視床，扁桃体，側坐核などへ線維を送る脳弓を破壊すると，30秒以上の遅延期間を入れたDMTSが遂行できなくなることを初めて示した（1974年）．しかしDMTSはfamiliarな方を選べば解けてしまうというので，Mishkinらが遅延非見本合わせ課題 (delayed non-matching-to-sample task: DNMS)，すなわち試行期にBを選んだら報酬を与える実験系（図4.10）を使い，訓練後サルの海馬，扁桃体，またはその両方を破壊して再認記憶を調べた (Mishkin, 1978)．Mishkinらは，両側の海馬と扁桃体の両方の切除で海馬単独よりも重篤な障害が起きる，すなわち海馬と扁桃体のdual circuit説をいったんは提案したが，Squireらと被験体の再検討を行い，扁桃体への切除手術の際にその周辺皮質である嗅周囲皮質が損傷していることを確認した (Zola-Morgan et al., 1982)．そしてSquireらは扁桃体の限局破壊サルを術式を変えて検討し，改めて遅延非見本合わせ課題の障害はないことを報告，扁桃体は再認記憶に関与しないと結論づけた．

他方Squireらは嗅周囲皮質と海馬傍回を海馬と一緒に破壊すると海馬限局破壊よりも重篤な障害が出ること，さらに嗅周囲皮質と海馬傍回だけを損傷しても周囲皮質と海馬傍回を海馬と一緒に破壊した場合と同程度の記憶障害がでる (Zola-Morgan et al., 1989) ことを報告して，彼の宣言的記憶仮説の1つの根拠とした．

この仮説の一番の功績は，海馬を含めた側頭葉内側部が記憶の中枢であること

を一般に知らしめたことである．その結果，「宣言的記憶は事象の説明事項を記憶する意味記憶と日常の出来事を記憶するエピソード記憶からなる」とした分類概念は，他の研究者をしてその生物学的な根拠を海馬に求めることになった．

しかし最近ではこの仮説の詳細に疑問を呈するデータが多い．まず Mishkin のグループが，イボテン酸という細胞体を壊すが神経線維を破壊しない神経毒素を用いて，サルの海馬と扁桃体を両方破壊しても遅延非見本合わせ課題は最大 40 分の遅延期間をおいても障害されなかったと報告し (Murray & Mishkin, 1998)，嗅内皮質と嗅周囲皮質の再認記憶課題における必要十分性を説いた．Squire らもすぐ追試したが，海馬のみのイボテン酸投与で遅延非見本合わせ課題が障害されたと報告して (Zola et al., 2000) 大きな論争に発展した．実験手法の違いとして，Mishkin のグループは課題訓練後に脳破壊をしているが，Squire らはサルの脳破壊を施してから訓練をしているので，記憶障害だけでなく課題のルール学習の障害を見ている可能性が指摘される．また最近，サルの海馬をイボテン酸で破壊しても，遅延非見本合わせ課題は障害されないことが複数グループで追試確認された．ラットを用いたオブジェクト再認記憶課題でも Squire らは選択的海馬破壊で再認記憶の障害を報告したが，他の複数のグループは海馬ではなく嗅周囲皮質の破壊で障害を見いだしている（たとえば Winters et al., 2004）．

こうしてみると，宣言的記憶のテストとされる遅延非見本合わせ課題そのものが海馬依存性か否か現段階では確証がなく，宣言的記憶仮説は側頭葉内側部全体が機能的に不可分であるという点において実験的根拠が弱い．また，この仮説のもう1つ不明解な点は，意味記憶の形成が海馬依存性であるとの主張が正しいか否かである．Squire らは海馬に選択的障害のある5人の健忘症患者は意味記憶に障害があり，しかも古い意味記憶ほど想起できるのでエピソード記憶同様に逆向性健忘であり，これは海馬に一過性に意味記憶が形成され，後に皮質に転送される証であるとした (Manns et al., 2003)．これに対し，有名な健忘症者 H.M. は以前の報告と異なり意味記憶を十分獲得できるという報告 (O'Kane et al., 2004) が最近なされ，また前述のように Vargha-Khadem と Mishkin らは，エピソード記憶が障害されているにもかかわらず意味記憶の獲得は正常だったという思春期健忘例を報告し (Vargha-Khadem et al., 1997)，さらに最近これを支持する報告が独立になされた (Martins et al., 2006)．この

ように意味記憶の形成に海馬がどの程度関与するのかはいまだ不明であり，今後の研究が待たれる．

4番目の海馬の一過性記憶貯蔵と後の皮質への記憶の転送固定のアイディアは，古くはRibotの，昔の出来事に比べて最近の出来事がずっと忘れやすいという時間依存性(temporally graded)の逆向性健忘の報告（リボーの法則，1881年）まで遡る．そして，患者H.M.の症例がまさしくそれを示したことで，70年代からヒトで検討が加えられてきた．Squire (1992)によれば，選択的に海馬が破壊された場合は逆向性健忘は時間依存性な特徴を持ち，その強さは海馬損傷の程度に依存する．しかし側頭葉皮質などの損傷が加わると，古い記憶も失われ時間依存性でなくなるとのことで，古い記憶が海馬以外，たとえば大脳皮質に長期貯蔵されることが予想された．それでは海馬は何をしているかというと，海馬損傷により最近の記憶がほぼ完全に失われ，古い記憶より記憶成績が劣るという多くのヒトや動物実験の報告から，海馬で形成された記憶は少なくとも一過性に海馬に貯蔵され，時とともに海馬に依存しなくなるとSquireは提唱したのである．

この仮説を検証するには脳の損傷部位をコントロールし損傷後の時間経過を追って調べる必要があるため，どうしても動物を用いた選択的海馬破壊実験が必要である．これまでに，文脈性恐怖条件付け(contextual fear conditioning)や受動性逃避課題(passive avoidance)，痕跡条件付け(trace conditioning)，社交的接触を介した食物選好度学習(social transmission of food preference)などの海馬依存性行動課題でラットなどを使って調べられてきた．

文脈性恐怖条件付け（図4.11）では，ラットなどをチャンバーに入れ3分後に床に電気ショックを与えて，「チャンバー内にいるということ（文脈）」と嫌悪刺激を条件付け（連合）して嫌悪記憶を形成するが，海馬をあらかじめ選択的に破壊しておくと文脈性記憶(context memory)が形成されない．文脈とはもともと認知マップ仮説(4.5.2項)を提唱したNadelらが，場所に付随する時間，イベント，その場の気分などを一括して言い表したもので(Nadel & Willner, 1980)，その獲得はエピソード記憶と似て自発的(automatic)であり，その神経メカニズムはエピソード記憶の海馬内形成(4.6節)に近いと思われる．この文脈性恐怖条件付けを一試行学習の代表として有名にしたのはFanselow (1990)で，現在ではラットやマウスの海馬機能を評価する代表的な課題となった．

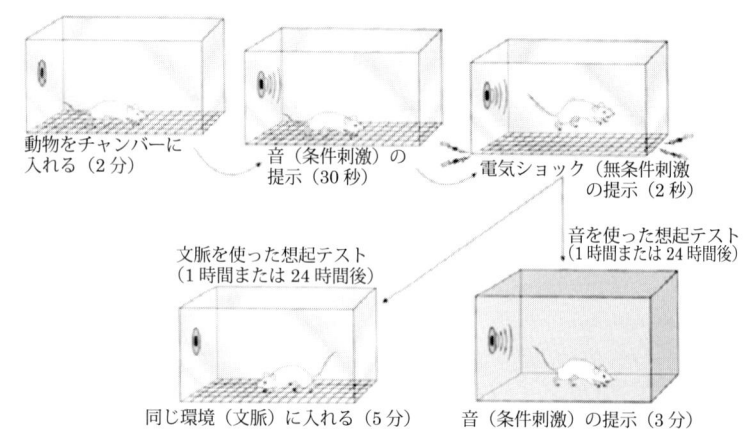

図 4.11 恐怖条件付け学習

恐怖条件付けは，げっ歯類の恐怖反応としての Freezing（すくみ行動）の程度を恐怖記憶の指標として用いる古典的条件付け課題である．床の電気ショック（無条件刺激：US）と，音，光，文脈（箱の内装や箱の置かれた部屋，実験者との関わりを含む）などの中立刺激（条件刺激：CS）を時間的に重ね合わせて（1 試行または 2-5 試行）条件付けを成立させた後，動物を再び電気ショックを与えた場所に置いた際（文脈学習），または電気ショックを与えた場所とは異なる環境下で条件刺激（たとえば音）のみを与えた際（恐怖学習）に観察される freezing（すくみ行動）を，文脈記憶（context memory）または恐怖記憶（fear memory）として評価する．文脈記憶はまず一時的に海馬に形成され，同時に恐怖記憶が扁桃体に形成されると考えられている．

痕跡瞬目反射条件付けや痕跡恐怖条件付け（trace fear conditioning）などの痕跡条件付け学習（図 4.12）では，条件刺激としての音を提示した後，間をおいて電気ショック（無条件刺激）を与えることを繰り返すと，音だけで条件反射反応（行動）を誘導できるようになるが，これらもあらかじめ海馬を破壊すると条件付け学習が成立しなくなる．条件刺激の一定期間後に無条件刺激が半ば必然的に招来することを学習するには海馬が必要であるためだが，その神経メカニズムはよくわかっていない．

社交的接触を介した食物選好度学習（図 4.13）は，あらかじめ食物を摂取したラットに被験ラットを接触させると，被験ラットは食物の匂いを覚え，一定時間後にその食物と別の食物を提示された際に'安心して'前の動物が食べたのと同じ食物を好むという一試行学習である．これは，海馬の破壊で学習が成立しなくなるとされるがメカニズムは不明である．

いずれの課題でも学習後 1-4 週間までは海馬破壊で想起が障害されるが，それ以降に海馬を破壊しても記憶の想起は影響を受けない（総説として Frankland & Bontempi, 2005）．要するに海馬を選択的に破壊したヒトや動物の逆向性健

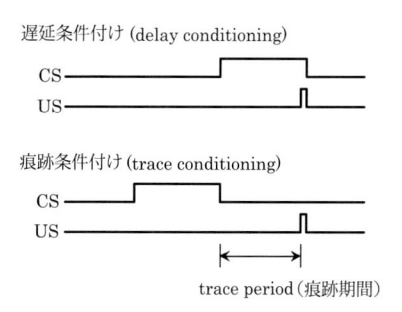

図 4.12 痕跡条件付け学習

古典的条件付けでは条件刺激 (CS) の呈示後に，無条件刺激 (US) を対提示すると条件反応を形成するが，CS-US の提示時間関係に応じて異なる脳部位が条件反応の形成に必要なことが知られている．たとえば音を CS，ショックを US とした恐怖条件付けで延滞条件付けを行うと扁桃体に記憶が形成貯蔵され，海馬非依存性である．ところが CS と US が時間的に重なりを持たず，条件反応が条件刺激の痕跡に対して条件付けされる（痕跡条件付け）と海馬依存性にもなる．また音を CS，眼瞼に加えられる無条件刺激（空気の吹き付けもしくは電気刺激）を US とすると，延滞条件付けでは小脳および小脳核依存性で海馬は必要ないが，痕跡条件付けにすると海馬依存性になる．このように痕跡条件付けは海馬を必要とすることが知られているが，そのメカニズムは不明である．

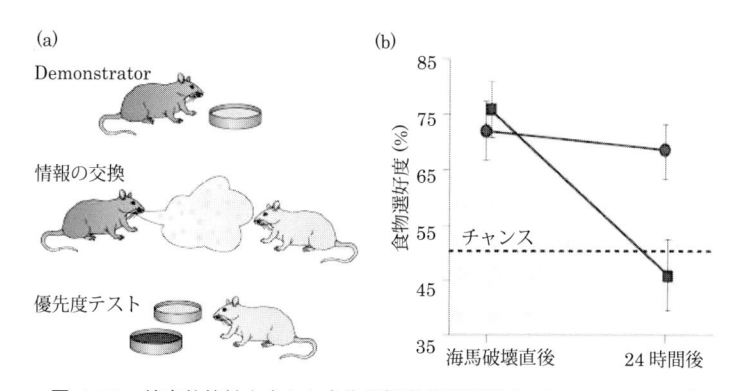

図 4.13 社交的接触を介した食物選好度学習課題 (Eichenbaum, 2000)

この課題は一試行性の社会性学習で，demonstrator 動物が新規の匂いのする食べ物を食べた後，被験動物とごく短時間の接触の機会を持ち，被験動物はその間に demonstrator 動物から匂い情報を受け取り記憶情報として保持し，一定時間後その匂いを持つ食物を優先的に食べるようになる．(b) のグラフのように，社会的接触の直後の食物選好度試験では海馬を破壊されてもその匂い記憶は想起されるが，24 時間後の想起は障害される．

忘は最近の記憶ほど健忘が重篤な特徴を持ち，Squire らはこの特徴はすべての宣言的記憶に当てはまるとした．彼らの提案は standard consolidation model として現在の記憶研究に大きな影響を与えた．

4.5.2 海馬と「認知マップ仮説」

現代の海馬研究に大きな影響を与えたもう 1 つの仮説は「認知マップ仮説 (cognitive map theory)」で, John O'Keefe と Lynn Nadel が彼らの著書『*The Hippocampus as a Cognitive Map*』のなかで提唱した (O'Keefe & Nadel, 1978).

この仮説の契機となったのは,O'Keefe らによるラット海馬での場所細胞 (place cell) の発見 (O'Keefe & Dostrovsky, 1971) である.場所細胞 (図 4.14)

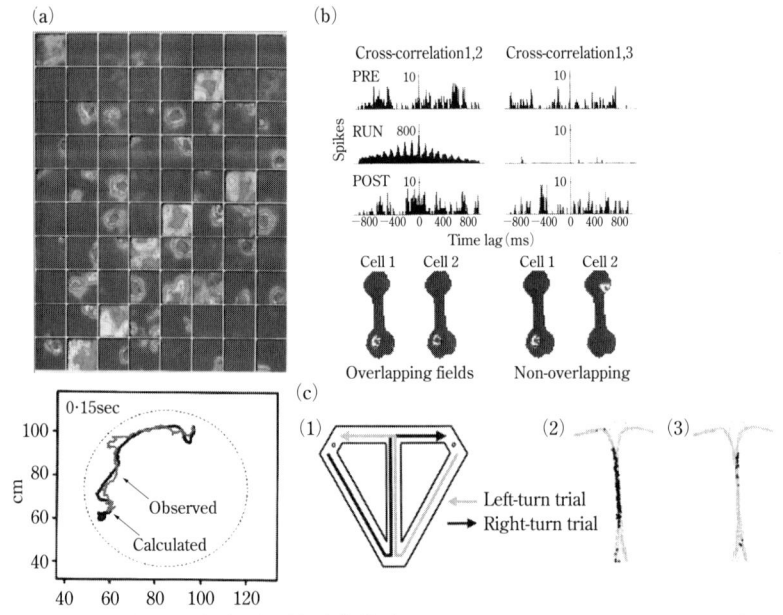

図 **4.14** 海馬 CA1 細胞の場所細胞特性 ((a) は Wilson & McNaughton, 1993 および Brown et al., 1998 より改変. (b) は Wilson & McNaughton, 1994 より. (c) は Wood et al., 2000 より改変) ((a) はカバー袖に再掲)

(a) 四角い環境でラットに探索行動させ海馬 CA1 細胞群の多電極同時記録を行うと, 場所発火の特性から大きく 2 種類の細胞が観察される. グルタミン酸作動性の錐体細胞は四角い環境の特定の場所 (場所受容野) で強発火し, その他の場所ではまったく発火しないため「場所細胞」と呼ばれる. 他方, 環境全体で発火している GABA 陽性介在細胞は場所細胞活性は弱い. その後の研究で, せいぜい 30 個の錐体細胞の発火場所情報が 10 分ほどあれば, 動物の軌跡をある程度再現できることが示された (下). (b) CA1 のアンサンブル活動が記憶を表現する. 細胞 1, 2, 3 は探索行動前の睡眠中はお互い無関係に発火していたが, 探索行動後の睡眠中は, もし場所受容野を共有していれば, すなわち同じ知覚入力を受けた細胞 1 と 2 では, シータ波に同期して共発火するようになった. この共発火は CA1 細胞の NMDA 受容体依存性である. (c) ラットを T 迷路で中央の Stem から交互に左右に曲がるように訓練すると, 左右どちらの方向から Stem に入ってきたかに応じて発火する場所細胞が出現した. これは場所細胞が単に場所に反応するのみならず, 動物の行動エピソードに影響されることを示す.

とは，ラットやマウスがある場所を徘徊しながら特定の場所を通過した際に高頻度で発火する細胞の総称で，その特定の場所を場所受容野 (place field) と呼ぶ．その他の場所を徘徊する際の発火頻度は海馬の場合ほとんどゼロであるため，発火頻度の程度を場所空間にマップすると海馬の錐体細胞の多くは単一の場所受容野を持ち，別の場所細胞は別の場所に受容野を持つ．こうしてあるスペース全体は多くの異なる受容野によって埋め尽くされるわけで，また特定の場所情報は受容野を共有する複数の場所細胞によってシェアされると考えられる．なお，ある場所で発火する場所細胞はまったく異なる空間に行くとまったく違う座標で発火したり（これをリマッピング (remapping) という），発火しなくなったりする．このようにまったく異なる場所空間では異なる組み合わせの場所細胞群が発火し，空間ごとに異なる場所細胞群が異なる空間マップをコードしていると考えれば，数十万個ある錐体細胞の組み合わせから無限に空間をコードできるわけである．面白いことに隣どうしの海馬錐体細胞は異なる場所を独立にコードしており，海馬活動の分散表現 (distributed coding or representation) 様式が明らかとなっている．

　O'Keefe らは海馬場所細胞の発見と合わせ，ラットの脳弓損傷で空間記憶をテストする円形迷路課題が他の課題に比べて選択的に障害されることなどから，以下の「認知マップ仮説」を唱えた．

　まず，①探索行動中の場所やそのランドマーク（道標）に関する情報は，自分から見た方位方角（これを egocentric と呼ぶ）とは異なる "他者中心的 (allocentric) な" 天空座標的な空間の中に表現され，そのような空間的な "認知マップ" が海馬に記憶として形成されるとした．開放された広場 (open field) ではラットはどの方向から横切ろうが場所受容野は同じ場所にあること，ランドマーク全体を 90 度回転させれば場所受容野の中心も 90 度回転することなどから，ランドマークに依存した allocentric な空間情報表現が海馬にあると考えたのである．ちなみに egocentric な空間学習は，方位角や視覚刺激に依存して（taxon strategy と呼ぶ）獲得され，その記憶は海馬以外，たとえば頭頂葉や基底核に貯蔵されるとした．第 2, 第 3 の論点として，②場所細胞は徘徊の速度に依存して発火を増すため，おそらく運動速度をもコードし，海馬 CA1 領域は Head direction 細胞回路（4.4.4 項）と機能結合しているので，認知マップはナビゲーションに利用されるだろう，③空間的な「認知マップ」の記憶（後のいわゆる

空間記憶と同義）は常に海馬に固定貯蔵され，他の脳領域に転送されることはない，とした．

以上3点に代表されるこの仮説は，げっ歯類の場所細胞の特性と，海馬なくしては allocentric なナビゲーションが永続的にできなくなることから導き出されたものであるが，O'Keefe らは著書で，ヒトの右側海馬に空間記憶の座があり左側海馬は言語など非空間的な学習に関与するとして，ヒト海馬がエピソード記憶に関与することを否定していない．またサルを電気仕掛けの荷台に乗せて動き回らせると海馬から場所細胞活動が観察されるとの報告が小野らによってなされているし (Matsumura et al., 1999)，ヒトが仮想空間を歩いている間に海馬から場所細胞活動を記録したとの報告もあるので (Ekstrom et al., 2003)，この仮説はラットやマウスに限られるものではない．

さて，この仮説はげっ歯類の海馬の研究に大きな貢献をした．すなわちこの仮説によれば，海馬の機能を評価するには allocentric な空間記憶の形成を調べればよい．これに基づいて，Olton の放射状迷路（図 4.4）や水迷路（Morris Water maze；図 4.15）が Richard Morris によって開発され，ラット海馬の選択的破壊でこれら課題が障害されることが示されて以来汎用され，後に遺伝子ノックアウトマウスの海馬の機能を評価する行動実験課題としても定番となった．水迷路とは，乳白色のプール水面下に水からよじ登って避難できるプラッ

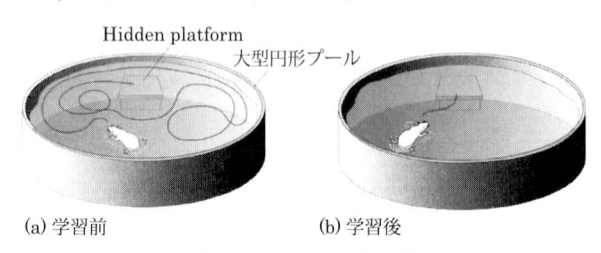

図 4.15 Morris 水迷路
泳ぎの得意なげっ歯類の空間情報を手がかりとした逃避行動を利用した課題．広めの部屋の中に置いた大型円形プール（直径 1.2–2 m）に，動物から見えないように白濁した水面下 10–15 mm に逃避用プラットフォーム（直径 7–10 cm）を置き，部屋全体の視覚手がかりに依存させるためにプールの内縁の視覚手がかりを一切除く．この hidden platform 課題の場合，水面に放された動物が最初は闇雲に泳ぐのみであるが，偶然プラットフォームに到達したり人為的にガイドしたりして，次第に①hidden platform があり逃避できること（学習ルールの獲得）に気付き，つづいて②その場所は空間的な手がかりを頼りにどこか（空間学習），を数–10 日かけて学習し，空間参照記憶を獲得する．その評価は hidden platform を除いたプール内に放ち，どの程度正確にプラットフォームのあった場所を探索するかという probe test で行う．この課題に必要なアロセントリックなナビゲーションとその結果としての空間参照記憶の形成には海馬が確かに必要である．しかし脳弓，前頭前野，小脳など，海馬以外の選択的破壊でも障害を受け，この課題の結果解釈には留意が必要である．

トフォームを置き，毎日動物に泳がせつつプールの周りの空間的視覚手がかりをもとにその位置を覚えさせる課題で，放射状迷路と同様，空間参照記憶の課題である．またヒトの海馬の機能の評価として仮想空間を歩いている間の脳画像検査も行われだしている．

ただしこの仮説は，げっ歯類が平面徘徊を得意とするいわゆる空間的な動物であることを考慮しても，ヒトやサルの海馬研究者からは提唱当初から異論があった．一番の見解の相違は，海馬に入力する知覚情報，視覚，嗅覚，聴覚，触覚などと比べてなぜ場所情報が特別なのか，第一義的なのかというコンセプチュアルな疑問である．それに対する O'Keefe, Nadel や Morris など空間記憶派の反論は，場所は単なる知覚モダリティーの1つではなく，むしろオブジェクトや匂いなどの知覚情報を，たとえそれが隠されていても見つけるために必要な心的プロセスの場であり，動物が生存していくための第一義的な情報だというわけである．また春夏秋冬と季節が変わりそれに伴って海馬に入力する知覚情報がまったく異なっても不変なものは「場所」で，場所とは入力する知覚情報の変化を超えて安定したものであるという説明もしている (Biegler & Morris, 1993). ゆえに場所を時間と並んでスーパーモダリティーと呼ぶこともある．にもかかわらず，「認知マップ」はメトリックなまでに純粋に空間的なマップだとする，とくに O'Keefe のグループの初期の主張は，ヒトやサルの海馬研究者に拒絶される十分な理由となった．しかし後述するように，場所細胞は場所のみをコードするのみならず報酬系 (reward or punishment) から影響を受けたり，他の知覚情報と連合発火したり，将来の動きを予測するような発火活動 (prospective coding) が報告されるなど，純粋に空間をコードしているのではないことを示す報告が増えてきており，エピソード記憶のような振る舞いともいえるため，エピソード記憶と空間記憶の溝はかなり埋まりつつある（総説として Shapiro et al., 2006).

認知マップ仮説の第3の論点は，allocentric な空間記憶は海馬に永久固定され，他の脳領域に転送されないとする点である．海馬を選択的に破壊した動物の逆向性健忘は一般に時間依存性であることは前述したが，空間記憶に関しては現在でも研究者によって意見が分かれる．たとえば Morris の水迷路で約1週間の参照記憶トレーニング後，数日後または14週間後にイボテン酸で海馬選択低破壊をすると，空間記憶の想起は両方とも著しく障害されており，時間依存性

逆向性健忘は認められなかった (Bolhuis et al., 1994). このように Morris の水迷路で逆向性健忘を調べると，多くの報告で健忘が時間依存性に消失することはないとした．これは今では，この課題で記憶想起を評価するには動物を泳がせる必要がある，つまり記憶だけでなくナビゲーションも必要とするため，海馬破壊でナビゲーションそのものが障害されたと解釈されている．しかし最近 Morris の水迷路課題を使ってラット空間記憶の時間依存性逆向性健忘が報告された．

Remondes & Schuman (2004) は，水迷路課題学習後にナビゲーションそのものが障害されないように嗅内皮質浅層から CA1 への投射を選択的に切除し，その後の記憶想起そのものの障害を示したが，切除した時期が学習後 4 週間を超えると記憶の想起に影響をあまり与えなかった．この結果は嗅内皮質浅層と CA1 を結ぶ貫通枝直接経路 (temporoammonic pathway) の学習後の持続的活動が空間記憶の固定に重要であり，その後はこの経路非依存性に記憶が想起されることを示唆している．

ヒトでも海馬に選択的障害を持った年配のタクシードライバーに昔の道路の道順を尋ねて，古い空間記憶が海馬なしで想起できるか調べた報告がいくつかある．Squire らの報告したロンドンのタクシードライバーは，古いロンドンの迷路のような街並みの様子を完全に想起できた (Teng & Squire, 1999). 他方 Moscovitch のグループが報告した海馬障害のドライバーたちも大方トロントの街路を覚えていて，それは allocentric な昔の空間記憶と判断されたが，しかし細部の具体的な街並みになると想起できなかった (Rosenbaum et al., 2005). Moscovitch らは，この結果は Nadel と Moscovitch が以前提唱した「記憶の多重痕跡仮説 (multiple trace theory)」に沿うものだと主張している (Nadel & Moscovitch, 1997; Moscovitch et al., 2005). この新しい記憶の固定化仮説は Squire らの standard consolidation model の対案として，エピソード記憶やエピソード様の空間記憶は古くなっても海馬依存性であることを説明するために提出されたものである．その骨子は以下のとおりである．①記憶は海馬から大脳皮質に分散して貯蔵されるがそのままの形でなく，エピソード記憶や空間記憶と意味記憶など記憶の種類で異なる．②エピソード記憶や空間記憶は海馬に永続的に記憶され，意味記憶も形成時はエピソード的であるので海馬が関与するが次第に意味記憶に変容して皮質に永久貯蔵される．③記憶の想起の際，

それが文脈依存的なエピソード記憶の場合であれば海馬から，意味記憶であれば皮質から痕跡が活性化されて想起される．したがって，海馬に障害のあるタクシードライバーが古い街並みの細部を想起できなかったのは，その空間記憶がエピソード様であったからだというわけである．

最近，海馬が過去の記憶を使って未来の出来事を想像するのに必要であることがわかってきた (Hassabis et al., 2007)．これは海馬が皮質に貯蔵された記憶痕跡を引き出して結び付けることにより，新たな想像の世界をつくっていることを示唆しており，記憶の多重痕跡仮説を支持する．

4.6　海馬の特性とエピソード記憶──Marrの「Simple Memory」理論

4.6.1　動物を用いたエピソード記憶の研究の現状

ヒトの健忘症例や健常人の記憶課題遂行中の脳画像検査の結果，ヒトのエピソード記憶は側頭葉内側部のとくに海馬と間脳そして前頭前野が主に関与することが明らかになってきた．そのエピソード記憶の形成が海馬で起こることをエピソード記憶仮説の Tulving が明快に'認めた'のは，Vargha-Khadem らが 1997 年に，エピソード記憶が障害されているにもかかわらず意味記憶の獲得は正常な患者で海馬が選択的に障害されていたことを報告してからである (Tulving & Markowitsch, 1998)．

エピソード記憶形成の分子メカニズムを探るには動物実験が必須であるが，動物を使おうとすると Tulving のエピソード記憶の定義が大きな問題となる．彼はエピソード記憶を特徴付ける要素として自我 (self-consciousness: self)，自己参照的意識 (autonoetic awareness)，主体的な時間感覚（subjectively sensed time，いわば mental time travel）を挙げ (Tulving, 2001)，単に時間と場所が付随した出来事の記憶ではないと強調している．すなわち記憶を想起したときの意識に焦点を当て，エピソード記憶の想起が単に体験した出来事を思い出しているというだけでなく，自己が出来事を再体験するかのような想起意識を伴っていることを主張している．この定義は 2 つの点でエピソード記憶の研究を困難にしている．

第 1 に，ヒトを対象にした研究ではエピソード記憶の存否を再認記憶課題で取り扱うが，上述のように Tulving の定義は曖昧なため，被験者に RK judgement

を要求した場合，記憶が回想されたのか，または単に熟知しているから答えられたのか判断しにくく，このこと自体認知心理学の研究対象である．ましてや動物を対象にした研究では想起内容の聴取ができないので，学習行動で記憶の想起を判断するしか方法がなく，エピソード記憶を評価することは難しい．第2にヒト以外の生物に mental time travel の能力があるか否か自体が大きな研究課題である (Sterck & Dufour, 2007)．だからといって動物のエピソード記憶は否定されたわけではない．最近の研究成果は，自分の知識状態をモニターする上位機構，すなわち「何を知っているかを知っている」というメタ認知 (metacognition) がサルやラット (Foote & Crystal, 2007) で報告されているように，エピソード記憶を構成するいくつかの要素は動物や鳥類に備わっていることを示唆する．

　以上のような議論を踏まえてエピソード記憶を動物で研究しようとするために，定義の簡略化，エピソード記憶に必要な機能要素の検定，神経の発火活動からエピソード記憶活動を推定する，などのさまざまな研究の流れが最近10年でできた．

　エピソード記憶は動物にあるかという近年の論争の口火を切り，動物研究用の定義を示したのは，カラスの一種アメリカカケス (western scrub-jay) を用いた Crayton らの報告である (Clayton & Dickinson, 1998)．アメリカカケスは食物を隠し，その場所を記憶しておいて後にそれを回収する貯食行動の習性がある．この貯食—回収のためにカケスは空間手がかりと貯食した場所の目印の両方を利用して，蓄えた時期とその食べ物の腐りやすさを考慮して食べる順を決めていることを Crayton らは示した．つまり，アメリカカケスは個々のイベントについて「何をいつどこで (what, when, where)」ということを覚えていることを示唆している．しかし彼らはエピソード記憶を定義した Tulving に配慮して，アメリカカケスのこの記憶を「エピソード様」記憶 (episodic-like memory) と名づけた．そして Crayton らは「エピソード様」記憶の動物モデルでは，行動実験で3つの基準を満たす必要があると唱えている (Clayton et al., 2001)．それは ①特定の過去の経験に基づいていつどこで何が起きたかを想起していること，②いつどこで何が起きたという情報が統合されて文脈構造に表出されていること，③記憶が意識上アクセス可能な基盤に成立していることの証左として記憶情報の柔軟な（意識的な）操作が可能なことを示すこと，である．現在この定義に基づいてさまざまな動物行動課題が提案され，海馬破壊

4.6 海馬の特性とエピソード記憶——Marrの「Simple Memory」理論

で学習障害が起きるか否か検討されている.

エピソード記憶に必要な機能要素を検定するという意義付けで,エピソード記憶の「1回限り」の性質に目をつけた一試行学習 (one-trial learning) や試行特異的 (trial unique) な空間作業記憶課題も汎用される.たとえば Crayton らの「何をいつどこで」の情報のうち,「何を (what)」はまったく新しい内容であればエピソード様記憶を評価できるとの仮定のもと,novel object recognition がラットやマウスの海馬依存性課題として推奨される (Eacott et al., 2005).オブジェクト A をオープルフィールド内に2つ呈示して探索させた後でオブジェクト A と新しいオブジェクト B とを同時に呈示すると,動物は新規オブジェクト B を選ぶが,海馬や嗅周囲皮質を破壊された動物では確かにこれができなくなる.しかしサルの遅延非見本合わせ課題同様,この新規オブジェクト認識をオープルフィールド内でなく,Y迷路の2つのアームを用いることにより,空間(場所)感覚の必要性を減弱させると海馬依存性でなくなるという報告がある.多分オブジェクト認識そのものの一試行学習は再認記憶で解けてしまうのであろう.変法の novel object-to-place 課題では,新規性をオブジェクトそのものに求めるのではなく,それを置いた場所に求めるのだが,この課題は海馬依存性である.すなわち,慣れ親しんだオブジェクトをある空間の新しい場所に移すとげっ歯類は場所が移動したオブジェクトを改めて探索するようになるが,海馬破壊でこれが障害される.これはオブジェクトと空間的な場所という異なるモダリティーの連合学習に海馬が必要であるためと解釈される.文脈 (context) と電気ショックの条件付けを利用した Fanselow の一試行性文脈性恐怖条件付け(図 4.11)や一試行性受動性逃避課題 (passive or active avoidance) も海馬依存性であることはお墨付きで汎用されるし,社交的接触を介した食物選好度学習(図 4.13)も一試行学習の範疇に入れられる.しかしヒトの日常体験の記憶は慣れ親しんだ状況のわずかな違いを見いだして形成されるのが普通で,動物にまったく新しい体験をさせて記憶させる課題が果たしてエピソード記憶を反映できるかという批判はある (Ferbinteanu et al., 2006).

なお,以前は海馬の機能を調べる行動課題といえば,ある空間の一定の場所に報酬を与えて毎日訓練して,その場所を記憶させる空間参照記憶課題が汎用された.たとえば Olton の放射状迷路や Morris の水迷路である.しかし,これらは空間記憶だけのテストだけではなく,海馬の allocentric なナビゲーショ

ン機構の障害で遂行できなくなるし，そもそもエピソード記憶を診る課題ではない．また放射状迷路やT迷路を用いた空間作業記憶課題，Mishkinらのサルを用いた試行特異的遅延非見本合わせ課題やそれをげっ歯類に応用したものもある．しかし批判として，familiar なアームやオブジェクト（とくに最も直近訪れたもの）を避けたり訪れたりすることを学習すれば解けてしまう可能性が指摘されていて，その意味でこれらはエピソード様記憶の課題でなく，親近性想起の課題に遅延期を入れた課題とも解釈される．とくにサルの遅延非見本合わせ課題は，前述のように海馬依存性でなく嗅周囲皮質の選択的破壊で障害されるようである．

4.6.2 海馬歯状回，CA3領域，CA1領域の記憶における役割

今後ラットやサルの研究のために優れたエピソード様記憶の行動課題の開発が待たれるが，他方で記憶などに関する海馬の特性を，エピソード記憶を構成するさまざまな要素に分けて，その神経生物学的な要素特性を海馬がどう担っているかを評価する研究方法も最近盛んになった．

このような手法に道筋をつけたのがヘブ則の流れを汲む David Marr の海馬の「Simple Memory」理論 (Marr, 1971) で，彼は海馬の解剖から計算論的に以下のように提唱した．海馬は，①日常の経験という無数の入力を反回結合 (recurrent connection) 回路の可塑的なシナプスに連合して記憶 (pattern association) するが，②入力が似ている場合，お互いがそれぞれ重ならないように直交化 (orthogonalization) して出力 (pattern separation) し，③また想起の際，反回結合の繰り返し活性化で一部の情報から記憶全体を呼び起こす (pattern completion)，こうして形成された記憶のパターンは④睡眠中に再活性化されて海馬外に転送される．現代から振り返れば，これら4点はすべて海馬の主要な機能として的を射ていることは特筆に価する．

(a) 海馬の神経回路

反回結合回路が出てきたので，まずここで海馬の主要な回路について触れておく（図4.16）．ヒトでは側頭葉内側部に，ラットでは皮質と視床の間に位置する海馬体 (hippocampal formation) は進化的に古い類のIII層皮質，不等皮質 (allocortex) に属する．海馬内の回路は種を超えて保存されており，大きく分けてCA3, CA1 からなるアンモン核と歯状回，さらに海馬至脚の4つの領域

4.6 海馬の特性とエピソード記憶——Marr の「Simple Memory」理論　169

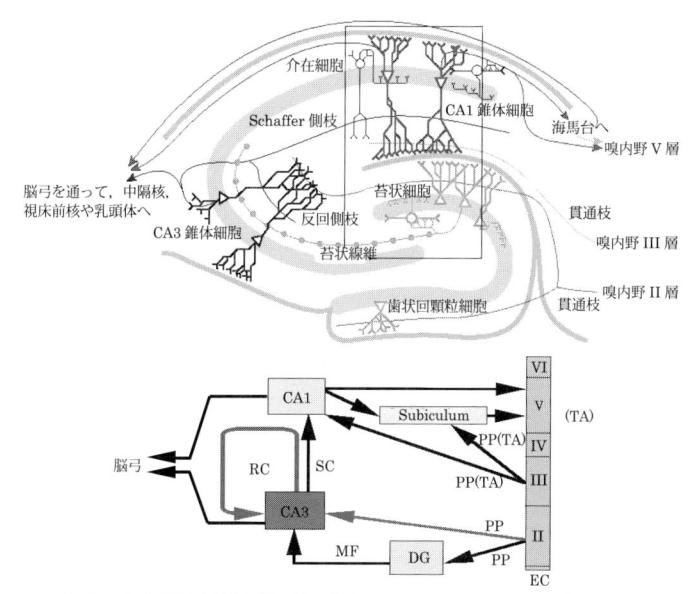

図 4.16 海馬の主な興奮性投射路（上図は，Nakazawa, 2002．下図は Nakazawa et al., 2002 より改変）

　感覚器，大脳皮質を経て嗅内皮質 (entorhinal cortex: EC) 浅層に到達した知覚情報は，大きく 2 つの経路を経て海馬の CA1 領域に送られる．1 つは嗅内皮質 II 層から貫通枝 (perforant path: PP) が，歯状回を経て（苔状線維：mossy fiber: MF)，または直接に CA3 領域に投射し，Schaffer 側枝 (Schaeffer collateral: SC) を介して CA1 領域に至る．この経路で特徴的なことは，CA3 領域の錐体細胞が反回側枝も出して隣接する細胞どうしと密にシナプスを形成し，くもの巣状の反回結合回路 (recurrent connection: RC) をつくっていることである．CA1 領域へのもう 1 つの経路として嗅内皮質 III 層から貫通枝 (PP) が直接 CA1 境域に線維を送っている (temporoammonic pathway (TA) とも呼ばれる．情報処理に関する各領域の主な機能は，歯状回が嗅内皮質からの入力のゲートとしてはたらき，その微妙な違いを増幅（パターンセパレーション）して CA3 領域に送り，CA3 領域は情報の迅速な連合性獲得（パターンアソシエーション）とその連想性想起（パターンコンプリーション）に関与する．また CA1 領域は CA3 領域からの即時記憶情報と貫通枝 (PP) から直接伝播する現在または少し前のオンライン情報を比較し（コンパレーター），かつ統合して一時的に保持し，嗅内皮質深層へ情報を送ると考えられる．

からなる．サルやヒトでは CA2 も大きいがその機能的独自性はいまだ不明である．海馬周辺皮質（嗅周囲皮質，海馬傍回と嗅内皮質）に到達した知覚情報は主に嗅内皮質浅層を介して（一部は介さずに直接）海馬の歯状回，CA3，CA1，海馬至脚の各領域に投射され，独自の情報処理が行われたのち主要な出力である CA1 領域で海馬の出力として統合され，一部は海馬至脚を介して 3 つの経路で海馬を離れる．第 1 の出力は CA1 から嗅内皮質深層や膨大後部皮質などへ，第 2 は連合縦束 (longitudinal association bundle) を介してから知覚連合野（視覚野，聴覚野，嗅覚系など）や扁桃体や側坐核，そして一部前頭前野に，

第3はCA1またはCA3から脳弓を介して皮質下領域（外側中隔，乳頭体，視床前核，視床下部など）や前頭前野のうち，とくに前辺縁皮質 (prelimbic cortex: PL) と下辺縁皮質 (infralimbic cortex: IL) に直接線維を送る (Cenquizca & Swanson, 2007). この脳弓を介した第3の経路は，後述するように海馬で形成された記憶が次第に前頭前野依存性になる systems consolidation の経路に合致するが，その検証はこれからである.

CA1領域に到達する海馬内回路として機能的重要性が明らかになっている最初の経路は，嗅内皮質 II 層から貫通枝 (perforant path) ⇒ 歯状回顆粒細胞から苔状線維 (mossy fiber) ⇒ CA3 錐体細胞から Schaffer 側枝 ⇒ CA1 錐体細胞，のいわゆる trisynaptic pathway である. もう1つCA1に入る主要経路は，嗅内皮質 III 層から貫通枝 ⇒ CA1 錐体細胞の樹状突起の遠位端で temporoammonic pathway とも呼ばれる. この経路を有名にした実験は，ラットの Schaffer 側枝をナイフカットしても環状水迷路を用いた空間的な再認記憶が正常に獲得され，CA1の場所細胞活動も正常だったという Brun らの実験である (Brun et al., 2002). これらの各シナプスで起こる長期増強や長期抑圧などのシナプス可塑性の分子メカニズムは60年代に発見されて以来，記憶の細胞レベルでの素過程として半世紀近くにわたり研究されてきた.

(b) 歯状回と CA3 領域の機能

Marr の「Simple Memory」理論に従って海馬内サブフィールドの機能を概観すると，まず海馬の基本的な機能として「連合 (association)」が挙げられる. 大脳皮質の錐体細胞は 10^{10} 個あるがその個々にはせいぜい1万-2万の入力しかないことから，理論的に連合学習の効率はよくない. 逆に多くのモダリティーに分かれた大脳皮質の情報が最終的に収斂する場所が海馬である解剖学的事実と考えると，異なるモダリティーが連合する最適な場所としての海馬の役割が理解される. 前述のように Tulving や Squire がエピソード記憶は海馬で形成されるとしたこと，またそこから派生した海馬の configural association 仮説 (Rudy & Sutherland, 1995) や relational processing 仮説 (Eichenbaum & Cohen, 2001) などの解剖学的根拠もここにある. なかでも CA3 の反回結合回路はお互いが反回側枝で結ばれ，錐体細胞どうしの機能結合の確率が約4%と非常に高い（CA1 細胞は 0.7%）ので，Marr の予測に従って連合学習が起きる場所と推測され，その証拠が集まりつつある. たとえばある環境（文脈）の中で特定の匂

いのする容器を掘ると報酬が貰えるといった，文脈と匂いの対連合学習 (paired associate learning) を獲得した floxed-NR1 マウス（NMDA 受容体の遺伝子に loxP を挿入してある）に，学習後 Cre recombinase をウイルスで発現させて CA3 領域の NMDA 受容体遺伝子を一部欠損させると，その後の新しい文脈と新しい匂いの新たな連合学習が障害された (Rajji et al., 2006).

pattern separation に関しては，歯状回で起きるだろうという予測が McNaughton & Morris (1987) によって提起されたが，最近それを裏付ける結果が出てきた．MIT の利根川グループは，歯状回の顆粒細胞特異的に NMDA 受容体遺伝子を欠損させたマウスをつくり，文脈性恐怖条件付けと CA3 領域の場所細胞記録を利用して pattern separation を評価した．すなわちマウスを 2 つの文脈のうちの 1 つと恐怖条件付けしたのち文脈を識別して想起できるか調べると，変異マウスのみ両方の文脈で freezing, つまり刺激般化 (generalization) を起こし pattern separation の障害と思われた．また CA3 の場所細胞は通常同じ場所にあっても円形の open field と長方形のそれとで異なる発火特性を示すが，変異動物の CA3 場所細胞は発火特性の差が小さかった (McHugh et al., 2007).

他方，Marr が予測した記憶想起時の pattern completion も，利根川研究室で CA3 錐体細胞特異的に NMDA 受容体遺伝子を欠損させたマウスをつくり，Morris 水迷路と CA1 領域の場所細胞記録を利用して pattern completion が評価された (Nakazawa et al., 2002). すなわち CA3 NMDA 受容体がなくても変異マウスは空間参照記憶をまったく正常に学習することを確認した後，プローブテストの際，空間的視覚手がかりの多くを除いて一部の視覚手がかり刺激でプラットフォームのあった場所を泳ぐことができるかを調べると，変異マウスはその場所に素早くたどりつき正確に泳ぐことができなかった．さらに慣れ親しんだ部屋での対照マウスの CA1 場所細胞の発火特性は空間的視覚手がかりの多くを除いても不変なのに，CA3 NMDA 受容体のないマウスは著しく減弱することが確かめられた．以上の結果はこの変異マウスの記憶想起時の pattern completion の障害を示し，これは CA3 領域の NMDA 受容体遺伝子がないために，pattern completion を起こす記憶痕跡が CA3 に形成されなかったためと推測された．また同じ CA3 NMDA 受容体欠損マウスを一試行性の文脈性恐怖条件付けして，3 時間後の想起時に 2 つの文脈を識別できるかが最近評価さ

れ，この変異マウスも pattern separation が障害されていることが確かめられた (Cravens et al., 2006). すなわち CA3 領域は記憶獲得の際には状況に応じて pattern separation を行うと思われる.

Guzowski らはこれを評価するため，ラット CA3 錐体細胞での最初期遺伝子 Arc と Homer 1a の共発現パターンを蛍光 *in situ* hybridization 法を用いて似た環境とまったく異なる環境とで比較した. この場合，最初の環境刺激で新たに発現した Homer 1a と，次の環境刺激で発現した Arc の mRNA はその細胞内局在から識別できるようになっている. すると似た環境に連続して入れて両方の mRNA を発現した細胞の数（頻度）は，CA1 細胞に比べて CA3 細胞ではより高く (pattern completion と解釈される)，逆にまったく異なる環境に連続被爆したら，どちらか一方の mRNA のみを発現している CA3 細胞が CA1 よりも多くなった (pattern separation) (Vazdarjanova & Guzowski, 2004).

それでは歯状回と CA3 の pattern separation の特性に違いはあるか？ この問いに答えるべく，Moser のグループは，ラットの探索行動中に歯状回と CA3 の両方から多ユニット同時記録をした (Leutgeb et al., 2007). すなわち pattern separation を評価するために，正方形から円形に形が微妙に変化していく一連の open field 群 (morph) の中で各形で 10 分ごとに記録をとり，場所細胞の時空間的な共発火の程度を評価した. 歯状回顆粒細胞も場所細胞活動を呈するが受容野ピークを複数形成する特徴がある. この細胞は正方形から円形に形が微妙に変化していくにつれて場所受容野も敏感に反応変化した. また，より大きな変化として，部屋を変えてその中で正方形内どうしの活動を比較すると，同じ細胞が発火し続け，新たに細胞は動因されない傾向にあった. 他方，CA3 細胞は正方形から円形に形が微妙に変化しても，元の発火パターンを維持しようとし，あるところで突然円型パターンに変化した（アトラクター様の振る舞いをした）. また，同じ正方形の Field でも部屋を変えると新たに異なる細胞が発火して場所受容野を形成した. 以上の結果をまとめると，歯状回顆粒細胞は皮質性入力の微妙な差を広げる作用をし，入力の差がもともと大きければ何もしない. 他方 CA3 細胞は皮質性入力の入力の微妙な差には pattern completion したかのように反応せず，より大きな差のある入力には新たな場所細胞を動因する global remapping の手法で pattern separation を起こした. すなわち歯状回と CA3 の pattern separation はそのメカニズムが異なることが提唱された.

(c) CA1 領域の機能

それでは CA1 領域はいったい何をしているのだろうか？　有力な仮説として mismatch を検出する novelty detection 仮説や comparator 仮説が挙げられる．novelty detection 仮説は，60 年代に覚醒時のウサギの CA1 からユニット電位を測定していた Vinogradova（総説として Vinogradova, 2001）が提唱したもので，comparator 仮説は Gray がもともと神経不安のメカニズムを説明するモデルとして提案した (Gray, 1982)．両方とも海馬は現在の情報と記憶情報などから予想された情報を比較し違っていれば修正する，というもので脳の中にどこにでもありそうな機構であるが，以下の理由で CA1 が有力視されている．すなわち CA3 からの Schaffer 側枝が trisynaptic pathway を介して今まさに更新したばかりの記憶情報を CA1 に提示し，他方嗅内皮質 III 層からの temporoammonic pathway がしばらく前に皮質に蓄えわれた情報を繰り返し提示していると推測されるのである．また CA3 に一時的に蓄えられた記憶情報が嗅内皮質 III 層からの現在情報と比較されると考えることもできる．CA1 場所細胞は新規な環境に入ってから多くは 2 分から 10 分で受容野の形成を完了する．実際，前述の CA3 の NMDA 受容体欠損マウスを新規な環境に入れると CA1 の場所細胞の性質が即座に更新して場所受容野の空間特異性をシャープにチューニングすることができなくなること，また遅延非場所合わせ課題も障害されることが報告された (Nakazawa et al., 2003)．これは CA3 からのタイムリーで正確な情報が CA1 の迅速な場所細胞表現の新規形成に必須であることを示唆する．

(d) CA1 の場所細胞と記憶

海馬 CA1 細胞が単に場所やランドマークだけをコードしているのではなく，動物自身の動きや非空間知覚（head direction や速度，平衡感覚，空気の流れなどを含み，idiothetic cue と称される）や報酬系などもコードする可能性を示すデータは多い．たとえば Edvard Moser のグループは水迷路中のラット CA1 から場所細胞活動を記録し，水面下プラットフォームが新しい場所に移ったことを初めて体験した際に，その場所に新たに場所細胞が形成されることを報告し (Fyhn et al., 2002)，CA1 の活動が情報の mismatch またはそれを知った結果，修飾されることを明確に示した．また同じグループは，環状水迷路 (annular watermaze) で一定の場所の水面下プラットフォームに逃避するタイプの空間再

認学習中に CA1 場所細胞記録をして，学習に従ってゴール場所に検出される場所細胞の数が増えることを示した (Hollup et al., 2001)．これは報酬系によって場所表現が修飾強化されることを示唆する．また Eichenbaum ら (Wood et al., 2000) は，8字型迷路で真ん中の共通通路から左右のアームを交互に通り抜けて元に戻るように訓練したラットの CA1 細胞のうち，共通通路に受容野を持つ細胞の半分以上が，その直前の試行で右（または左）に曲がってきたことに依存して発火する (retrospective coding) ようになることを発見した（図4.14(c)）．これは場所細胞活動が短期記憶によって修飾されることを示す．このようにラットの CA1 の個々の場所細胞が場所だけでなく，エピソードを構成するさまざまな情報を表現する可能性がある．

さらに個々の場所細胞の変化だけでなく CA1 全体のアンサンブルな活動のパターンとして，学習の結果，つまり記憶を表現している可能性は高い (Nakazawa et al., 2004)．前述のように海馬の細胞は分散表現をとり，隣どうしの細胞はまったく異なる時空間をコードしている．さらに同じ細胞が複数の環境で発火する際には，その共発火のパートナーの細胞グループを大きく変えることが知られており，global remapping と呼ばれることは先に述べた．実際，CA3 細胞や歯状回顆粒細胞は環境の微妙な変化や大きな変化に応じて，集団として pattern completion や pattern separation を起こし，集団として認知的な振る舞いをする．このように複数の細胞の発火パターンが記憶表現となりうる．

このことを CA1 領域で最初に明快に示したのが Wilson & McNaughton (1993) である．tetrode という電極を複数ラットの CA1 領域に埋め込んで，動物行動中から 70–140 個のユニット電位同時記録を技術的に可能にして初めて明らかとなった（図 4.14）．これだけ多くの細胞発火を記録すると神経活動からの個体の行動予測が可能で，彼らは後にラットの探索行動中の軌道を誤差 1 cm 以内の精度で予測するには，せいぜい 30 個程度の発火活動があればいいことを突き止めた．また新しい環境でアンサンブル活動が新たに形成された後，元の環境に戻っても元の環境のアンサンブル活動が干渉なく観察され，安定な'記憶'表現 (ensemble representation) が確認された．

4.6.3 海馬発火活動による記憶情報の再活性化

CA1 領域のアンサンブルコーディングが記憶表現に関与することを示唆した

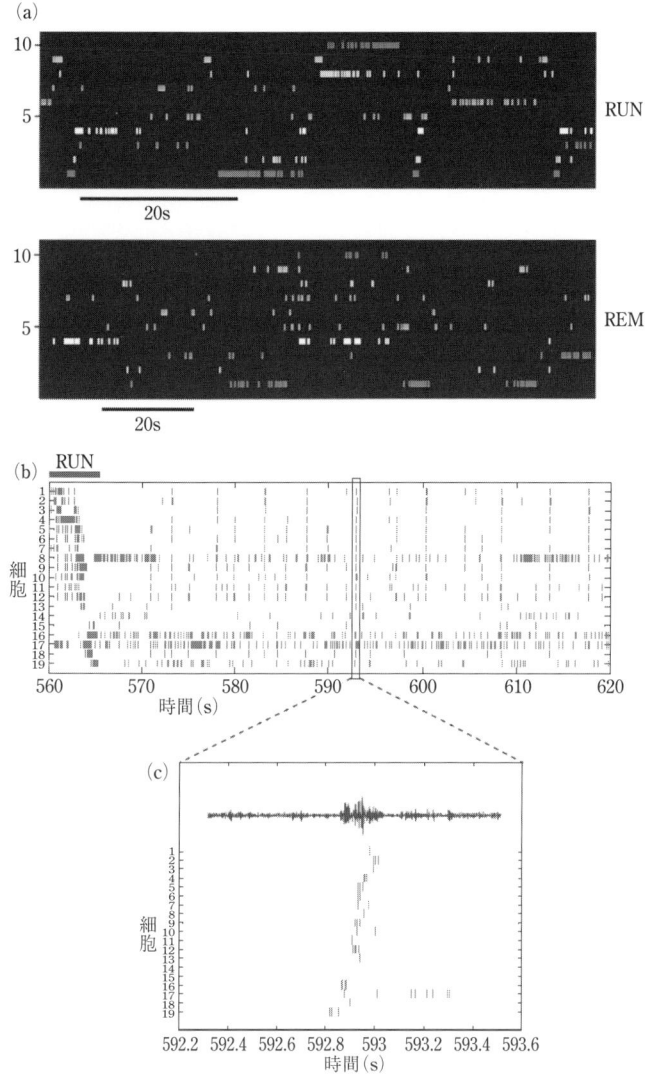

図 **4.17** CA1 錐体細胞の時系列発火 (Louie & Wilson, 2001; Foster & Wilson, 2006)((a) はカバー袖に再掲)

ラット海馬 CA1 領域の 10 個の錐体細胞の迷路を探索行動中の時空間発火系列がその直後のレム睡眠中にリプレイされた．(b) 同様に探索行動中の時空間発火系列（図左上で RUN の下に示された 19 個の CA1 錐体細胞発火）が，その 30 秒後の覚醒時の非探索行動時 (awake immobility) に EEG で同時計測されたリプル波に同期して逆行性にリプレイしていることを示す．上例の CA1 細胞の時系列発火のリプレイはその直前に獲得した記憶の発火パターンを脳皮質や皮質下脳領域に即時転送している可能性がある．

もう1つの実験証拠も Wilson & McNaughton (1994) が最初に提出した．すなわち探索行動中に同時発火した場所細胞群は，その直後の徐波睡眠 (slow-wave sleep) 中にも有意に同期発火することを示したのである．これは単に神経の発火頻度が上がったからではない．というのは，覚醒時に同時発火しなかった細胞どうしは，すなわち場所受容野を共有していない細胞どうしはその後の徐波睡眠中に同時発火していないのである（図 4.14(b)）．これはまさしく Marr の4番目の予測，睡眠中の記憶の固定を支持するものであった．

その後の研究でこの再活性化 (reactivation) 現象は，鋭波 (sharp wave) に伴うことの多いリプル (ripple) と呼ばれる CA1 細胞の約 200 Hz のバースト (burst) 様発火の最中に観察された (Lee & Wilson, 2002)．また Willson らは，レム (REM: Rapid eye movement) 睡眠の間でも覚醒時の経験に基づくラットの海馬錐体細胞の時系列発火の再活性化が起こることを示し，動物も夢を見るのではないかという大きな議論を巻き起こした（図 4.17(a)；Louie & Wilson, 2001）．

睡眠時に発火活動がリプレイされるので，記憶が睡眠時に皮質など海馬の下流に転送固定されるという Marr の予想は現実味を帯びてきた．しかし，たとえばヒトの場合，昼間起きている間に相当の学習をしてから夜 7–8 時間眠るが，習ったことを夜までリプレイなしで保持しているのだろうか？ 実は最近，海馬 CA1 錐体細胞の時系列発火が覚醒時にも起きていることを示す現象が見つかった．CA3 起源とされる鋭波は，覚醒時にも動物が毛繕い（grooming や licking など）や摂食飲水の最中や探索行動中のふと休止した際にごく短時間観察されるが，これに伴う CA1 でのリプル波の最中に CA1 錐体細胞の時系列発火が，あたかもその直前の探索行動中の発火を順向性または逆向性に繰り返したかのように観察された（図 4.17(b)；Foster & Wilson, 2006）．この CA1 細胞の時系列発火のリプレイは，その直前に獲得した記憶の発火パターンを'おさらい'して，さらに大脳皮質や皮質下脳領域に即時転送している可能性がある．睡眠中には逆向性リプレイは観察されないので覚醒時の逆向性リプレイの意義は不明であるが，睡眠時だけに記憶の固定が起きるという従来の見解は覆されることになりそうである．今後，この雛形配列の再活性化が実際の記憶の想起か否かを検証することは大きな研究課題である．

4.7 記憶の獲得と固定——Morris の「神経生物学仮説」

4.7.1 海馬での記憶の獲得と長期増強現象

海馬体の機能仮説としては，Morris の神経生物学仮説 (Morris, 2006) に注目したい．Morris は自ら開発した水迷路を用いて長年海馬の長期増強現象 (LTP) と空間参照記憶との関係を研究したが，最近 10 年は海馬とエピソード様記憶の関係に焦点を当て，その記憶の獲得と固定化の分子メカニズムを研究してきた．それらも含めて提唱した仮説は，エピソード様記憶のために海馬がどう機能しているかをまとめたもので，長期記憶形成の過程に焦点を絞り，①記憶の獲得と一過性貯蔵，②細胞内に記憶痕跡を固定させる (cellular consolidation)，③さらに大脳皮質内の記憶痕跡と連合させ固定させる (systems consolidation)，④最後に，4.6.2 項 (c) に CA1 領域の機能として述べたように，新規イベントの迅速かつオンライン検出 (novelty detection)，の 4 つからなる．

最初に，①の記憶獲得に関与する海馬の特性として，彼は意識された出来事の自動的（偶発的）獲得 (automatic or incidental encoding of attended events) を重視している．日常記憶のオンライン的な自動的獲得を保証するために，意識に上らないほとんどの記憶が消え去る必要のあることは短期記憶の節 (4.3 節) で述べた．そのなかで注視，報酬，情動などに支えられた短期記憶のみが長期記憶として海馬で固定されることは Squire 以来，多くの研究者の意見の一致するところである．実際，CA3 錐体細胞に NMDA 受容体を欠くマウスでは，文脈記憶の自動的（偶発的）獲得に障害があることを示唆する結果が得られている (Cravens et al., 2006)．

それでは注視，報酬，情動などにより知覚刺激が長期記憶へ導かれる分子基盤は何か？　シナプスレベルで最も有力なのがシナプスの長期増強 (LTP) や長期抑圧 (LTD) である．LTP/LTD は脳切片を用いる限り，ほとんどの脳シナプスで認められることから記憶の分子メカニズムを研究する実験系として盛んに研究された．シナプスの種類とその脳部位によって LTP の形成メカニズムはやや異なるが，大別してシナプス前細胞の軸索末端 (axon terminal) からの神経伝達物質の放出の持続的亢進，またはシナプス後細胞スパイン (spine) での AMPA 型グルタミン酸受容体の細胞内から細胞膜上への表出増加が，LTP

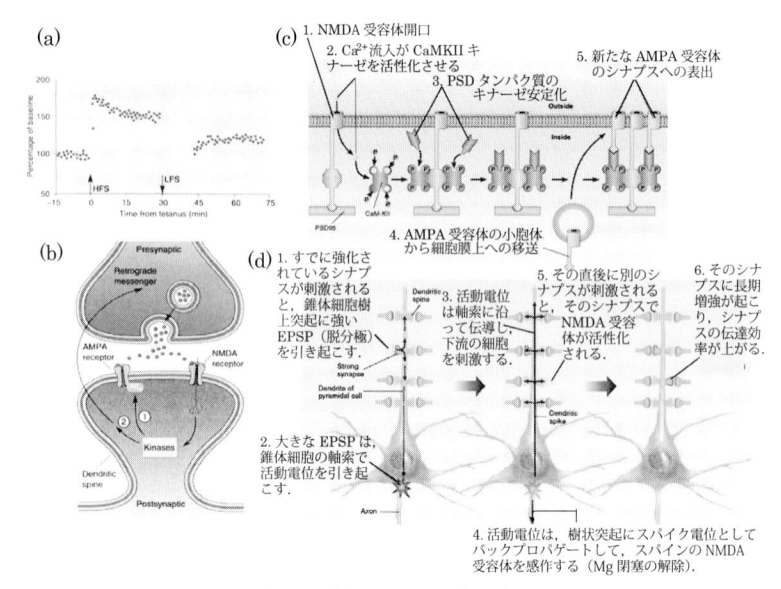

図 4.18 海馬 CA1 シナプスの可塑性のメカニズム（(b) は Bear et al., 2006.（c）と (d) は Allyn & Bacon 作成）

海馬切片上で CA3 細胞の Schaffer 側枝を高頻度刺激 (HFS) して下流の CA1 領域で細胞外電位 field EPSP を測定すると，(a) のように集合電位の持続的亢進が観察され，これは長期増強 (LTP) と呼ばれる．逆に低頻度刺激 (LFS) すると集合電位の持続的低下が観察され長期抑圧 (LTD) が起きる．LTP の誘導にはシナプス前の軸索末端とシナプス後部の樹状突起の両方の変化が必要で，まず高頻度刺激でシナプス後部の樹状突起スパイン内の脱分極が起きると，(c) のように NMDA 受容体の Mg^{2+} 閉塞が外れ受容体を通じて Ca^{2+} が局所的に細胞内流入し，可塑性に必要な細胞内伝達機構を活性化する．たとえば Ca^{2+}/Calmodulin Kinase II などが活性化して，やがて AMPA 受容体をスパイン表面のシナプス小胞直下により多く表出させる（(b) の経路 1）．この結果グルタミン酸に対するシナプス後部の親和性が持続的に高まる．同時にシナプス後部で逆行性伝達物質（一酸化窒素などが候補）が生成されてシナプス前の軸索末端に作用し，シナプス小胞の放出を持続亢進させる（(b) の経路 2）．(d) のように海馬や大脳皮質の錐体細胞では高頻度刺激がなくとも LTP は入力の連合 associativity で起こる．すなわち，あるシナプスへの入力が細胞体で活動電位を起こすとそれが樹状突起に逆伝播して (back propagation)，NMDA 受容体を活性化させる．その約 20 ms の短い間に別のシナプスに入力が入るとそのシナプスでいわゆる spike-timing 依存性 LTP が起きる．

発現の主要メカニズムである．最も研究された海馬の CA1 シナプスの場合（図 4.18)，NMDA 型グルタミン酸受容体の阻害剤 AP5 が LTP の誘導を阻害し，逆に NMDA の還流刺激のみでは短期増強は起きるが LTP は決して起きないことなどから，シナプス前細胞と後細胞の両方が CA3—CA1 シナプスでの LTP 発現に関与していることが推測されている．すなわち，シナプス後細胞の脱分極が NMDA 受容体をカルシウムチャネル化して LTP 誘導に必要な樹状突起内カルシウムの上昇を促し，IP3 などの 2 次メッセンジャー系を駆動し，タンパ

ク質リン酸化やタンパク質相互作用を介して一連の細胞内反応をする．これが結局のところ AMPA 受容体のスパイン上での数を増し，さらに何らかの逆向性シグナル (retrograde messenger) がシナプス前細胞に到達し，軸索末端で神経伝達物質の放出の持続的亢進を促し，LTP の発現が維持されると考えられている (Bliss & Collingridge, 1993)．

LTP と海馬の空間記憶との関連は水迷路を使った Morris らの一連の実験で示された．すなわち LTP の誘導を阻害する量の AP5 をラット両側海馬内へ投与すると，水迷路での視覚識別に依存した逃避課題 (visual platform task) は正常だが，空間的視覚手がかりに依存した水面下プラットフォームの場所を連日のトレーニングで学習する空間参照記憶が障害された (Morris, 1989)．しかし行動薬理的実験では，海馬のどの細胞間で LTP が誘導され記憶が形成されるのか不明であった．そこで脳科学の分野で最初に遺伝子ノックアウトを導入した MIT の利根川らのグループは，1996 年に CA1 錐体細胞選択的に NMDA 受容体を欠失したマウスを遺伝学的に作製し，CA1 シナプスの LTP が誘導されないこと，Morris の水迷路学習（空間参照記憶）が阻害されることを示して，AP5 を使ったこれまでの実験結果を CA1 錐体細胞レベルで実証した (Tsien et al., 1996)．

このように LTP を引き起こす細胞メカニズムが学習のメカニズムでもあろうと推測されたが，その因果関係は最近まで明らかでなかった．しかし記憶の形成中に刺激誘導性の興奮性フィールド電位 (evoked fEPSP) が，多くの CA1 領域で持続上昇するという報告が最近出てきた．特筆すべきことは，学習によって誘起された evoked fEPSP の持続亢進で実験的 LTP の誘導が障害されたこと，すなわち LTP の閉塞が起きていたこと (Whitlock et al., 2006) である．これは実験的な LTP と学習によって誘起された evoked fEPSP の持続亢進のメカニズムが同一であることを示唆する．シナプスの可塑性としては長期増強のほかに長期抑圧，シナプス発芽（synaptogenesis または sprouting）などが広く知られ，記憶の獲得や消去などとどのような因果関係があるのかは現在盛んに研究がされている．

4.7.2 海馬での記憶の固定化メカニズム

Morris の第 2 の主張は記憶の海馬内固定化のメカニズムである．長期記憶

の形成にタンパク質合成が必要であることは，タンパク質合成阻害剤がマウスの短期記憶に影響しないが長期記憶を阻害するという Flexner らの一連の研究（Flexner et al., 1962 など）以来，さまざまな動物行動実験で繰り返し示されてきた．しかしその分子細胞生物学的なメカニズムはアメフラシの長期感作の系など一部を除いて依然不明なままであり，今日まで盛んに研究が進められている．

まず Krug ら (1984) が，覚醒中のラット歯状回顆粒細胞での in vivo LTP がタンパク質合成阻害剤の存在下ではせいぜい 3 時間しか持たないことを初めて示して以来，LTP にもタンパク質合成非依存性の一過性の前期 LTP (early-LTP: E-LTP) とタンパク質合成依存性の後期 LTP (late-LTP: L-LTP) があることが明らかとなり，短期記憶と長期記憶との類似性が注目された．同じころアメフラシを用いた一連の研究から Kandel らは，短期記憶を形成する同じ刺激が繰り返されると最初期遺伝子群（immediate early genes: c-Fos, Zif268 など）を皮切りに細胞核で新たな遺伝子発現が引き起こされ，それがタンパク質合成を介して長期記憶を固定することを提案した (Goelet et al., 1986)．それ以来，最初期遺伝子群と長期記憶の固定との関連が実験的に示唆されてきた．しかし記憶固定の場であるシナプスは遺伝子転写の起きる細胞核からは離れている．Kandel の提案には，核での最初期遺伝子群の発現がどうやってシナプス特異的に影響を与えることができるかについての説明がなかった．実際，actinomycin D などの転写阻害剤を LTP 誘導時に動物に投与すると in vivo L-LTP は 8 時間以降で阻害されるという報告があり，いずれ細胞核からの転写産物が記憶の固定に必要となる可能性が高い．逆にいえば LTP 誘導後最大 8 時間までは細胞核に頼らなくても late-LTP が維持されうるわけで，L-LTP のその転写阻害剤非依存性の時期には樹状突起での新規のタンパク質合成が重要性を帯びてくる．

Bodian (1965) の先駆的な研究から，新規のタンパク質合成が樹状突起で起きる可能性は示されていた．その記憶機構との関連にいち早く気づいた Frey は Morris 研究室滞在中に行った自身の実験結果に基づいて，記憶のシナプスでの固定に関する魅力的な仮説を発表した (Frey & Morris, 1997)．彼らはラット海馬切片上である CA1 シナプスに強い刺激で持続性の L-LTP を起こした後，その前後 1 時間以内に同じニューロンの別のシナプスを弱く刺激してもそのシナプスで L-LTP が起きること，その E-LTP から L-LTP への変換はタンパク

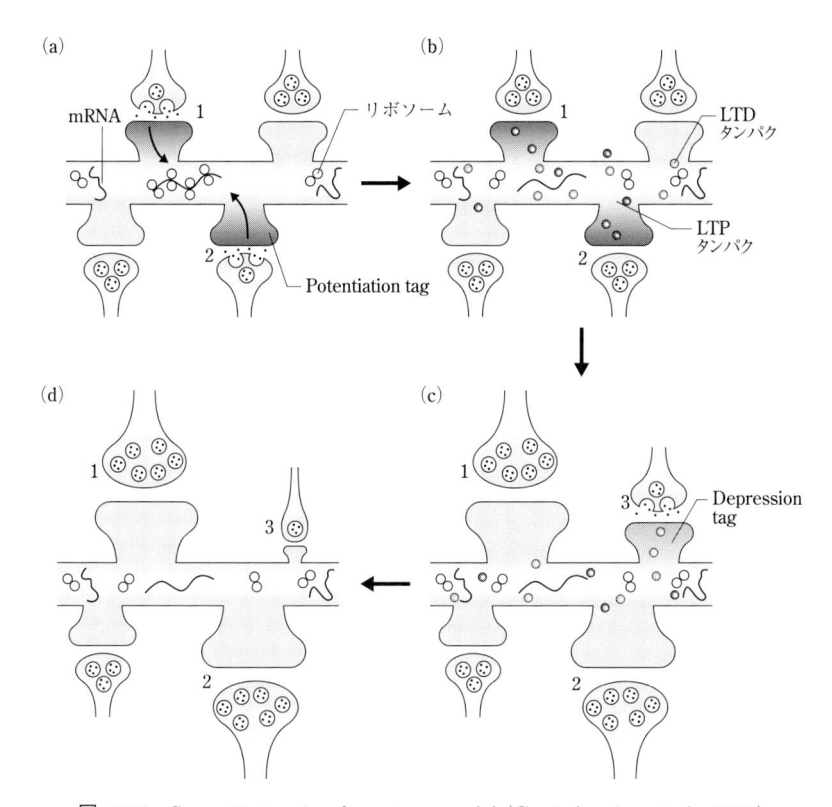

図 4.19 Synaptic tagging & capture model (Govindarajan et al., 2006)
Frey & Morris (1997) は記憶痕跡としての LTP/LTD がシナプスに固定化するメカニズムとして synaptic tagging & capture model を提唱した．持続性の L-LTP を起こすような強い刺激でタンパク質非依存性の LTP 用分子タグが一過性に刺激されたシナプス特異的に形成され (a)，LTP の入力特異性を保証する．同時に樹状突起内のある一定範囲に LTP 誘導可能な可塑性タンパク質が新規合成されるが 1–2 時間で消失する (b)．したがって，この状態の前後約 1 時間以内に樹状突起内の別のシナプスに E-LTP を起こすような弱い刺激が入ると，そのシナプスに LTP 用分子タグのみが形成され (tagging)，それが樹状突起内に拡散している可塑性タンパク質を捕捉し (capture) シナプス特異的に L-LTP への変換を起こし，その結果シナプス結合は強固になる (c)．なお L-LTP を起こした前後に別のシナプスに E-LTD 刺激を入れたら L-LTD になるので ((c) から (d))，MIT の利根川らは新規翻訳される可塑性タンパク質は共用される (capture associativity) ことを指摘した．

質合成を介しシナプス入力特異的であることを示した．これらの実験から Frey と Morris は，synaptic tagging & capture model（訳せば「シナプスタグ化可塑性タンパク質捕捉モデル」）を提唱した（図 4.19）．すなわち持続性の L-LTP を起こすような強い刺激で 2 種類の分子的変化が樹状突起に起きる．1 つはタンパク質非依存性の LTP 用分子タグが一過性に（1 時間以内）刺激されたシナ

プス特異的に形成され，LTP の入力特異性を保証する．同時に LTP 誘導可能な可塑性タンパク質が樹状突起内のタンパク質翻訳装置を使って，ある一定範囲に新規に合成されるが 1–2 時間で消失する．したがって，この状態の前後約 1 時間以内に樹状突起内の別のシナプスに E-LTP を起こすような弱い刺激が入ると，そのシナプスに LTP 用分子タグのみが形成され，それが樹状突起内に拡散している可塑性タンパク質を捕捉し，シナプス特異的に L-LTP への変換を起こすというわけである．なお L-LTP を起こした前後に別のシナプスに E-LTD 刺激を入れたら L-LTD になったので，タグは LTP/LTD 特異的だが，新規翻訳される可塑性タンパク質は共用される可能性があり，現在その分子の同定が競われている．

　この記憶固定のシナプスモデルはあくまでも LTP/LTD が記憶の分子基盤であることを前提としているが，最近これに似た現象が動物行動レベルでも起こり得ることが報告されて話題となっている．Moncada & Viola (2007) は，2種類の海馬依存性の行動課題を用意し，抑制性逃避課題 (inhibitory avoidance: IA) を E-LTP を起こすような弱い刺激と喩え，新環境探索 (spatial novelty exploration) を L-LTP を起こすような強い刺激として，この 2 つの課題をラットに時間をずらして行わせて IA 課題の記憶保持時間を測定した．すると 15 分しか記憶の残らない弱い条件付けをした IA 課題の 1 時間前または 15 分後に新環境探索を行わせると，IA 課題で形成された記憶が 24 時間保持された，すなわち長期記憶化したのである．新環境探索の直後に，海馬にタンパク質合成阻害剤またはドーパミン受容体阻害剤を注入すると長期記憶化は阻害されたことから，新環境探索で海馬に可塑性タンパク質が新規合成された可能性も確認した．今後の研究の進展が期待される．

4.7.3　海馬から皮質への記憶の固定

(a)　記憶の見出し仮説

　Morris の第 3 の主張は Squire の宣言的記憶仮説の第 4 項とほぼ同じである．すなわち，記憶は形成当初海馬に一過性に固定 (cellular consolidation) されるがその後の皮質へ徐々に転送固定されるという systems consolidation の概念で standard model とされ，健忘症患者やサルやラットなどさまざまな動物の海馬破壊実験で示されてきた（総説として Frankland & Bomtempi, 2005 な

ど).ただし Morris は Squire と違って,海馬から記憶が文字どおりそのまま「転送」して,海馬から消えてしまうとは考えていないようである.むしろ海馬の記憶痕跡は,皮質に貯蔵された記憶と間接的に 1 対 1 対応を持った索引または見出し (index) として機能していると提唱している.たとえば,まず皮質の記憶パターンが活性化するとそれと対応を持った海馬の見出し記憶が活性化し,海馬ネットワークを介して海馬内の他の見出し記憶も活性化され,その結果,皮質の別の領域に貯蔵された連合性記憶も活性化されるというわけである.

この海馬の記憶見出し仮説 (memory indexing theory) はもともと Teyler & DiScenna (1987) が唱えた仮説で,記憶は海馬から皮質へ単に転送されて固定されるのではなく,海馬は記憶が皮質の各領域に固定されるのをガイドし,またその読み出し(想起)に関与するというアイディアである.Nadel と Moscovitch が提唱している「記憶の多重痕跡仮説」(4.5.2 項) はもっと極端で,エピソード記憶や空間記憶は海馬に永続的に記憶され,意味記憶も形成時はエピソード的であるので海馬が関与するが,次第に意味記憶に変容して皮質に永久貯蔵される,すなわち,転送ではなく変容 (transformation) とした.また記憶の想起の際,どんなに古い記憶でもそれがエピソード記憶の場合,海馬から痕跡が活性化されて想起されるとしたが,これは明らかに海馬の記憶見出し仮説の影響が読み取れる.このように systems consolidation のメカニズムはいまだに未解決で,今後の研究が待たれる.

(b) 記憶の想起——海馬依存性から前頭前野依存性へ

それでは記憶の転送や変容が起きたとして,記憶は海馬でつくられた後,実際脳のどこへ転送または変容され,さらに貯蔵されるのだろうか? Bontempi らは,放射状迷路学習の 5 日後または 25 日後に代謝活性部位を示す放射性同位体 [^{14}C]2-DG を脳に取り込ませてから想起テストを行い,^{14}C が脳のどこに取り込まれたかを調べた (Bontempi et al., 1999).その結果,5 日後の想起テストでは海馬やその周辺に代謝活性が見られたが,25 日後の想起では前頭前野のとくに前帯状皮質 (anterior cingulate cortex: ACC) や側頭皮質などが活性化され,海馬の活性化はほとんど消失した.さらに桐野らはラットの瞬目反射条件付けの痕跡条件付け課題 (trace eye blink conditioning) が学習直後は海馬および小脳依存性であるが,内側前頭前野を破壊しても影響がないこと,逆に条件付け 4 週間後のラットの内側前頭前野または小脳を破壊すると条件付け反

応が消失するが，海馬破壊では消失しないことを見いだした (Takehara et al., 2003)．

これらの報告を皮切りにげっ歯類の場合，内側前頭前野が海馬からの記憶が転送固定される1つの皮質部位そのものであるか，または海馬に代わって想起をつかさどる部位であるという証拠が蓄積しつつある．健常人の場合でも高島らが900枚以上の写真を用いた視覚刺激の想起で1–3ヵ月以内に海馬のfMRIによる活性化が消失し，代わりに腹内側前頭前野 (ventro medial PFC) が活性化することを報告している (Takashima et al., 2006)．この報告で興味深いのは，ヒトにおける記憶獲得後の海馬非依存性になる期間が1ヵ月とげっ歯類のデータに一致し，これまで健忘症患者の研究から想定されていた「数年以内」と比べてきわめて短いことである．

(c) スキーマ理論

最近，記憶の皮質固定化またはその想起の皮質依存化（すなわち想起の海馬非依存化）が，脳にその記憶を受け入れる行動図式（スキーマ：schema）があれば，以前考えられていたよりかなり速く行われることを示す実験結果が報告された．Bartlett のスキーマ理論（1932年）によれば，人は外界からの情報を処理するために過去の経験から生まれた知識のまとまりを使って予測対応するという．たとえば，異国の地のレストランで食事をするときに過去に経験（スキーマ）がなければどう注文していいか戸惑ってしまう．前述の Morris のグループは，このスキーマの存在で皮質への新たな一試行性の対連合記憶の固定もきわめて迅速に行われることを示した (Tse et al., 2007)．

まず彼らはオブジェクトがいくつか配置され，床に香りのする餌を隠したイベントアリーナを用意し，ラットにスタート部位でも同じ香りを嗅がせその餌がどこに隠されているかを覚えさせる訓練をした．1時間後，床の別の位置に別の香りの餌を隠しスタート部位でその香りを嗅がせ餌がどこに隠されているかも探せるように訓練し，これを1時間おきに6種類の餌で行った．6種類の餌について完全に覚えるまでに約1ヵ月を要したが，その後まったく新しい餌を新しい場所に隠して一度訓練（つまり一試行学習）したのち，24時間後にスタート部位で新しい香りを嗅がせたらすぐ新しい場所を掘り当てた．さらにその24時間後に両側海馬破壊をして2週間後に想起テストを再び行っても，数週間費やして覚えた古い餌の場所だけでなく海馬破壊48時間前に学習した新し

い餌の場所も覚えていたのである．これはいったん学習のためのスキーマが記憶痕跡として海馬の外（おそらく大脳皮質）に形成されると，新たな記憶は48時間以内に海馬の外に固定され想起できるようになること，つまり海馬から皮質への systems consolidation が48時間以内に起きたことを示唆する．なお新しい学習の3時間後に両側海馬破壊をするとこの記憶は想起できないから，課題自体は海馬依存性である．以上の結果は高島らの報告とともに，海馬から大脳皮質への記憶の固定化は時間がかかるという従来の推測を覆すものである．

4.7.4　記憶の再固定化現象

それでは記憶の固定化（転送または変容）のプロセスは非可逆的なのだろうか？　すなわち，いったん固定化された長期記憶痕跡は永続的に安定なのだろうか？　最近，記憶痕跡は固定化した後，想起刺激を与えると再び不安定な，またはダイナミックな状態に変化することが，さまざまな生物で複数の記憶課題で確かめられた．一例を示そう．

たとえば恐怖条件付けをした直後，すなわち短期記憶が長期記憶に固定化される際には，樹状突起での新規のタンパク質合成が必要であり，タンパク質合成阻害剤に感受性であることはすでに述べた．この過程の後，今一度短時間の条件刺激を与えると記憶は想起されるが，その直後にタンパク質合成阻害剤の全身投与または電気ショックを与えると，その後，たとえばその24時間後に再び想起テストをしても想起されなくなる．これに対して条件刺激を与えなければ，タンパク質合成阻害剤投与や電気ショックをしてもその後に記憶は想起される．これは，想起のための条件刺激の直後に記憶痕跡が再び一過性に感受性を増し，外界の変化を受けやすくなったことを示し，これを記憶の再固定化 (reconsolidation) と呼ぶ（総説として Tronson & Taylor, 2007）．この現象は Misanin が1968年にすでに報告していたが，最近 Nader らによって再報告された (Nader et al., 2000)．これらの報告が固定化した後の記憶を操作できる可能性を示したことで，記憶の増強や外傷後ストレス障害 (Posttraumatic Stress Disorder: PTSD) の際の忌まわしい記憶の抑圧に将来は応用できるのではないかと期待されている．

しかし記憶の再固定化の分子メカニズムの研究は始まったばかりで多くの課題が潜む．たとえばこのプロセスは記憶の最初の固定化とどう違うのか？　た

とえば記憶が強烈なほど，または記憶が固定されてからの時間が長いほど，再固定化現象は観察されにくいことが報告されている．したがって再固定化は単に記憶の固定化の末期現象であろうとする推測する向きもあるが，古い記憶でも想起のための条件刺激を十分に長く与えれば再固定化現象が見られることが示されているので，この現象が記憶の古さのみに依存した受動的な固定化の延長上にあるとは考えにくい (Suzuki et al., 2004)．また条件刺激の与える長さや強さに応じて記憶痕跡への影響が異なることは，記憶痕跡がダイナミックに維持されていることを示す．たとえば文脈性恐怖条件付け課題の場合，想起刺激すなわち条件付けした環境への暴露時間が 1 分では再固定化は起こらず 3 分で起きて，さらに 30 分にすると今度はタンパク質合成依存性の記憶の消去が生じた (Suzuki et al., 2004)．消去とは条件付け成立後に条件刺激のみを与えても，条件反応（恐怖条件付けの場合はすくみ行動（フリージング：freezing））が観察されなくなることである（4.8.2 項参照）．面白いことに想起刺激の直前にカンナビノイド受容体阻害剤などの薬剤を投与すると消去は阻害剤でブロックされた（すくみ行動が起きた）が再固定化には影響がなかったので，想起刺激の長さに依存して起こる再固定化と消去とは異なる分子メカニズムによるらしい．

　それでは再固定化は脳のどこで起きるのだろうか？　これらの問いに答えるには想起刺激の直後に，タンパク質合成阻害剤などの薬剤を局所注入する必要がある．そして記憶課題によっては条件刺激直後の脳内局所投与でも想起の障害を起こすとの報告がある．たとえば恐怖条件付けでは扁桃体へのタンパク質合成阻害剤投与で，また痕跡恐怖反射条件付けでは海馬への局所注入で記憶痕跡は非安定になるという報告があるが，海馬の場合記憶の再固定化が見られるのは 2–4 週間以内に形成された記憶に限られるようである．また前頭前野に関しては記憶の再固定化現象の報告はわずかである．これは記憶の再固定化が海馬や扁桃体などに限られるのか，それとも辺縁系と大脳皮質の両方で起きていて広範な操作が必要なことを示唆しているのか，今のところ不明である．

4.8　扁桃体と前頭前野

4.8.1　扁桃体での恐怖学習

　これまで海馬で形成される記憶について述べてきたが，ここでとくにげっ歯

4.8 扁桃体と前頭前野

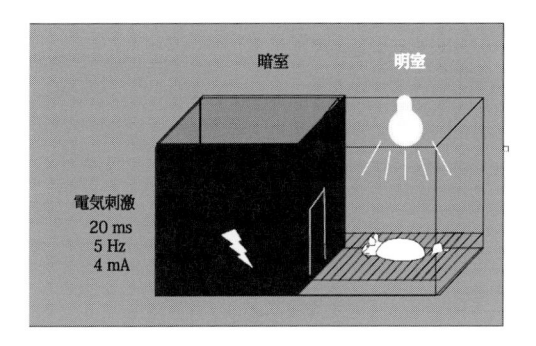

図 4.20 Step-through 型の受動的逃避課題

受動的回避テストは，①恐怖学習の形成想起と同時に，②その記憶が形成された後の行動抑制を調べる課題である．Step-through 型試験はげっ歯類が暗い場所を好むことを利用したもので，実験に用いる装置は，暗室と明室の 2 区画で構成される．訓練試行ではまず明室にマウスを入れ，15 秒後に暗室への扉を開くと，マウスは暗い場所を好むので扉が開くとすぐに暗室に入る．マウスが暗室に入った瞬間，床から弱い電気ショックを与える．一定時間（1 日，1 週間など）後，再びマウスを明箱に入れ暗室への扉を開き，暗室への以降潜時を反応潜時として測定する．反応潜時が長いほど，嫌悪刺激を記憶しているが，短い場合は記憶障害の可能性のほかに「暗箱に入らない」という行動抑制に異常がある可能性もある．なお，Step-down 型試験は，狭いプラットフォーム上に乗せた動物が床に降りたときに電気刺激を与えることにより条件付けを行い，その後に観察されるプラットフォームから降りることに対する躊躇行動を記憶の指標とする．両試験とも扁桃体依存性で，さらに一試行試験では文脈的な要素が強くなり，海馬依存性にもなりうる．

類の記憶学習の研究では汎用される扁桃体を介した恐怖学習 (fear learning) について概説したい．恐怖は環境の急激な変化に即応するために動物にとって生得的な防御メカニズムであり，動物は恐怖を引き起こす刺激に対して簡単に条件付け学習され，その記憶はラットやマウスの場合，すくみ行動，筋性驚愕反応 (potentiated startle)，心拍や血圧の上昇などで容易に測定可能である．

一般に連合学習 (associative learning) としての条件付けには 2 種類がある．1 つは古典的条件付けで，これはもともと中立的な条件刺激と無条件刺激の連合 (CS-US association) を学習し，条件反応 CR を示す．もう 1 つは道具的条件付け (instrumental conditioning)，すなわちオペラント条件付けで，こちらは行動と報酬の連合 (behavior-reinforcement association) を学習する．したがって恐怖条件付けにも，前述したように古典的条件付けとしての音恐怖条件付け (tone or cued fear conditioning)，また道具的条件付けの代表として受動（抑制性）回避 (passive avoidance or inhibitory avoidance) 課題の 2 種類がある．

受動回避課題は，動物が一度経験した嫌悪刺激（電気ショックなど）に対し

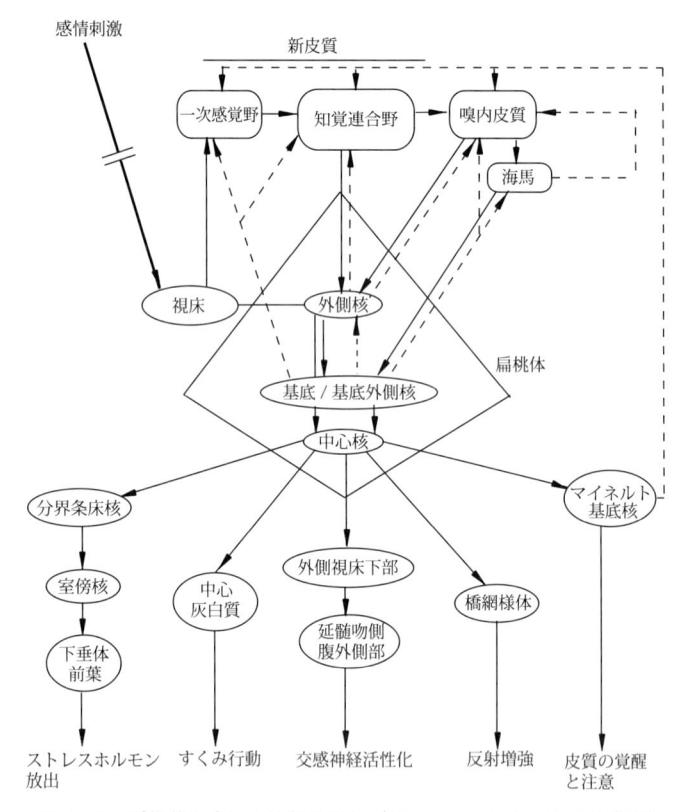

図 4.21　扁桃体を介した情報の流れ（Zigmond et al., 1999 を参考）

て示す回避行動を記憶の指標とするもので，step through 型と step down 型（とくに抑制性回避という）の 2 種類が汎用される（図 4.20）．たとえば step through 型では，Shuttle Box の一方の暗室に入って床電気ショックを受けると，その後明室から暗室への移動時間が反応潜時として上昇し，恐怖記憶の指標となる．受動回避課題は恐怖記憶の結果どう能動的に行動するかを含み，その意味でオペラント条件付けである．これら学習課題から獲得される記憶のメカニズムはともに扁桃体を介することで音恐怖条件付け課題と共有されるが，異なる点もある．

　さまざまな脳破壊実験，薬理実験や電気生理実験から恐怖条件付けを引き起こす音や文脈などの感覚情報（条件刺激）は，扁桃体の外側核 (LA) から基底外側

核 (BL) に入り中心核 (CE) を経るか,または基底外側核から直接に,分界条床核 (bed nucleus of the stria terminalis, ストレスホルモンを刺激する),中脳中心灰白質 (periaqueductal grey matter: PAG, Freezing を起こす) や外側視床下部 (交感神経を刺激する) などへ出力を出す (図 4.21). 最近の研究の進展としては,基底外側核と中心核の行動から見た出力機能の違いが明らかとなってきた. これは基底外側核が恐怖刺激から積極的に逃避する行動 (instrumental transfer) に関与するが中心核は受身的にすくみ行動を取ること,すなわち両者の機能が異なることが示唆された (総説として Knapska et al., 2007). その結果 CS-US 連合を起こす部位として,外側核のみならず中心核の両方が想定されるようになり,扁桃体内部の核はより複雑に機能分化しているらしい.

また,この条件付けの記憶が果たして扁桃体に永続的に貯蔵されるのか,それともどこか他の脳部位に貯蔵され,扁桃体はその固定を促進しているかが長年議論されてきた. たとえば Fanselow, Davis や LeDoux らは古典的条件付け課題で学習前のみならず,学習後かなり時間 (28 日) を経ても扁桃体破壊や NMDA 受容体阻害剤 AP5 などの局所注入で条件反応が阻害されるので,恐怖記憶は扁桃体に貯蔵されると主張する (たとえば Fanselow & LeDoux, 1999). これに対して McGaugh (2000) は,扁桃体を破壊しても受動 (抑制性) 回避課題はよく訓練すれば成立するし,学習 28 日後は課題は扁桃体非依存性になることから,扁桃体は記憶を自身に固定せずに情動調節を介して記憶を他の脳部位に固定するのを助けると主張している. したがって恐怖条件付けでも,その課題ごとに恐怖記憶痕跡の貯蔵場所が異なる可能性もあるのかもしれない.

最近,音を使った恐怖条件付けの最中にマウス扁桃体の細胞に遺伝子操作で目印をつける方法が開発され,3 日後に音刺激を与えて活性化した細胞を調べたら,学習の起こった際活性化した基底外側核細胞が想起で再び活性化されることが示された (Reijmers et al., 2007). これは扁桃体の学習の起きた細胞ネットワークに記憶痕跡が安定に残ることを示唆している.

4.8.2 前頭前野皮質による情動記憶の抑制

海馬で形成された記憶は古くなるに従って,その想起が海馬でなく内側前頭前野 (げっ歯類ではとくに前帯状皮質 ACC) 依存性になると先に述べた. 近年,内側前頭前野は記憶の消去も制御するとする報告が蓄積しつつあり注目を

集めている．前述の音恐怖条件付けの場合，条件付けが成立した後にショックをやめて音 (CS) だけを連日与え続けるとフリージングしなくなるが，長らく経過した後，ある日突然音に対して恐怖反応を示したり（自発性回復），または音なしで電気ショックを与えると音に対する恐怖反応が蘇る (reinstatement)．このことから，記憶の消去とは恐怖記憶が消え去るのでなく，新たな学習として積極的に元の記憶を抑制していることが長年示唆されてきた (Rescorla, 2004)．

これが事実なら，消去刺激（すなわち条件刺激のみの繰り返し）に誘起されて扁桃体の恐怖反応を抑える脳部位があるはずで，最近の報告から内側前頭前野のとくに下辺縁皮質 (IL) が有力である．その証拠としては，下辺縁皮質を破壊すると恐怖条件付け，痕跡瞬目反射条件付けなどさまざまな条件付けの消去が阻害されること，消去シグナル後に視床，海馬，扁桃体などから内側前頭前野への入力が増加し下辺縁皮質の細胞発火活動が亢進すること，さらに下辺縁皮質の電気刺激で音恐怖条件付けの消去が促進すること（ただしこれには否定的な報告もある）などがある（総説として Quirk et al., 2006）．実際，基底外側核と中心核の間にある GABA 抑制性の間在細胞 (intercalated cell) に下辺縁皮質からの機能的直接投射があり，これらを介しての下辺縁皮質から中心核へのフィードフォーワード抑制が知られている．

また消去刺激を連日与えた場合，トラウマのような強力な恐怖記憶も日を追って抑制されるが，面白いことに消去学習にもタンパク質合成阻害剤に影響されない消去形成初期の時期（短期学習）と影響される長期学習の区別がある．つまり内側前頭前野に選択的に注入したタンパク質合成阻害剤やキナーゼ阻害剤は消去刺激を与えてしばらくは影響がなく，数時間から 24 時間後に消去をブロックするようになるので，内側前頭前野に扁桃体の活性化を制御するネットワークがタンパク質合成依存性に形成され，それが消去学習を長期的に固定すると解釈される (Santini et al., 2004)．

なお下辺縁皮質はヒトでは Brodmann の 25 野 (BA25) に，また下辺縁皮質の背側に位置する前辺縁皮質 (PL) は 32 野に相当するが，前部前頭前野（10 野）とともにこうした領域が記憶の消去の過程で恐怖表現の低下と相関して活性化するといった fMRI の報告が最近蓄積しつつある．すなわちヒトでも内側前頭前野は恐怖記憶の消去に関わっているらしい（総説として Phelps, 2004）．

また外傷後ストレス障害 PTSD の患者では pregenual anteior cingulate cortex（脳梁前方の「膝部」の前に位置する帯状回前部の一領域）の活動や容積が低下しているとの報告（Kasai et al., 2008）からも，この患者の扁桃体の異常活性化の原因として内側前頭前野の病的活動低下が想像される．なお最近の研究によると，内側前頭前野全体が扁桃体などに対して抑制的にはたらくのではなく興奮性にも作用する．たとえば前辺縁皮質は扁桃体の基底外側核に興奮性に投射し，前辺縁皮質の発火から 20 ミリ秒して扁桃体の基底外側核が発火し（Likhtik et al., 2005），前辺縁皮質の活性化は恐怖記憶の想起を促すと推測されている．このように内側前頭前野も，その細部に応じてさまざまな機能分化が予想され，その解明にはより精緻な実験操作が要求されるだろう．

4.9　今後の展望——学際的アプローチ

本章では高次脳機能としての記憶の研究をヒト，サル，げっ歯類の研究から概説した．といっても古典的条件付け，ワーキングメモリー，空間記憶やエピソード記憶などが中心で潜在記憶，オペラント条件付けなどの強化学習や記憶関連疾患などは紙面の都合上割愛した．またお気付きのように記憶の分子メカニズムにも深入りできなかった．記憶の研究はもともと守備範囲が大変広く，記憶理論モデルから，ヒトや動物の認知心理研究や脳イメージング，動物行動薬理学，脳生理解剖学，多電極同時記録などの in vivo 電気生理学とその計算論的解析，マウス，ゼブラフィッシュや線虫，ハエなど遺伝子変異生物を用いた遺伝学的手法，局所神経回路解析，脳切片や培養細胞を用いたシナプス電気生理や細胞内イメージング，記憶関連分子の分子細胞生物学的解析など，主な分野をフォローすることすら本当に容易なことではない．しかし，たとえばスキーマ理論を動物で検証できる時代になったように，ヒトの認知心理領域に動物行動や生理を専門とする研究者が入っていき新分野を開拓することができることも事実で，個々の強い好奇心と周囲の理解があれば可能だろう．この点に関して，アメリカでは大学院生が上記のさまざまな研究領域を自由に選んで学べる土壌があり，学際的アプローチが進展しやすく，新しい分野が産まれやすい．筆者の在籍した MIT の利根川進研究室では ES 細胞を用いた遺伝子ノックアウトの手法を脳科学分野で初めて使用し（1991 年），脳細胞種特異的ノックアウト

を実用化し，さらにマウス行動課題中の多電極記録法を導入する（1996年）など，常に研究技術革新を図ってきた．いまや意識の研究も1つの研究分野に成長しつつある現代に，記憶研究を目指す若い人は学際的アプローチ探究のため，同じ研究室に長く留まらず異分野ラボを渡り歩くくらいの覇気が必要だろう．

最後に本稿に有益なコメントをくださった喜田聡，程康諸氏に深謝する．

参考文献

[1] Aggleton JP and Brown MW (1999) Episodic memory, amnesia, and the hippocampal-anterior thalamic axis. *Behav Brain Sci* **22**: 425–489.

[2] Atkinson RC and Shiffrin RM (1968) Human memory: A proposed system and its control processes. In K.W. Spence and J.T. Spence (Eds.) *The psychology of learning and motivation*, vol. 2. London: Academic Press, 89–195.

[3] Atkinson RC and Shiffrin RM (1971) The control of short-term memory. *Sci Am* **225**: 82–90.

[4] Baddeley AD (2000) The episodic buffer: a new component of working memory? *Trends Cogn Sci* **4**: 417–423.

[5] Baddeley AD and Hitch, GJ (1974) Working Memory, In G.A. Bower (Ed.), *The psychology of learning and motivation: advances in research and theory* (Vol. 8, pp.47–89), New York: Academic Press.

[6] Bear MF, Connors BW and Paradiso MA (2006) *Neuroscience: exploring the brain 3rd Ed.* Lippincott Williams & Wilkins（加藤宏司・後藤薫・藤井聡・山崎良彦監訳（2007）『神経科学――脳の探求』西村書店）.

[7] Biegler R and Morris RGM (1993) Landmark Stability is a Prerequisite for Spatial but not Discrimination Learning. *Nature* **361**: 631–633.

[8] Bliss TVP and Lømo T (1973) Long-lasting potentiation of synaptic transmission in the dentate area of the anaesthetized rabbit following stimulation of the perforant path. *J Physiol* **232**: 331–356.

[9] Bliss TVP and Collingridge GL (1993) A synaptic model of memory: long-term potentiation in the hippocampus. *Nature* **361**: 31–39.

[10] Blumenfeld RS and Ranganath C (2007) Prefrontal Cortex and Long-Term Memory Encoding: An Integrative Review of Findings from Neuropsychology and Neuroimaging. *Neuroscientist* **13**: 280–291.

[11] Bodian D (1965) A suggestive relationship of nerve cell RNA with specific synaptic sites. *Proc Natl Acad Sci USA* **53**: 418–425.

[12] Bolhuis JJ, Stewart CA and Forrest EM (1994) Retrograde amnesia and memory reactivation in rats with ibotenate lesions to the hippocampus and subiculum. *Q J Exp Psychol* **47B**: 129–150.

[13] Bontempi B, Laurent-Demir C, Destrade C and Jaffard R (1999) Time-dependent reorganization of brain circuitry underlying long-term memory storage, *Nature* **400**: 671–675.

[14] Bourtchuladze R, Frenguelli B, Blendy J, Cioffi D, Schutz G and Silva AJ (1994) Deficient long-term memory in mice with a targeted mutation of the cAMP-responsive element binding protein. *Cell* **79**: 59–68.

[15] Brozoski TJ, Brown RM, Rosvold HE and Goldman PS (1979) Cognitive deficit caused by regional depletion of dopamine in prefrontal cortex of rhesus monkey. *Science* **205**: 929–932.

[16] Brown EN, Frank LM, Tang D, Quirk MC and Wilson MA (1998) A statistical paradigm for neural spike train decoding applied to position prediction from ensemble firing patterns of rat hippocampal place cells. *J Neurosci* **18**: 7411–7425.

[17] Brun VH, Otnass MK, Molden S, Steffenach HA, Witter MP, Moser MB and Moser EI (2002) Place cells and place recognition maintained by direct entorhinal-hippocampal circuitry. *Science* **296**: 2243–2246.

[18] Cedar H, Kandel ER and Schwartz JH (1972) Cyclic Adenosine Monophosphate in the Nervous System of Aplysia californica I. Increased synthesis in response to synaptic stimulation. *J Gen Physiol* **60**: 558–569.

[19] Cenquizca LA and Swanson LW (2007) Spatial organization of direct hippocampal field CA1 axonal projections to the rest of the cerebral cortex. *Brain Res Rev* **56**: 1–26.

[20] Clayton NS and Dickinson A. (1998) Episodic-like memory during cache recovery by scrub jays. *Nature* **395**: 272–274.

[21] Clayton NS, Griffiths DP, Emery NJ and Dickinson A (2001) Elements of episodic-like memory in animals. Philos. *Trans R Soc Lond B Biol Sci* **356**: 1483–1491.

[22] Cohen NJ and Squire LR (1980) Preserved learning and pattern-analyzing skill in amnesia: Dissociation of knowing how and knowing that. *Sciences* **210**: 207–210.

[23] Cravens CJ, Vargas-Pinto N, Christian KM and Nakazawa K (2006) CA3 NMDA receptors are crucial for rapid and automatic representation of context memory. *Eur J Neurosci* **24**: 1771–1780.

[24] Crusio WE (1999) Methodological considerations for testing learning in mice. In Crusio WE, Gerlai RT, editor *Handbook of Molecular-Genetic Techniques for Brain and Behavior Research* Vol. 13. Amsterdam: Elsevier, 638–651.

[25] Daselaar SM, Fleck MS and Cabeza R (2006) Triple dissociation in the medial temporal lobes: recollection, familiarity, and novelty. *J Neurophysiol* **96**: 1902–1911.

[26] de Haan M, Mishkin M, Baldeweg T and Vargha-Khadem F (2006) Human memory development and its dysfunction after early hippocampal injury. *Trends Neurosci* **29**: 374–381.

[27] Delay J and Brion S (1969) *Le syndrome de Korsakoff*. Paris: Masson.

[28] De Renzi E, Liotti M and Nichelli P (1987) Semantic amnesia with preservation of autobiographic memory. A case report. *Cortex* **23**: 575–597.

[29] Dunwiddie T, Lynch G (1978) Long-term potentiation and depression of synaptic responses in the rat hippocampus: localization and frequency dependency. *J Physiol* **276**: 353–367.

[30] Durstewitz D, Seamans JK and Sejnowski TJ (2000) Neurocomputational models of working memory. *Nat Neurosci* **3** Suppl: 1184–1191.

[31] Eacott MJ, Easton A and Zinkivskay A (2005) Recollection in an episodic-like memory task in the rat. *Learn Memory* **12**: 221–223.

[32] Eichenbaum H (2000) A cortical-hippocampal system for declarative memory. *Nature Rev Neurosci* **1**: 41–50.

[33] Eichenbaum H and Cohen NJ (2001) *From conditioning to conscious recollection: Memory systems of the brain*, Oxford University Press, New York.

[34] Ekstrom AD, Kahana MJ, Caplan JB, Fields TA, Isham EA, Newman EL and Fried I (2003) Cellular networks underlying human spatial navigation. *Nature* **425**: 184–188.

[35] Emptage NJ and Carew TJ (1993) Long-term synaptic facilitation in the absence of short-term facilitation in Aplysia neurons. *Science* **262**: 253–256.

[36] Fanselow MS (1990) Factors governing one-trial contextual conditioning. *Anim Learn Behav* **18**: 264–270.

[37] Fanselow MS and LeDoux JE (1999) Why we think plasticity underlying Pavlovian fear conditioning occurs in the basolateral amygdala. *Neuron* **23**: 229–232.

[38] Ferbinteanu J, Kennedy PJ and Shapiro ML (2006) Episodic memory–from brain to mind. *Hippocampus* **16**: 691–703.

[39] Flexner JB, Flexner LB, Stellar E, de la Haga G and Roberts RB (1962) Inhibition of protein synthesis in brain and learning and memory following puromycin. *J Neurochem* **9**: 595–605.

[40] Foote AL and Crystal JD (2007) Metacognition in the rat. *Curr Biol* **17**: 551–555.

[41] Foster DJ and Wilson MA (2006) Reverse replay of behavioural sequences in hippocampal place cells during the awake state. *Nature* **440**: 680–683.

[42] Frankland PW and Bontempi B (2005) The organization of recent and remote memories. *Nature Rev Neurosci* **6**: 119–130.

[43] Frey U and Morris RG (1997) Synaptic tagging and long-term potentiation. *Nature* **385**: 533–536.

[44] Funahashi S, Bruce CJ and Goldman-Rakic PS (1989) Mnemonic coding of visual space in the monkey's dorsolateral prefrontal cortex. *J Neurophysiol* **61**: 331–349.

[45] Fyhn M, Molden S, Hollup S, Moser MB and Moser E (2002) Hippocampal neurons responding to first-time dislocation of a target object. *Neuron* **35**: 555–566.

[46] Gaffan D (1974) Recognition impaired and association intact in the memory of monkeys after transection of the fornix. *J Comp Physiol Psychol* **86**: 1100–1119.

[47] Gaffan D (1994) Scene-specific memory for objects: a model of episodic memory impairment in monkeys with fornix transection. *J Cogn Neurosci* **6**: 305–320.

[48] Gaffan D and Harrison S (1989) A comparison of the effects of fornix transection and sulcus principalis ablation upon spatial learning by monkeys. *Behav Brain Res* **31**: 207–220.

[49] Goelet P, Castellucci VF, Schacher S and Kandel ER (1986) The long and the short of long-term memory — a molecular framework. *Nature* **322**: 419–422.

[50] Gong R, Park CS, Abbassi NR and Tang SJ (2006) Roles of Glutamate Receptors and the Mammalian Target of Rapamycin (mTOR) Signaling Pathway in Activity-dependent Dendritic Protein Synthesis in Hippocampal Neurons. *J Biol Chem* **281**: 18802–18815.

[51] Govindarajan A, Kelleher RJ and Tonegawa S (2006) A clustered plasticity model of long-term memory engrams. *Nature Rev Neurosci* **7**: 575–583.

[52] Gray JA (1982) *The neuropsychology of anxiety.* New York: Oxford. University Press.

[53] Hassabis D, Kumaran D, Vann SD and Maguire EA (2007) Patients with hippocampal amnesia cannot imagine new experiences. *Proc Natl Acad Sci USA* **104**: 1726–1731.

[54] Hasselmo ME and Stern CE (2006) Mechanisms underlying working memory for novel information. *Trends Cogn Sci* **10**: 487–493.

[55] Hodges JR and Graham NL (2001) Vascular dementias. In: J.R. Hodges, Editor, *Early-onset dementia: a multidisciplinary approach*, Oxford University Press, New York.

[56] Hollup SA, Molden S, Donnett JG, Moser MB and Moser EI (2001) Accumulation of hippocampal place fields at the goal location in an annular watermaze task. *J Neurosci* **21**: 1635–1644.

[57] Ito M, Sakurai M and Tongroach P (1982) Climbing fibre induced depression of both mossy fibre responsiveness and glutamate sensitivity of cerebellar Purkinje cells. *J Physiol* **324**: 113–134.

[58] Jarrard LE (1993) On the role of the hippocampus in learning and memory in the rat. *Behav Neural Biol* **60**: 9–26.

[59] Kahneman D (1973) *Attention and Effort.* Prentice Hall, Englewood Cliffs, NJ.

[60] Kasai K, Yamasue H, Gilbertson MW, Shenton ME, Rauch SL and Pitman RK (2008) Evidence for acquired pregenual anterior cingulate gray matter loss from a twin study of combat-related posttraumatic stress disorder. *Biol Psychiatry* **63**: 550–556.

[61] Knapska E, Radwanska K, Werka T and Kaczmarek L (2007) Functional internal complexity of amygdala: focus on gene activity mapping after behavioral training and drugs of abuse. *Physiol Rev* **87**: 1113–1173.

[62] Krug M, Loessner B and Ott T (1984) Anisomycin blocks the late phase of long-term potentiation in the dentate gyrus of freely moving rats. *Brain Res Bull* **13**: 39–42.

[63] Lee AK and Wilson MA (2002) Memory of sequential experience in the hippocampus during slow wave sleep. *Neuron* **36**: 1183–1194.

[64] Leutgeb JK, Leutgeb S, Moser M-B and Moser EI (2007) Pattern separation in the dentate gyrus and CA3 of the hippocampus. *Science* **315**: 961–966.

[65] Likhtik E, Pelletier JG, Paz R and Paré D (2005) Prefrontal control of the amygdala. *J Neurosci* **25**: 7429–7437.

[66] Louie K and Wilson MA (2001) Temporally structured replay of awake hippocampal ensemble activity during rapid eye movement sleep. *Neuron* **29**: 145–156.

[67] Manns JR, Hopkins RO and Squire LR (2003) Semantic memory and the human hippocampus. *Neuron* **38**: 127–133.

[68] Marr D (1971) Simple memory: a theory for archicortex. *Philos Trans R Soc Lond B Biol Sci* **262**: 23–81.

[69] Martins S, Guillery-Girard B, Jambaqué I, Dulac O and Eustache F (2006) How children suffering severe amnesic syndrome acquire new concepts? *Neuropsychologia* **44**: 2792–2805.

[70] Matsumura N, Nishijo H, Tamura R, Eifuku S, Endo S and Ono T (1999) Spatial- and task-dependent neuronal responses during real and virtual translocation in the monkey hippocampal formation. *J Neurosci* **19**: 2381–2393.

[71] McGaugh JL (2000) Memory—A century of consolidation. *Science* **287**: 248–251.

[72] McHugh TJ, Jones MW, Quinn JJ, Balthasar N, Coppari R, Elmquist JK, Lowell BB, Fanselow MS, Wilson MA and Tonegawa S (2007) Dentate gyrus NMDA receptors mediate rapid pattern separation in the hippocampal network. *Science* **317**: 94–99.

[73] McNaughton BL and Morris RGM (1987) Hippocampal synaptic enhancement and information storage within a distributed memory system, *Trends Neurosci* **10**: 408–415.

[74] Milner B, Squire LR and Kandel ER (1998) Cognitive neuroscience and the study of memory. *Neuron* **20**: 445–468.

[75] Mishkin M (1978) Memory in monkeys severely impaired by combined but not by separate removal of amygdala and hippocampus. *Nature* **273**: 297–298.

[76] Miyashita Y (1993) Inferior temporal cortex: where visual perception meets memory. *Annu Rev Neurosci* **16**: 245–263.

[77] Miyashita Y (2004) Cognitive memory: cellular and network machineries and their top-down control. *Science* **306**: 435–440.

[78] Moncada D and Viola H (2007) Induction of long-term memory by exposure to novelty requires protein synthesis: evidence for a behavioral tagging. *J Neurosci* **27**: 7476–7481.

[79] Morris RGM (1989) Synaptic plasticity and learning: selective impairment of learning in rats and blockade of long-term potentiation *in vivo* by the N-methyl-D-aspartate receptor antagonist AP5. *J Neurosci* **9**: 3040–3057.

[80] Morris RGM (2006) Elements of a neurobiological theory of hippocampal function: the role of synaptic plasticity, synaptic tagging and schemas. *Eur J Neurosci* **23**: 2829–2846.

[81] Murakami F, Fujito Y and Tsukahara N (1976) Physiologicalproperties of the newly formed cortico-rubral synapses of rednucleus neurons due to collateral sprouting. *Brain Res* **103**: 147–151.

[82] Murray EA and Mishkin M (1998) Object recognition and location memory in monkeys with excitotoxic lesions of the amygdala and hippocampus. *J Neurosci* **18**: 6568–6582.

[83] Moscovitch M, Rosenbaum RS, Gilboa A, Addis DR, Westmacott R, Grady C, McAndrews MP, Levine B, Black S, Winocur G and Nadel L (2005) Functional neuroanatomy of remote episodic, semantic and spatial memory: a unified account based on multiple trace theory. *J Anat* **207**: 35–66.

[84] Nadel L and Moscovitch M (1997) Memory consolidation, retrograde amnesia and the hippocampal complex. *Curr Opin Neurobiol* **7**: 217–227.

[85] Nadel L and Willner J (1980) Context and conditioning: A place for space. *Physiol Psychol* **8**: 218–228.

[86] Nader K, Schafe GE and LeDoux JE (2000) Fear memories require protein synthesis in the amygdala for reconsolidation after retrieval. *Nature* **406**: 722–726.

[87] Nakazawa K (2002) 序："総合科学" としての認知脳科学研究．細胞工学 **21**: 982–985.

[88] Nakazawa K, Quirk MC, Chitwood RA, Watanabe M, Yeckel MF, Sun LD, Kato A, Carr CA, Johnston D, Wilson MA, Tonegawa S (2002) Requirement for hippocampal CA3 NMDA receptors in associative memory recall. *Science* **297**: 211–218.

[89] Nakazawa K, Sun LD, Quirk MC, Rondi-Reig L, Wilson MA and Tonegawa S (2003) Hippocampal CA3 NMDA receptors are crucial for memory acquisition of one-time experience. *Neuron* **38**: 305–315.

[90] Nakazawa K, McHuge TJ, Wilson MA and Tonegawa S (2004) NMDA Receptors, Place Cell and Hippocampal Spatial Memory. *Nature Rev Neurosci* **5**: 361–372.

[91] Norman DA and Shallice T (1980) Attention to action: willed and automatic control behavior. *Center for human information processing report* No. **99**. University of California Press: Berkley.

[92] O'Kane G, Kensinger EA and Corkin S (2004) Evidence for semantic learning in profound amnesia: An investigation with patient H.M. *Hippocampus* **14**: 417–425.

[93] O'Keefe J and Dostrovsky J (1971) The hippocampus as a spatial map. Preliminary evidence from unit activity in the freely-moving rat. *Brain Res* **34**: 171–175.

[94] O'Keefe J and Nadel L (1978) *The Hippocampus as a Cognitive Map*, Oxford Univ. Press.

[95] Olton D and Samuelson R (1976) Remembrance of placed passed: Spatial memory in rats. *J Exp Psychol: Animal Behav Processes* **2**: 97–116.

[96] O'Mara SM and Rolls ET (1995) View-responsive neurons in the primate hippocampus. *Hippocampus* **5**: 409–424.

[97] Parker A and Gaffan D (1997) The effect of anterior thalamic and cingulate cortex lesions on object-in-place memory in monkeys. *Neuropsychologia* **35**: 1093–1102.

[98] Phelps EA (2004) Human emotion and memory: interactions of the amygdala and hippocampal complex. *Curr Opin Neurobiol* **14**: 198–202.

[99] Quirk GJ, Garcia R and Gonzalez-Lima F (2006) Prefrontal Mechanisms in Extinction of Conditioned Fear. Biol. *Psychiatry* **60**: 337–343.

[100] Rajji T, Chapman D, Eichenbaum H and Greene R (2006) The role of CA3 hippocampal NMDA receptors in paired associate learning. *J Neurosci* **26**: 908–915.

[101] Ranganath C and Blumenfeld RS (2005) Doubts about double dissociations between short- and long-term memory. *Trends Cogn Sci* **9**: 374–380.

[102] Ranganath C, Cohen MX and Brozinsky CJ (2005) Working memory maintenance contributes to long-term memory formation: neural and behavioral evidence. *J Cogn Neurosci* **17**: 994–1010.

[103] Reijmers LG, Perkins BL, Matsuo N and Mayford M (2007) Localization of a stable neural correlate of associative memory. *Science* **317**: 1230–1233.

[104] Remondes M and Schuman EM (2004) Role for a cortical input to hippocampal area CA1 in the consolidation of a long-term memory. *Nature* **431**: 699–703.

[105] Rescorla RA (2004) Spontaneous recovery. *Learn Mem* **11**: 501–509.

[106] Rosenbaum RS, Köhler S, Schacter DL, Moscovitch M, Westmacott R, Black SE, Gao F and Tulving E (2005) The case of K.C.: contributions of a memory-impaired person to memory theory, *Neuropsychologia* **43**: 989–1021.

[107] Rudy JW and Sutherland RJ (1995) Configural association theory and the hippocampal formation: an appraisal and reconfiguration. *Hippocampus* **5**: 375–389.

[108] Santini E, Ge H, Ren K, Peña de Ortiz S and Quirk GJ (2004) Consolidation of fear extinction requires protein synthesis in the medial prefrontal cortex. *J Neurosci* **24**: 5704–5710.

[109] Saunders RC, Mishkin M and Aggleton JP (2005) Projections from the entorhinal cortex, perirhinal cortex, presubiculum, and parasubiculum to the medial thalamus in macaque monkeys: Identifying different pathways using disconnection techniques. Exp. *Brain Res* **167**: 1–16.

[110] Sauvage MM, Fortin NJ, Owens CB, Yonelinas AP and Eichenbaum H (2008) Recognition memory: opposite effects of hippocampal damage on recollection and familiarity. *Nature Neurosci* **11**: 16–18.

[111] Scoville WB and Milner B (1957) Loss of recent memory after bilateral hippocampal lesions. J. Neurol. Neurosurg. *Psychiatry* **20**: 11–21.

[112] Shapiro ML, Kennedy PJ and Febinteanu J (2006) Representing episodes in the mammalian brain. *Curr Opin Neurobiol* **16**: 701–709.

[113] Squire LR (1987) *Memory and Brain*, New York: Oxford University Press（河内十郎訳 (1989)『記憶と脳——心理学と神経科学の統合』医学書院）.

[114] Squire LR (1992) Memory and the hippocampus: a synthesis from findings with rats, monkeys, and humans. *Psychol Rev* **99**: 195–231. Review. Erratum in: *Psychol Rev* **99**: 582.

[115] Squire LR, Stark CEL and Clark RE (2004) The Medial Temporal Lobe. *Annu Rev Neurosci* **27**: 279–306.

[116] Sterck EH and Dufour V (2007) First test, then judge future-oriented behaviour in animals. *Behav Brain Sci* **30**: 333–334.

[117] Summerfield C, Greene M, Wager T, Egner T, Hirsch J and Mangels J (2006) Neocortical connectivity during episodic memory formation. *PLoS Biol* **4**: e128.

[118] Suzuki A, Josselyn SA, Frankland PW, Masushige S, Silva AJ and Kida S (2004) Memory reconsolidation and extinction have distinct temporal and biochemical signatures. *J Neurosci* **24**: 4787–4795.

[119] Takashima A, Petersson KM, Rutters F, Tendolkar I, Jensen O, Zwarts MJ, McNaughton BL and Fernández G (2006) Declarative memory consolidation in humans: A prospective functional magnetic resonance imaging study. *Proc Natl Acad Sci* **103**: 756–761.

[120] Takehara K, Kawahara S and Kirino Y (2003) Time-dependent reorganization of the brain components underlying memory retention in trace eyeblink conditioning. *J Neurosci* **23**: 9897–9905.

[121] Taube JS (2007) The head direction signal: origins and sensory-motor integration. *Annu Rev Neurosci* **30**: 181–207.

[122] Teng E and Squire LR (1999) Memory for places learned long ago is intact after hippocampal damage. *Nature* **400**: 675–677.

[123] Teyler TJ and DiScenna P (1987) Long-term potentiation. *Annu Rev Neurosci* **10**: 131–161.

[124] Tomita H, Ohbayashi M, Nakahara K, Hasegawa I and Miyashita Y (1999) Top-down signal from prefrontal cortex in executive control of memory retrieval. *Nature* **401**: 699–703.

[125] Tronson NC and Taylor JR (2007) Molecular mechanisms of memory reconsolidation. *Nature Rev Neurosci* **8**: 262–275.

[126] Tse D, Langston RF, Kakeyama M, Bethus I, Spooner PA, Wood ER, Witter MP and Morris RG (2007) Schemas and memory consolidation. *Science* **316**: 76–82.

[127] Tsien JZ, Huerta PT and Tonegawa S (1996) The essential role of hippocampal CA1 NMDA receptor-dependent synaptic plasticity in spatial memory. *Cell* **87**: 1327–1338.

[128] Tulving E (1972) Episodic and semantic memory. In E. Tulving and W. Donaldson (Eds.), *Organization of memory* (pp.381–403). New York: Academic Press.

[129] Tulving E (1984) Précis of elements of episodic memory. *The Behavioral and Brain Sciences* **7**: 223–268.

[130] Tulving E (1995) Organization of memory: Quo vadis? In M. S. Gazzaniga (Ed.), *The Cognitive Neurosciences* (pp.753–847). Cambridge, MA: The MIT Press.

[131] Tulving E (2001) Episodic memory and common sense: how far apart? *Philos. Trans R Soc Lond B Biol Sci* **356**: 1505–1515.

[132] Tulving E and Markowitsch HJ (1998) Episodic and declarative memory: role of the hippocampus. *Hippocampus* **8**: 198–204.

[133] Vargha-Khadem F, Gadian DG, Watkins KE, Connelly A, Van Paesschen W and Mishkin M (1997) Differential effects of early hippocampal pathology on episodic and semantic memory. *Science* **277**: 376–380.

[134] Vazdarjanova A and Guzowski JF (2004) Differences in hippocampal neuronal population responses to modifications of an environmental context: Evidence for distinct, yet complementary, functions of CA3 and CA1 ensembles. *J Neurosci* **24**: 6489–6496.

[135] Vinogradova OS (2001) Hippocampus as comparator: role of the two input and two output systems of the hippocampus in selection and registration of information. *Hippocampus* **11**: 578–598.

[136] Wagner AD, Shannon BJ, Kahn I and Buckner RL (2005) Parietal lobe contributions to episodic memory retrieval. *Trends Cogn Sci* **9**: 445–453.

[137] Wang M, Ramos BP, Paspalas CD, Shu Y-S, Simen AA, Duque A, Vijayraghavan S, Brennan A, Dudley A, Nou E, Mazer JA, McCormick DA and Arnsten AFT (2007) 2A-Adrenoceptors strengthen working memory networks by inhibiting cAMP-HCN channel signaling in prefrontal cortex. *Cell* **129**: 397–410.

[138] Whitlock J, Heynen A, Shuler M and Bear M (2006) Learning induces long-term potentiation in the hippocampus. *Science* **313**: 1093–1097.

[139] Wilson MA and McNaughton BL (1993) Dynamics of the hippocampal ensemble code for space. *Science* **261**: 1055–1058.

[140] Wilson MA and McNaughton BL (1994) Reactivation of hippocampal ensemble memories during sleep. *Science* **265**: 676–679.

[141] Winters BD, Forwood SE, Cowell RA, Saksida LM and Bussey TJ (2004) Double Dissociation between the Effects of Peri-Postrhinal Cortex and Hippocampal Lesions on Tests of Object Recognition and Spatial Memory: Heterogeneity of Function within the Temporal Lobe. *J Neurosci* **24**: 5901–5908.

[142] Wood ER, Dudchenko PA, Robitsek RJ and Eichenbaum H (2000) Hippocampal neurons encode information about different types of memory episodes occurring in the same location. *Neuron* **27**: 623–633.

[143] Yonelinas AP (2002) The nature of recollection and familiarity: A review of the 30 years of research. *J Mem Lang* **46**: 441–517.

[144] Zigmond MJ, Bloom FE, Landis SC, Roberts JL, Squire LR, eds. (1999) *Fundamental Neuroscience, 2nd ed.* Academic Press.

[145] Zola SM, Squire LR, Teng E, Stefanacci L, Buffalo EA and Clark RE (2000) Impaired Recognition Memory in Monkeys after Damage Limited to the Hippocampal Region. *J Neurosci* **20**: 451–463.

[146] Zola-Morgan S, Squire LR and Amaral DG (1986) Human amnesia and the medial temporal region: enduring memory impairment following a bilateral lesion limited to field CA1 of the hippocampus. *J Neurosci* **6**: 2950–2967.

[147] Zola-Morgan S, Squire LR, Amaral DG and Suzuki WA (1989) Lesions of perirhinal and parahippocampal cortex that spare the amygdala and hippocampal formation produce severe memory impairment. *J Neurosci* **9**: 4355–4370.

[148] Zola-Morgan S, Squire LR and Mishkin M (1982) The neuroanatomy of amnesia: amygdala-hippocampus versus temporal stem. *Science* **218**: 1337–1339.

第5章

行動の認知科学

5.1 認知制御とは

「認知制御」(cognitive control) ということばは必ずしも日常的に使われる用語ではないものの,近い意味を持つ「実行制御」(executive control) という言葉と同様,高次な精神活動のメカニズムを考えるときによく用いられる.

私たちの多くは,朝起きてから,顔を洗って歯を磨き,朝ごはんを食べて着替えた後に,乗り物に乗って仕事や学校に行く.その途中では新聞を読んだり,中吊り広告を見たりする.またその途中や到着後には会う人と朝の挨拶もする.こうした行動は,とくに「どのような順序でどのような行動をどのくらいの時間行う」というようなことは考えず,半ば自動的に行っている.それに対して,初対面の人と話す,行ったことがない地域に行く,新しい仕事を始める,というように,以前に遭遇したことのないような状況では,こうした自動的な対応ではすませることができない.そこでは,必要な情報を集めたうえで状況を把握し,適切な行動が何であるか考え,それに従って行動計画を立て,状況の変化に応じて行動を変化させながら,計画を遂行し,しかる後に行った行動が適切であったか否かを評価することが要求される.こうした自動的に対処できないような場合に要求されるのが「認知制御」である.ここでは,認知制御に最も重要な役割を果たしている大脳前頭連合野の構造と機能についてまず概説し,この脳部位のはたらきに関連させて,推論,意思決定,計画,行動抑制,注意などの認知制御の脳メカニズムを考えることにする.

5.2 前頭連合野の構造と機能

人の大脳は，前方に位置する前頭葉，後ろに位置する後頭葉，側面に位置する側頭葉，それに上部に位置する頭頂葉の4つの部分に分けられる（図5.1）．前頭葉にある運動野は運動を司り，後頭葉の視覚野，側頭葉の聴覚野，頭頂葉の体性感覚野（この3つを合わせて感覚野とも呼ぶ）はそれぞれ視覚，聴覚，触覚を担っている．運動野に損傷を受けると運動障害が，感覚野に損傷を受けると感覚障害が生じる．

人の脳ではこの運動野，感覚野には属さない連合野が大きな部分を占めている．この連合野には，前方にある前頭連合野（前頭葉の一部ではあるが，この連合野そのものを前頭葉と呼ぶこともある．またこの脳部位は前頭前野，あるいは前頭前皮質とも呼ばれる）と後方にある頭頂連合野，側頭連合野がある．前

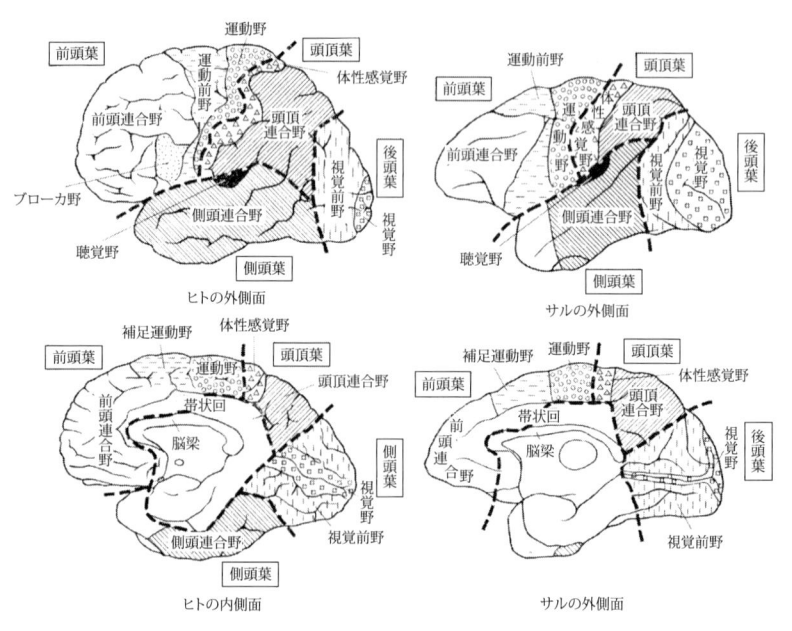

図 5.1 ヒト（左）とサル（右）の大脳の外側面（上部）と内側面（下部）．

頭連合野はその第 IV 層[1]に顆粒状の細胞が密に存在するという特徴から，前頭顆粒皮質とも呼ばれる．

5.2.1 前頭連合野の成り立ち

前頭連合野には，側頭連合野，頭頂連合野などの後連合野からの入力があり，ほとんどあらゆる感覚刺激に関して高次な処理を受けた情報が集まっている．また，背内側核を中心とした視床，帯状回や海馬，扁桃核などの辺縁系（図 5.1, 5.2），それに視床下部，中脳網様体などからも線維連絡を受けており，動機づけや覚醒状態に関する情報の入力もある．前頭連合野とこれらの部位の結びつきは一方向性のものではなく，前頭連合野からこれらの部位に行く遠心性線維連絡もみられる．さらに前頭連合野は，前頭葉内に位置し，運動性連合野である運動前野と補足運動野（図 5.1），それに大脳基底核の尾状核，被殻，淡蒼球（図 5.2）などとも相互に線維連絡のあることが示されている．

この脳部位の大脳に占める割合は，系統発生的に進化した哺乳動物ほど大きくなっており，ネコで 3.5％，イヌで 7％，サルで 11.5％，チンパンジーで 17％であるのに対し，ヒトでは 29％を占めるに至っている（図 5.3）．人は他の動物に比べて脳そのものも大きくなっているので，前頭連合野が人ではいかに大きくなっているのかがわかる．個体発生的にも，前頭連合野は成熟が最も遅い脳部位の 1 つに挙げられる．

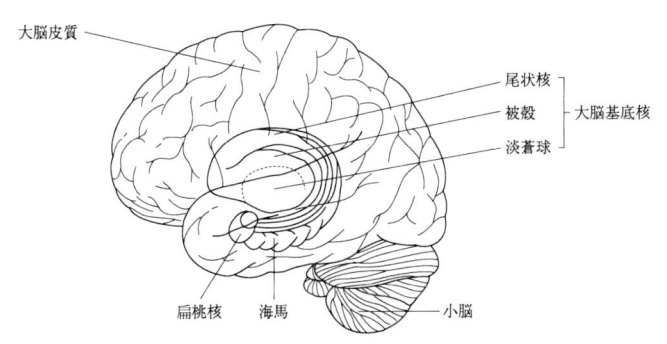

図 5.2 海馬，扁桃核，大脳基底核の位置（Carey, 1990 より改変）
これらの部位は大脳皮質の中に埋もれているため，外側からみることはできない．

---

1) 大脳皮質はいくつかの層から成っており，前頭連合野は 6 つの層から成るが，表面から第 4 番目にある層が第 IV 層である．

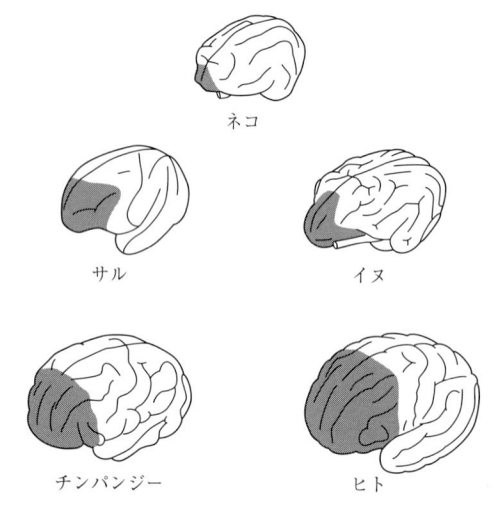

図 5.3 前頭連合野の系統発生（Fuster, 1997 より改変）
ヒトでは大脳が他の哺乳類動物に比べて大きくなっているだけでなく、その大きな大脳の中で前頭連合野の占める割合が格段に大きくなっている．

神経線維の髄鞘化[2]）が完成するのは大脳の中で前頭連合野が最も遅く（10歳を過ぎてから），前頭連合野そのものの成熟が完成するには20年以上も必要である．逆に前頭連合野は老化に伴って最も早く機能低下の起こる部位としても知られている．つまり前頭連合野がその機能を十全に発揮できる期間は人生の中でかなり限られている．

5.2.2 フィネアス・ゲージの例と前頭葉ロボトミー手術

この前頭連合野に損傷を受けるとどのような障害が現われるのかを示すものとしてアメリカ人，フィネアス・ゲージの有名な例がある．彼は若くして線路工事の現場監督となったことにも示されるように，親切，有能で責任感があると評判の人物であった．しかし工事用のダイナマイトが誤って爆発し，火薬充填に用いる太さ約3cm，長さ約1.1m，重さ約6kgの鉄の棒が頭蓋骨を突き破る

---

[2] 神経線維は，生まれてすぐは何にも被われない裸の状態であるが，成熟とともに周りが絶縁性のある管状の組織で被われるようになる．この絶縁性組織は髄鞘と呼ばれる．髄鞘は神経線維を完全に被うのではなく，ところどころに隙間のある形で被う．髄鞘に被われていく過程を髄鞘化と呼ぶが，このことにより電気的に伝えられる神経情報はこの隙間（非絶縁部分）を飛び飛びに伝わることができるようになり，伝達効率が増加する．

5.2 前頭連合野の構造と機能

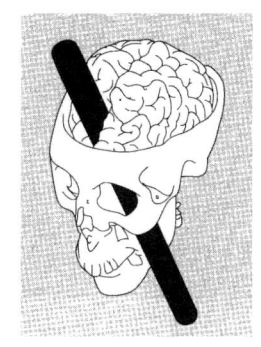

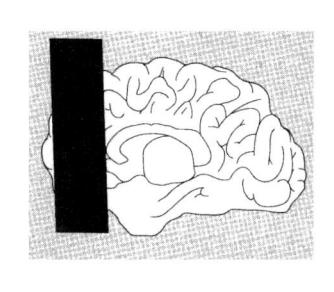

図 5.4 事故により失われたと考えられるフィネアス・ゲージの前頭連合野部分 (Damasio et al., 1994 より改変)
ハーバード大学博物館に保存されているゲージの頭蓋骨と,実際に彼に突き刺さった鉄の棒をコンピューターにより 3 次元画像として再構成し,位置と角度が実際と近くなるように鉄の棒を頭蓋骨に突き刺し,失われる部位がどこであるのかをコンピューターシミュレーションしたもの.

という事故に見舞われてしまった(図5.4).この鉄の棒はゲージの前頭連合野部分を貫通してしまい,その結果,彼はそこに大きな損傷を受けた.この怪我から回復した後,彼はまったく人が変わってしまった.ゲージの主治医であった Harlow によると,「彼の身体的な健康状態は良好であり,彼は治ったと言いたいところである.しかし知性と衝動とのバランスは破壊されてしまったようだ.彼は発作的で,無礼で,以前にはそんなことはなかったのに,ときおり,ひどくばちあたりな行為に走る.仲間たちにはほとんど敬意を払わず,自分の欲求に相反する束縛や忠告にがまんがならない.ときおり,どうしようもないほど頑固になったかと思うと,移り気に戻るし,優柔不断で,将来の行動をあれこれ考えはするが,計画を立ててはすぐにやめてしまう」という状態になってしまった.かつてのゲージは「バランスの取れた心をもち,仕事をきわめて精力的かつ粘り強くこなす,敏腕で頭の切れる男として尊敬されていた」のに,事故以降はあまりに変わってしまったことから,彼を知る人たちからは「ゲージはもはやゲージではない (He is no longer Gage.)」と言われるようになってしまったのである (Harlow, 1848)[3].

前頭連合野機能について十分な理解がされていなかった 20 世紀の中頃,この脳部位を切り取ってしまうという手術(前頭葉ロボトミー手術)が一時期世界

---

3) フィネアス・ゲージに関しての Harlow の記述の正確性に関しては若干の問題点がある.詳細は渡邊 (2005) を参照されたい.

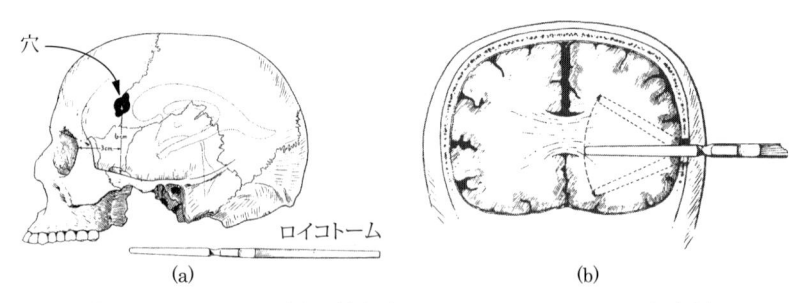

図 5.5 ロボトミー手術の様子（Freeman & Watts, 1942 より改変）
(a) に示すように，頭蓋骨に空けた小さな穴からロイコトームと呼ばれる先の鋭いヘラを挿入し，それを (b) の点線のように動かして白質を上下方向に切断し，前頭連合野を他の脳部位から切り離すもの．

中で行われた（図 5.5）．現在のような向精神薬がなかった時代には，精神病の治療法として有効なものはほとんどないに等しい状態であった．1930 年代に，前頭連合野を取り去ったチンパンジーが大変おとなしくなったという動物実験の報告がなされたことから，それに基づいて強度の興奮あるいは不安症状を持つ精神病患者に対してこの手術が試みられた[4]．手術の結果，一部の患者では症状の改善が見られたと報告されたことから，世界で約 5 万人の人に対しこの手術が行われた (Pressman, 1998)．しかし，その後この手術が意欲の欠如，パーソナリティーの崩壊などをもたらすことも明らかになり，現在ではこの手術はまったく行われない．

5.2.3 前頭連合野の機能

前頭連合野は「認知・実行機能」と「情動・動機づけ機能」の両方に関わる．前頭連合野に損傷を受けた患者は，情動・動機づけに関しては，ゲージに典型的に見られたような症状を示すとともに，前頭葉ロボトミー患者によく見られるように，パーソナリティーが浅薄でルーズになる傾向を示す．また，外界に対して無関心，無頓着になるとともに，反応性に乏しく，積極的に行動しようとする意欲を示さなくなる．前頭連合野は図 5.6 に示すように大きく外側部，内側部，眼窩部に分けられる．こうした情動・動機づけ機能には内側部，眼窩部

[4) ロボトミー手術を開発したポルトガル人の医師 Egas Moniz はその功績に対し 1949 年にノーベル生理学・医学賞を授与され，このことがその後数年，さらにロボトミー手術の例数を増すようにはたらいた．

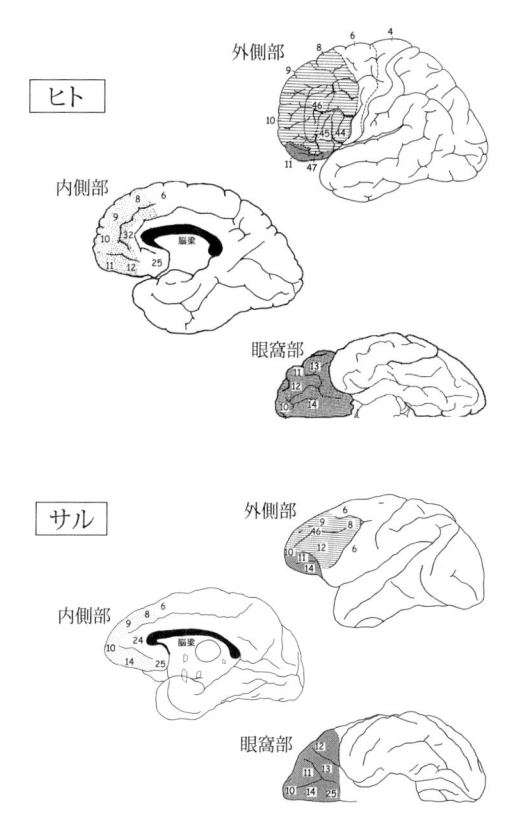

図 5.6 ヒトとサルのそれぞれ前頭連合野の外側部，内側部，眼窩部
数字はヒトでは Brodman (1909) の，サルでは Walker (1940) の領野を示す．

がより強く関わっている．

　認知・実行機能により大きく関わるのが外側部であるが，この部位に損傷を受けた患者は，特定のものに注意を集中したり，状況を深く理解したり，推理したりすることが困難になる．ところが，知能テストで調べるかぎり，この脳部位に損傷を受けても，損傷前と比較して知能指数 (IQ) が低くなるという現象は一般には見られない．ただ，一般の知能テストで調べられないような能力である，「発散的思考」（解答にいくつもの可能性が存在する）の要求される課題においては障害が見られる．たとえば「新聞紙の使い道として考えられるものをできるだけたくさん挙げて下さい」というような質問に対して，損傷患者は

一般の人より少ない数しか挙げられない．

　前頭連合野に損傷を受けても，海馬を中心とした側頭葉内側部の損傷でみられるような記憶障害は生じない．しかし，5.3 節で述べるワーキングメモリーの障害や，「いついつ，どこかである事柄をしなければならない」という将来の予定に関する記憶（「展望記憶」）の障害，あるいは情報をいつ，どこで得たのかという記憶（「出典記憶」ともいう）の障害（「出典健忘」），そして時間を隔てて生起した事柄の，どちらが先に起こったのかという「順序の記憶」の障害は見られる．こうしたことから，前頭連合野は「記憶の組織化」を担っていると考えられている．損傷患者はまた，ルールに基づいて物事を行う，あるいはすべきでない反応を適切に抑制する，という行動にも障害を示す．さらに，対象を正しく評価することにも障害を示す．「この物品はどのくらいの値段だと思いますか」，あるいは「世界で最も大きな船の長さはどのくらいだと思いますか」というような問いに対して，損傷患者は正常と大きくかけ離れた値を出す傾向にある．その他に，計画を立てたり，計画に基づいて順序よく行動したり，適切な判断をしたりすることにも障害を示す．

　こうしたことから，前頭連合野は，「定型的反応様式では対応できないような状況において，状況を把握し，それに対して適切な判断を行い，行動を組織化するというような役割を果たしている」と考えることができる．言い換えれば，「認知制御」が要求されるときに最も重要な役割を果たす脳部位が前頭連合野であるということである．

5.3　ワーキングメモリーとその脳メカニズム

　ワーキングメモリーはメモリー（記憶）の 1 つとされるが，いわゆる「記憶」に含まれるもの以上の認知過程を含み，認知制御において必須の要素と考えられている．ここではワーキングメモリーという概念について紹介した後（ワーキングメモリーについては 4.3 節も参照のこと），ワーキングメモリーの脳メカニズムに関して，その研究法も紹介しながら，ヒトの損傷事例，ヒトの非侵襲的脳活動計測研究，それにサルにおいてニューロン活動を調べた研究について述べることにする．

5.3.1 ワーキングメモリーとは

　私たちは1桁の足し算や，2桁でも簡単なものは半ば自動的に答えを出すことができる．一方，「388足す795は？」と訊かれて，紙も鉛筆も使えないときは，これらの数字を頭の中で思い浮かべながら，1桁目の合計は13だから十の位に1繰り上がり，というような計算を頭の中でする．この場合，答えを出すまでは2つの数字を忘れないようにずっと保持する必要があり，しかも各位の計算結果や，上の位に繰り上がる場合はそのことも同時に覚えながら最終的な答えを出す必要がある．一方，答えが出た後はこれらの情報は忘れてしまっても構わない．計算の過程で，2つの数字をずっと保持するとともに，各位の足し算の結果が出た段階でそれらも記憶として保持する場合，それらの記憶がワーキングメモリーと呼ばれる．

　ワーキングメモリーの概念はBaddeley (1986)によって提唱された．彼の定義によると，「ワーキングメモリーとは，言語理解，学習，推論といった複雑な認知課題の解決のために必要な情報（外から与えられたもの，あるいは長期の記憶から呼び出したもの）を必要な時間だけ一時的にアクティブに保持し，それに基づいて情報の操作をする機構」とされる．そこには不必要になった情報をリセットするという過程も含まれる．

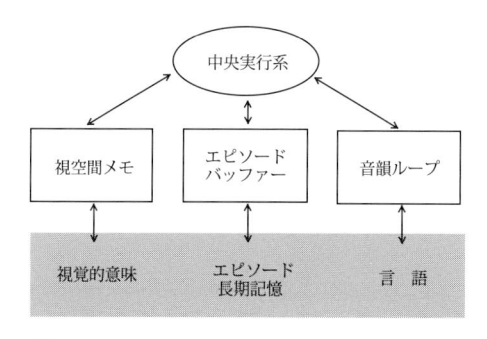

図 5.7 Baddeley のワーキングメモリーモデル

　モデルにおける従属システムである「音韻ループ」は，内容を言語的に保持するシステムであり，「視空間メモ」は内容を言葉ではなく，視空間的なイメージとして保持するシステムである．「エピソードバッファー」は，長期記憶から引き出したものを，保持するシステムである．「中央実行系」は，従属システムの情報を取捨選択し，必要なら長期記憶からエピソードバッファーに移行するような操作もしながら，課題解決に向けて保持された情報を整理，統合するはたらきをするとされる．

Baddeley によれば，ワーキングメモリーは 1 つの中央実行系と視空間メモ，エピソードバッファー，音韻ループという 3 つの従属システムからなるとされる（図 5.7）．つまり，出された刺激の内容を単に一時的に覚えておく（短期記憶）というだけではなく，刺激に関する情報や，過去の記憶から引き出した情報をアクティブに「保持」し，それに基づき問題解決のために情報を「操作」する，という過程が含まれる．Baddeley らは，従来の短期記憶，長期記憶という概念だけでは人の複雑な認知過程の記述，分析に不十分であるとして，このワーキングメモリーの概念を提示したのである．中央実行系のようなシステムを「メモリー」に含めたため，この概念の妥当性に関してはいまだに多くの議論があるものの，認知制御の問題を考えるうえでは重要な概念である．

5.3.2 ヒトにおける損傷研究

ヒトでワーキングメモリー課題の障害が最も顕著に見られるのは前頭連合野の損傷によるものである．ヒトで用いられるワーキングメモリー課題の典型の 1 つに，「n-バック課題」と呼ばれるものがある（図 5.8）．この課題では一定間隔をおいて次々に刺激が呈示されるが，被験者はそれぞれの刺激が呈示されるたびに，それが n 個前のものと同じか違うかの判断をすることを求められる．n が 3 の場合を例に取ると，刺激が呈示されて比較が終わった時点では 3 個前のものを忘れ去り（リセットし），2 個前と 1 個前に呈示された刺激を「保持」しつつ，呈示されたばかりの刺激を新たに頭の中に入れるという「操作」を繰り返すことを要求される．1-バック課題は容易であるが，2-バック課題はやや困難となり，3-バック課題になると正解を続けることはかなり困難となる．前頭連合野損傷患者はこの課題で著しい障害を示す (Owen et al., 1990)．

「自己順序づけ課題」もワーキングメモリー課題の 1 つである．ここでは，6–12 個の刺激項目（単語や絵）が書かれた用紙が何枚も用意される．用紙ごとに同じ 6–12 個の刺激項目が書かれているが，それらの配置は異なっている．被験者は「自分で決めた順序」に従って，刺激項目すべてにつき，各カードで各 1 つの刺激を，それぞれ各一度だけ指差ししていくことを求められる．前頭連合野損傷患者はこの課題の遂行にも障害を示す (Milner & Petrides, 1984)．この障害は，「どの刺激をすでに指差し終え，どの刺激はまだ指差ししていないのか」という内容の「保持」や，指差しするごとに内容を更新するという「操作」に

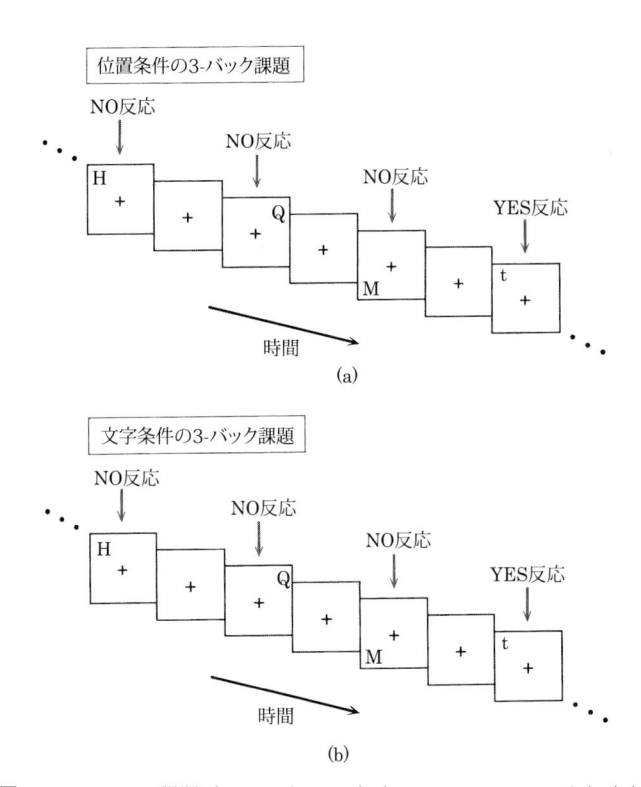

図 5.8 n-バック課題(ここでは $n=3$)(Smith et al., 1996 より改変)
(a) 位置条件.(b) 文字条件.ともに同じ刺激系列が用いられる.被験者が画面中央の注視点(十字)を見つめていると,一定時間間隔をおいてスクリーンのいろいろな場所にアルファベット 1 文字が呈示される.文字は大文字の場合も小文字の場合もある.被験者は (a) では呈示された刺激の文字の違いは無視して,その位置が 3 つ前と同じかどうかを答え,(b) では位置は無視して(かつ大文字と小文字の区別も無視して),その文字が 3 つ前のものと同じかどうかを答える.

おけるワーキングメモリーの障害に関係していると考えられている.

5.3.3 ヒトにおける非侵襲的脳活動計測研究

ヒトにおけるワーキングメモリーの脳メカニズムを調べる研究において,最近盛んに用いられるのが,非侵襲的脳活動計測法である.

精神活動に伴ってヒトの脳のどこがどのようにはたらいているのかは,昔から脳研究者だけでなく,だれしも興味を持ち,その活動を目で見ることができたらどんなに素晴らしいだろうと思われてきた.その夢のようなことが

fMRI(functional magnetic resonance imaging: 機能的MRI), PET (positron emission tomography), MEG (magnetoencepharography: 脳磁図), NIRS (near infrared spectroscopy: 近赤外光血流計測) などの非侵襲的脳活動計測法により一部とはいえ可能になっている．MEGは脳の神経活動に伴って発生する微弱な磁気変化を捉えるものであり，NIRSは波長が赤外線に近い近赤外光を頭蓋を通して脳内に入れ，脳からの反射光の量により脳内の血流変化を捉えるものである．ここでは非侵襲的脳活動計測法で最もよく用いられるfMRIとPETについて簡単に紹介しよう．

　fMRIは生体の内部構造を断層画像として捉えることを可能とする構造的磁気共鳴画像(structural magnetic resonance imaging: sMRI) と同じ機械を用いて，構造ではなく，はたらき（機能）を調べるものである（図5.9）．基本原理は，脳の局所的な活動に伴う血管内における血液の磁性の変化を利用して，血流量の変化を捉えようというものである．血液中に含まれるヘモグロビンは酸素との結合状態によって磁性が変化する．すなわち，酸素分子と結合した酸素化ヘモグロビンは磁化しにくいのに対して，酸素分子を離した脱酸素化ヘモグロビンは磁化しやすい性質をもつ．脳に活動が起こると，酸素やブドウ糖が多量に必要になり，その部位の局所血流量は大幅に増加する．その結果，酸素化ヘ

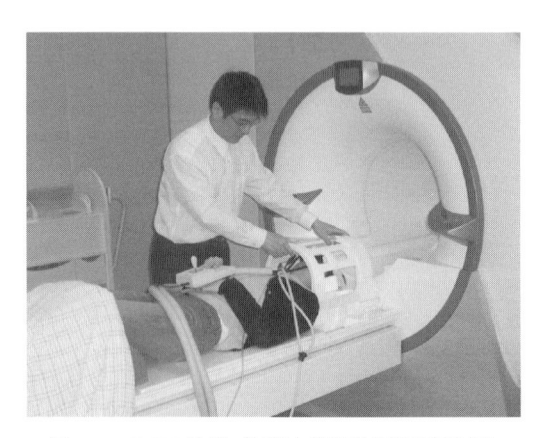

図 5.9　fMRI装置（玉川大学脳科学研究所提供）
　　仰臥した被験者は図の右側にある装置のチューブ内に入って脳活動が測定される．装置内では音刺激はヘッドフォンで，視覚刺激はゴーグル式ディスプレイや反射鏡を通じて呈示される．反応は手元のスイッチやジョイスティックにより行う．図は実験者が頭部用コイルをセットしているところ．

モグロビンを含んだ血液が多量に流入すると同時に脱酸素化ヘモグロビンが急速に灌流されることになり，活動部位における血中ヘモグロビンの磁化率は変化する．これは BOLD (blood oxygen level dependent) 効果と呼ばれ，fMRI では脳の各部位で得られるこの信号を利用しているわけである．

　PET は陽電子（ポジトロン）を出して崩壊するラジオアイソトープ（ポジトロン核種）で標識した放射性物質を生体に投与し，放射性物質から放射される陽電子が周囲の電子と結合するときに放射されるガンマ線を，体の周囲にめぐらせた検出装置で捉えるものである (1.5.5 項も参照)．脳の特定部位が活動すると，そこではより多くの血流が生じ，その結果ガンマ線もより多くその部位から放射されることになる．PET ではこのようにして捉えたものにつき，コンピューター断層法の原理を使って元の陽電子の位置を正確に同定し，それを断層画像として表示するのである．

　なお，測定法ではないものの，非侵襲的脳機能研究法として最近よく用いられるようになったものに頭部磁気刺激 (transcranial magnetic stimulation: TMS) がある．方法は，大容量のコンデンサに蓄電しておいて，頭部に置いたコイルに瞬間的に大電流を流して急激な変動磁場（パルス磁場）を発生させ，脳に渦電流を誘導することによって脳を「電気刺激」するものである．種々の感覚刺激の呈示中や特定の課題遂行の前や最中に磁気刺激を与えると，磁気刺激を与える部位やタイミングに応じてさまざまな機能がブロックされることが報告されている．

5.3.4　課題遂行と前頭連合野の活性化

　ワーキングメモリーの非侵襲的脳活動計測研究では n-バック課題（図 5.8 参照）がよく用いられる．この課題下で調べた研究 (Smith et al., 1996) によると，ワーキングメモリーを要求されないコントロール課題下と比較して，「位置条件」では，前頭連合野背外側部（Brodmann の領野の 46, 9, 10 野）（図 5.10），運動前野と補足運動野 (6 野)，頭頂連合野 (7, 40 野) において，「文字条件」では，ブローカの言語野（左半球の 44, 45 野），前頭連合野背外側部 (46, 9, 10 野)，頭頂連合野 (7, 40 野) と小脳において活性化が見られた．なお，位置条件では右半球で，文字条件では左半球で，それぞれより大きな活性化が見られた．

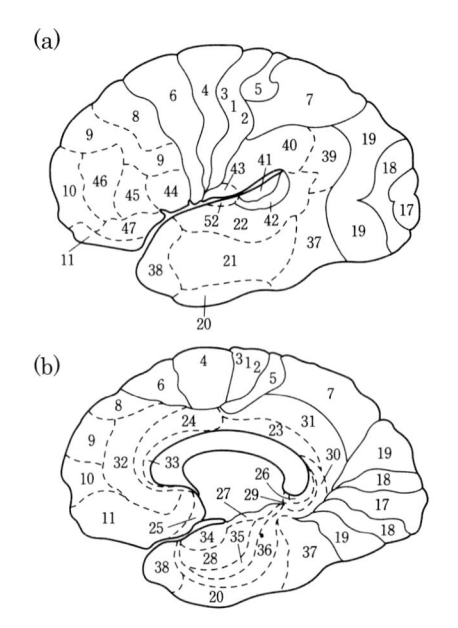

図 5.10　ブロードマンの領野（Elliot, 1970 より改変）
(a) 外側面，(b) 内側面．

　ワーキングメモリー課題に関係させたほとんどの非侵襲的脳活動計測研究において，前頭連合野の特に背外側部（主に 46, 9 野）で活性化が見られている．一方で，前頭連合野とともに頭頂連合野を中心とした他の脳部位の活性化も必ずといっていいほど報告されている．これは，ワーキングメモリーが前頭連合野と，頭頂連合野を中心とした他の脳部位との「ネットワーク」によって担われていることを示している．
　ただ，ワーキングメモリー課題下では前頭連合野は常に活性化するというわけではない．たとえば典型的なワーキングメモリー課題の 1 つとされる n-バック課題の中でもやさしい 1-バック課題では，前頭連合野はほとんど活性化しない (Carlson et al., 1998)．さらに，ワーキングメモリー負荷が過大になると課題の成績が落ちるとともに，前頭連合野の活性化は減少するという報告もある．つまり，負荷が小さいときと過大なときには前頭連合野の活性化は小さく，負荷が中くらいで，いわば適度に困難な課題遂行時に活性化は大きい，という逆 U 字関係があるとされる．なお，ワーキングメモリーに関係した前頭連合野の

活性化は，言語材料を用いた課題では左半球の方が大きい，というような半球間左右差が見られることが多い．しかし，高齢者においては言語課題でも左右半球がともに活性化することが多く，左右差が見られない場合が多い (Cabeza et al., 2002)．これは老化に伴う認知制御能力の減少が，前頭連合野をフルに活動させることによって補償される過程に関係していると考えられている．

5.3.5 動物による実験

サルで試みられるワーキングメモリー課題としては，空間的遅延反応課題，遅延交替反応課題，遅延見本合わせ課題，遅延非見本合わせ課題（図5.11）などがある．前頭連合野破壊ザルは，こうしたワーキングメモリー課題の遂行に押しなべて障害を示す．ワーキングメモリーの脳メカニズムを調べるために，前頭連合野に細い金属の針（電極）を差し込んで，そこから1つ1つの細胞（ニューロン）の電気活動を記録する，という研究が広く行われている．

この方法では，頭蓋に歯科用セメントなどを使って取り付けた固定金具を，サルを座らせたモンキーチェアーの外枠で固定する（図5.12）．こうすることにより，サルの頭の動きを止め，ニューロン活動を安定的に記録することができる．一方，この装置では，サルは一定の範囲で手や足を自由に動かすことができる．前頭連合野の研究においては，麻酔下の動物を用いたり，動物に意味のない刺激を提示したり，単純な運動を繰り返させたりするという，「自動的な処理」で対処できるような事態では，その機能を十分調べることができない．この脳部位が重要な役割を果たしているような，まさに認知制御が要求されるような課題を行っている動物からニューロン活動を記録することで，はじめてその機能に迫れるのである

空間的遅延反応課題下でサル前頭連合野のニューロン活動を記録すると，遅延期間中に活動の上昇を示すニューロンがたくさん見つかる．さらにこの課題における右の試行と左の試行で，遅延期間中に異なった活動を示すもののあることも明らかにされている．こうした左右の試行で遅延期間中に異なった活動を示すニューロンは，「課題解決に必要なワーキングメモリー情報をアクティブに保持する」という役割を果たしていると考えられる（図5.13）．

ただし，ワーキングメモリーに関係した遅延期間中の活動は，前頭連合野のみで見られるわけではない．サル頭頂連合野には，前頭連合野で見られるもの

(a) 遅延反応　(b) 遅延交替反応　(c) {(i) 遅延見本合わせ / (ii) 遅延非見本合わせ}

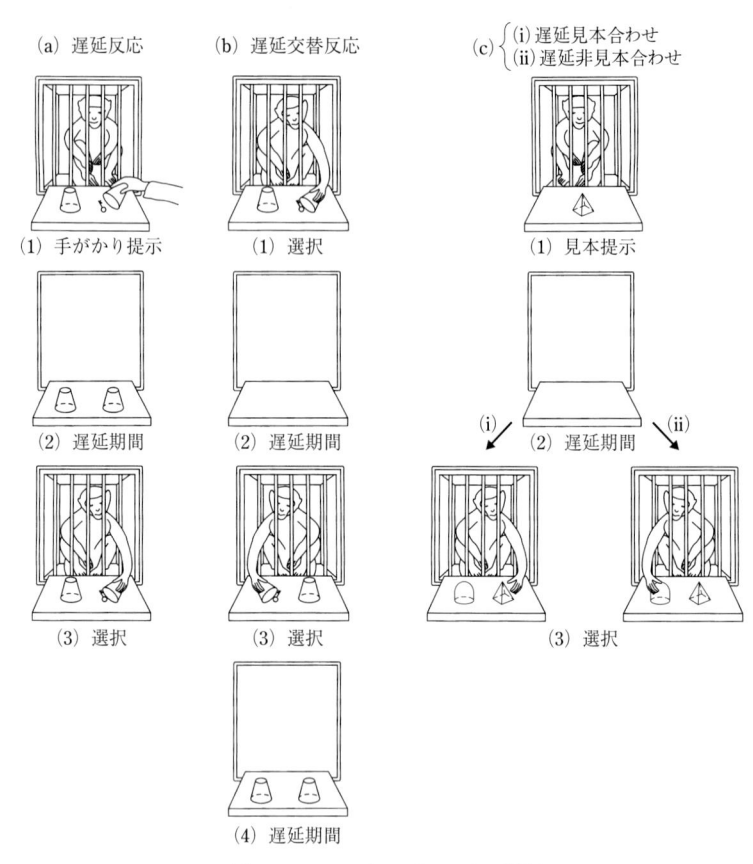

(1) 手がかり提示　(1) 選択　(1) 見本提示

(2) 遅延期間　(2) 遅延期間　(2) 遅延期間

(3) 選択　(3) 選択　(3) 選択

(4) 遅延期間

図 5.11　ワーキングメモリー課題
(a) 遅延反応：左右にある同一の不透明なカップのどちらかに餌が入れられたことを遅延期間中もサルが覚えていて，遅延終了後に先に餌が入れられた側に正しく反応するとその餌を得ることができるという課題．(b) 遅延交替反応，餌をカップに入れるのをサルには見せないが，餌は遅延をはさんで右―左―右―左と交互に入れられるので，サルは前の正解の位置と反対の位置に反応することにより餌を得ることができる．(c) 遅延見本合わせ，遅延非見本合わせ：見本として呈示された物体が何であったかを覚えていて，遅延期間終了後に見本とそうでない物体を呈示されたとき，サルが見本として呈示されたものを選べば餌がもらえるのが遅延見本合わせ，見本でない方を選べば餌がもらえるのが遅延非見本合わせ．

ときわめて類似した空間的ワーキングメモリーニューロンが見いだされる．サル下側頭連合野にも，遅延見本合わせ課題において，見本刺激の違いにより遅延期間中に異なった活動を示すものが見いだされる．しかし，その性質に違いも認められる．すなわち，頭頂連合野や側頭連合野のニューロンにおいては，遅延期間中に妨害刺激が提示されると，保持すべき情報に関係した活動は失われて

5.3 ワーキングメモリーとその脳メカニズム 219

図 5.12 頭を固定してサルに課題を行わせながら，脳に微小電極を挿入してニューロン活動を記録する実験 (Evarts, 1973).

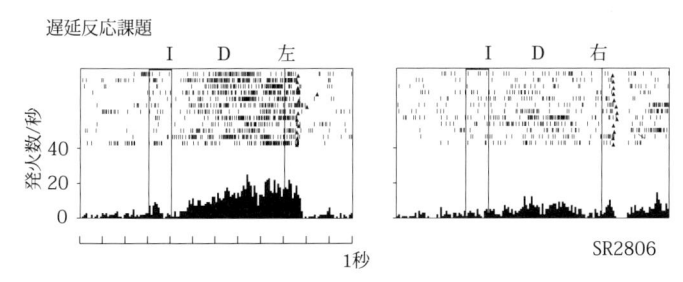

図 5.13 ワーキングメモリーを担うサルの前頭連合野ニューロン活動
左が左に手がかりが呈示された，右が右に手がかりが呈示された試行における活動を示す．各列が各 1 試行，各パルスはニューロンの活動を示す．下のヒストグラムは上のパルスを 12 試行分加算したもの．このニューロンは遅延期間中，左の試行で右の試行より多くの活動を示した．手がかりが左に呈示されたことを覚えている過程に関係していると考えられる．I：手がかり刺激．D：遅延期間．

しまう．それに対し前頭連合野ニューロンは，妨害刺激があっても，保持すべき情報を遅延期間中は保持し続けることができるのである (Miller et al., 1996).

5.3.6 ワーキングメモリーに関する前頭連合野外側部の機能分化

ワーキングメモリーに重要なのは，前頭連合野の外側部であるが，その中で背外側部 (46, 9, 10 野) と腹外側部 (ヒトでは 45, 47 野，サルでは 12 野；図 5.10 参照) では機能的な違いがあるとする 2 つの立場がある．1 つは Goldman-Rakic (1996) らの主張で，腹外側部は対象の色や形などの情報のワーキングメモリーに関わり，背外側部は対象の空間的位置などの情報のワーキングメモリーに関わるというものである（図 5.14）．第一次視覚野へ入った情報は，その後，その

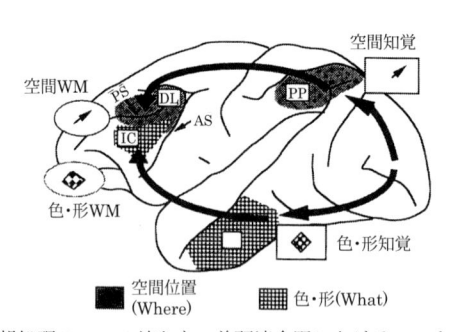

図 5.14 視覚情報処理の2つの流れと，前頭連合野におけるワーキングメモリーの機能分化に関する Goldman-Rakic らの説（Wilson et al., 1993 より改変）
WM：ワーキングメモリー，V1：第一次視覚野，IT：下側頭連合野，PP：頭頂連合野，DL：前頭連合野背外側部，IC：前頭連合野腹外側部（下膨隆部），PS：主溝，AS：弓状溝．

色や形に関しては下側頭連合野でより詳しい処理を受け，空間に関する情報は頭頂連合野でより詳しい処理を受ける，というように，2つの流れ（腹側ルートと背側ルート）のあることが知られている．ワーキングメモリー情報も，その2つのルートの情報が至る前頭連合野の腹外側部と背外側部で別々に表象される，というものである．

もう1つは Owen ら (1998) の主張で，空間情報かそうでないかには関係なく，どのような情報に関しても腹外側部はワーキングメモリー情報の「保持」に関係し，背外側部はその「操作やモニター」[5]に関係する，というものである．ニューロン活動を調べる研究においても，ヒトにおける非侵襲的脳活動計測研究においても，どちらを支持する実験もなされているが，圧倒的に多くの研究結果は後者の立場を支持しており，前頭連合野内では腹側と背側ルートのワーキングメモリー情報が分化して処理されていることを示す研究は少ない (D'Esposito et al., 1998)．

5.4 プラニング，推論，概念，ルールに関係した脳活動

認知制御の中でも最も高次なはたらきであるプラニング，推論，概念，ルー

---

5) ワーキングメモリーにおける操作：たとえば7桁の数字を一時的に覚える場合は，そこに操作の過程はない．しかし，7桁の数字が呈示され，一定時間後にそれを逆唱しなければならない，というような場合は，7桁の数字を逆向きに並べ替えるという「操作」の過程が必要となる．ワーキングメモリー内容の単なる「保持」の場合と違って，「操作」の過程が加わると，前頭連合野の背外側部が重要な役割を果たすという説である．

ルなどの脳メカニズムを知るうえで，20–30年前までは脳損傷患者の行動を詳しく分析するのがほとんど唯一の方法であった．しかし非侵襲的脳活動計測研究法の進歩，認知課題を訓練したサルの前頭連合野を中心とした大脳連合野からニューロン活動を記録する方法の確立により，こうした精神過程の脳メカニズムについて多くのことが最近明らかにされている．

5.4.1 プランニングと前頭連合野

フィネアス・ゲージの例で見たように，前頭連合野損傷患者はプランニングに障害を示すことが多い．ここではその障害の性質を実験的に詳しく調べた研究(Sirigu et al., 1995)を紹介しよう．

この研究において，被験者は，(a)仕事に行く，(b)メキシコに旅行に行く，(c)美容サロンを開く，という3つの設定場面でどういうことをしなければならないのか，あるいは起こるのかについて，可能な限り多くの事項について順序立って記述するように求められた．前頭連合野損傷患者の反応には次のような特徴が見られた．①「美容サロンを建設する前に開店パーティーを用意する」，というような時間順序を無視した行為系列を作成する傾向．②どのような設定場面であれ，そこで想定される終了状況まで行き着かない，または終了状況からさらに話を続けるという傾向，③海外旅行の計画を立てるというような場面で，「スーツケースに荷物を詰める」という優先度の高いことは軽視して，「親戚にどんなおみやげを買うのか」，というような些細なことを重要視するというような優先度を無視あるいは軽視する傾向，である．

前頭連合野損傷患者が不適切なプランニングをするのは，「必要な情報をアクティブに保持する」というワーキングメモリー機能の障害に加えて，順序づけ，注意，行動抑制，文脈に基づいた情報の処理，というような前頭連合野の多様な機能の障害によって生じると考えられる．

実験室場面でプランニングの過程を調べるものに「ロンドン塔課題」と呼ばれるものがある．この課題は図5.15のように，赤，青，緑のビーズ玉各1個を，最初の位置から最少の移動回数で目標とされる位置に移すというものである．被験者は最初の位置から各玉をどのような順序でどのように動かして目標の位置までもっていくかをあらかじめプランニングし，それに基づいて組織的反応をすることが要求される．このテストでは，課題遂行時間においても，誤りの数

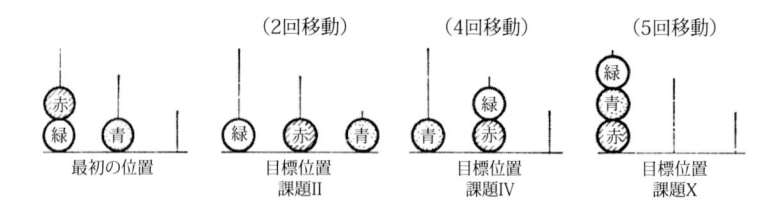

図 5.15 ロンドン塔課題 (Shallice, 1982 より改変)
被験者は最初の位置から最少の移動回数により，赤，青，緑の各ビーズ玉を「目標位置」に移すことを要求される．3つの棒は長さが違うことに注意．

においても，左半球の前頭連合野外側部損傷患者において有意な障害が見られている (Shallice, 1982)．

このロンドン塔課題を用いたプラニングに関係した非侵襲的脳活動計測研究 (Fincham et al., 2002) によると，課題の困難度が増すとともに前頭連合野外側部，内側部，頭頂連合野の活動性が増加する傾向が見られた．これらの活性化部位はワーキングメモリーにより活性化が見られる部位に重なっている．ロンドン塔課題では，これらの部位に加え，さらに前頭連合野の一番前の部位（前頭極）(10 野) の活性化が見られることもある (van den Heuvel et al., 2003)．一方，被験者が十分にこの課題の練習をして熟達してくると，前頭連合野の活動性は小さくなり，代わりに大脳基底核（図5.2参照）の活動性が大きくなることも示されている (Beauchanmp et al., 2003)．これは認知制御の必要性が減少し，自動的な処理で対応できるようになると，大脳基底核が重要な役割を果たすことを示している．

5.4.2 推論と前頭連合野

前頭連合野損傷患者は「推論」にもいろいろな障害を示す．「演繹推論」と「帰納推論」の両方の推論に関して前頭連合野損傷患者を調べた研究を紹介しよう (Waltz et al., 1999)．

この研究において，「演繹推論」では被験者に「推移率に基づく推測」を求めた．たとえば「アキラはヒロシより背が高い，ヒロシはカズオより背が高い，ではアキラとカズオではどちらの背が高いか」というような課題である．この課題には推論の前提となる記述が一定の順序に従って並べられる「順序どおりの提示」と，記述がランダムである「ランダム提示」の2種類の提示法があった．

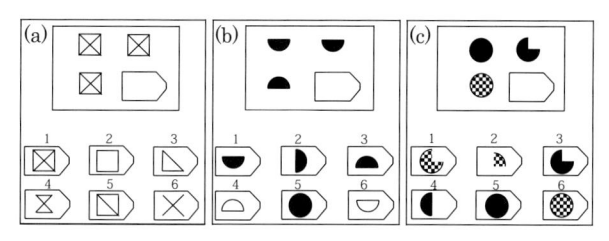

図 5.16 レーヴン漸進マトリックス検査の例（Waltz et al, 1999 より改変）

被験者は各コラム内で，下の 1–6 番の各図のうちで，上の図の空欄に適したものを選ぶよう要求される．レベル 0(a) では「関係性」についての推論は要求されず，単に知覚的マッチングのみ要求される（正解は 1 番）．レベル 1(b) では 1 次元（ここでは垂直方向のみ）の関係性についての推論が求められる（正解は 3 番）．レベル 2(c) では 2 つの次元（垂直方向と水平方向の両方）における関係性についての推論が求められる（正解は 1 番）．

前提文がランダムに提示される「ランダム提示」条件において，前頭連合野群は著しい障害を示した．

「帰納推論」課題では「レーヴン漸進マトリックス (Raven's progressive matrices: RPM)」検査が用いられた（図 5.16）．この課題は抽象的な幾何学図形に関する帰納的推論を要求するもので，被験者は図形の欠如部分に合致するものを複数の選択肢の中から 1 つ選ぶことを求められた．この実験では関係性のレベルに 0, 1, 2 という 3 種類があった．レベル 2 の問題だけが関係性の「統合」が要求される課題である．前頭連合野損傷患者はレベルが 0 や 1 のときにはこの課題に障害を示さなかったが，レベルが 2 となり，関係性の統合が要求されるようになると著しい障害を示した．こうした関係性の統合のためには，必要な情報をアクティブに保持し，それに基づいて操作するというワーキングメモリーの過程が重要な役割を果たしていると考えられる．

推論に関係した非侵襲的脳活動計測研究も最近は数多く行われている．あるPET 実験では，2 つの前提となる文章から 3 つ目の文章が導けるか否かを聞く演繹推論課題と，前 2 文から判断して 3 番目の文の真実性はどれくらいかを答えさせる帰納推論課題が用いられた (Goal et al., 1997)．その結果，演繹推論では「左」前頭連合野腹外側部 (45, 47 野)，帰納推論では「左」の前頭連合野内側部と背外側部 (8, 9 野) および前帯状皮質 (24, 32 野) というように，どちらも「左」前頭連合野で活性化が見られた．これは推論には言語中枢のある前頭連合野の左側がより重要であることを示しており，多くの損傷研究の結果とも一致している．

しかし別の fMRI 実験においては，演繹推論ではもっぱら右脳（側頭言語領域の右側相当部位，右の前頭連合野腹外側部，大脳基底核，扁桃体）が活性化し，帰納推論ではもっぱら左脳（左の前頭連合野外側部，内側部，後部帯状皮質，側頭連合野）が活性化した (Parsons & Osherson, 2001)．このことは，課題の性質によっては，右半球前頭連合野も演繹推論に重要な役割を果たす場合のあることを示している．

推論に関係して，最近の研究では前頭連合野の一番前の部分（前頭極：10 野）の活性化を報告するものが多い．RPM 課題下で行われた fMRI 実験において，レベル 0 や 1 の問題では前頭連合野の活性化は見られなかったが，「関係性の統合が要求される」レベル 2 の問題では右前頭連合野背外側部とともに両側（左が強い）の前頭極の活性化が見られた (Christoff et al., 2001)．その発展的研究では，RPM 課題の関係性が増すとともに（レベルが 1─2─3─4 と増加するとともに），前頭連合野背外側部と頭頂連合野の活性化が大きくなると同時に，前頭極での活性化も大きくなることが示された (Kroger et al., 2002)．

ブランチング課題 (branching task) という課題に関係して行われた fMRI 実験では前頭極に限局した活性化が見られている (Koechlin et al., 1999)．ここでは被験者が次々に副目標を達成するという作業をしながら，副目標が達成されるたびに主目標の達成に関係した表象に戻ることを求められたとき，前頭極で選択的な活性化が見られた．こうしたことから前頭極は，いくつかの処理を並行的に行う，関係性の統合を行うなど，ワーキングメモリー負荷の高い条件で推論を行うときに重要な役割を果たしていると考えられる．

推論にはもっぱら理詰めで行う「合理的推論」と，好き嫌い，脅威などの情動に左右される「情動的推論」とがある．この 2 種類の推論には前頭連合野の異なった部位が関与していることを示した研究がある (Goel & Dolan, 2003)．ここでは情動内容を含むものと含まないもの，という 2 種類の推論を要求する課題と，情動内容を含むあるいは含まない（推論を要求しない）単なる叙述，という 4 条件があった．すなわち，①情動内容を含む推論を要求する課題，②情動内容を含まない推論を要求する課題，③情動内容を含む単なる記述，④情動内容を含まない単なる記述，という 4 条件で fMRI 実験が行われた．実験の結果，情動内容を含まない合理的な（「クールな」）推論には前頭連合野背外側部（46，9，10 野）の活動上昇と腹外側部（45，47 野）の活動抑制が，情動内容

を含む（「ホットな」）推論には前頭連合野の腹外側部の活動上昇と背外側部の活動抑制が見られた．

　以上述べたように，前頭連合野損傷患者はいろいろな推論課題で障害を示す．非侵襲的脳活動計測法による研究では，どのような推論をするのかにより前頭連合野の異なった部位が活性化することが示されている．しかしながら，たとえば同じ演繹推論が求められても，異なった実験では，左右を含め異なった部位が活性化しているなど，前頭連合野のこれこれの部位は推論のこれこれの側面に関わっている，ということに関して必ずしも統一的な結論が導かれるだけの十分なデータはないのが現状である．推論という多様な心的過程が関わる認知制御は，前頭連合野内のさまざまな部位を中心とした多くの脳部位間の相互作用のもとに成し遂げられるわけで，推論の内容，被験者の構え，解き方などで異なった脳部位が活性化するのはむしろ当然ともいえる．

5.4.3　概念，範疇化と前頭連合野ニューロン活動

　動物実験ではプラニング，推論などを行動レベルで捉えるのが困難なため，こうした過程のニューロンメカニズムはほとんど調べられていない．しかし，こうした高次な認知制御の基礎となるメカニズムについては多くの研究がある．ワーキングメモリー，プラニング，推論，などの心的操作を支えるものとして「概念」がある．この「概念」に関して最近はサルに概念形成（範疇化）をさせ，ニューロン活動を記録する，という試みがなされており，ニューロンレベルでも，前頭連合野が概念や範疇化に重要な役割を果たしていることが示されている．

　有名な研究に，イヌとネコを範疇化するようサルに訓練したものがある (Freedman et al., 2001)．この実験で，イヌではシェパード，ポインター，セントバーナードという3種類の，ネコではチータ似，家ネコ似，トラ似という3種類につき，それぞれ典型的な図が用意された．次にその典型からモルフィンというコンピューター画像技術を用いて，ネコにはイヌ的要素を，イヌにはネコ的要素を少しずつ入れて変形した図形をつくった．サルには遅延見本合わせ課題（図5.11参照）を用いて訓練し，物理的な特徴ではなく，範疇に基づいて2つの刺激を区別することを求めた．前頭連合野外側部のニューロンには，刺激の物理的特徴は反映せず，イヌに近いネコもネコに，ネコに近いイヌもイヌという

ように，イヌかネコのどちらに範疇化したのかにのみ依存した活動を示すものが見いだされた．

こうした前頭連合野外側部ニューロンの応答は範疇化，そして概念に関係しているとされる．しかしサルは2つに1つの選択を迫られているという実験状況にあると考えると，こうしたニューロンはネコとイヌの区別でも，たとえば木と魚の区別でも，似たような反応をする可能性が考えられる．つまり，ネコあるいはイヌという範疇そのものを捉えているのではなく，2つに分けるとしたらAかBのどちらか，という側面を捉えているとも考えられる．

一方，図形の範疇化に前頭連合野が重要な役割を果たしていることを，間接的ではあるが，明確に示す実験も行われている (Tomita et al., 1999)．この研究では，部分的に分離脳を行ったサルに範疇化を要求する連想記憶課題を訓練して，ある範疇に属するように実験者が恣意的に決めたいくつかの視覚刺激に対して，1つの特定の視覚刺激を想起することをサルに求めた．そのサルの「側頭連合野」からニューロン活動を記録したところ，部分的な分離脳を施したことによって制限の生じた情報の可能な流れを考えると「前頭連合野からの信号を受けて」いると想定される側頭連合野ニューロンが，図形刺激を範疇化（想起すべき特定の1つ視覚刺激と結びついたいくつかの刺激のどれが出されても同じような応答）して捉えた活動を示すことが明らかになった．

「数の概念」に関しても，サルにおいてニューロン活動が調べられている．「視覚刺激がいくつ呈示されたか」という一時に呈示された「刺激の個数」という数概念に関係して，前頭連合野の背外側部ニューロンが活動することが示されている (Nieder et al., 2002)．一方，「何回の運動反応をしたのか」という運動の回数に関する数概念に関係したニューロンは前頭連合野では見られず，頭頂連合野で見いだされている (Sawamura et al., 2002)．

ごく最近，「運動系列の概念」に関係したニューロンが前頭連合野外側部にあることが見いだされている (Shima et al., 2007)．サルにはレバーを押す，引く，回す，という反応を組み合わせて4つの運動からなる反応をするように訓練が行われた．系列には3種類があった．1つは押す―引く―押す―引く，というような「交代系列」，別の1つは押す―押す―回す―回す，というような「ペアー系列」，最後の1つは引く―引く―引く―引く，というような「繰り返し系列」である．サルがそれぞれの系列の反応を準備しているとき，運動要素

の違いとは関係なく，3種類のどの系列の準備をしているのかによって異なった活動を示すニューロン（たとえば，「押す―引く―押す―引く」でも，「回す―押す―回す―押す」でも同じ「交代系列」という範疇に入る）が前頭連合野には数多く見いだされた．これは前頭連合野が運動系列という抽象度の高い概念の表象に重要な役割を果たしていることを示す重要な研究である．

5.4.4 抽象的ルールに関係した前頭連合野ニューロン活動

　前頭連合野外側部ニューロンにはルールに基づく活動も見られる．ある研究では，サルに2つの異なったルールに従って視覚刺激に反応するように訓練が行われた．視覚刺激はサルの眼前のディスプレイ上の4ヵ所のうちの1ヵ所に呈示された．「空間ルール」条件下では，4ヵ所の中の刺激が提示された1ヵ所がそのまま反応のターゲットとなった．「条件性弁別学習ルール」下では，刺激の提示箇所と関係なく，刺激の色か形に基づいて反応すべきターゲットの位置が決まった．サル前頭連合野外側部ニューロンの約半数は，現在の「ルールの違い」に基づいて，同じ視覚刺激にも異なった反応を示した (White & Wise, 1999)．別の研究ではサルにルールに基づく遅延見本合わせ課題が訓練された．ここでは，丸か三角の刺激がディスプレイ上3ヵ所のうちの1つの箇所に手がかり刺激として提示された．遅延終了後の時点で，「形」か「位置」というどちらかのルールに従って見本合わせすることがサルには要求された．記録されたうちの3分の1以上の前頭連合野外側部ニューロンは形か位置かという「ルール」に依存した活動を示し，同じ視覚刺激にも異なった応答を示した (Hoshi et al., 2000)．

　サルに「見本合わせルール」と「非見本合わせルール」（図5.11参照）の2つを学習させてニューロン活動を調べた研究もある (Wallis et al., 2001)．見本合わせルールでは継時的に呈示される刺激が「同じ」ときに，非見本合わせルールではそれらが「異なる」ときにレバー押し反応することをサルは要求された．サルの前頭連合野外側部には，見本刺激としてどのような刺激が呈示されたかとは無関係に，現在はどちらのルールで反応したらよいのか，という「ルール」の違いにのみ依存した活動を示すものが見いだされた．

　こうしたニューロンはルールに依存したはたらきをしていると考えることができるが，一方，前頭連合野には「現在どのような状況にあるのか」という「文

脈をモニターし，文脈に基づいて刺激を捉える」はたらきをするニューロンが，これまでいろいろな事態で報告されている．たとえば Watanabe ら (2002) は，何十試行かのブロックごとに報酬が変えられる，という条件で前頭連合野外側部のニューロン活動を調べたところ，「現在はどの報酬が用いられているのか」という動機づけ文脈に基づいて，文脈そのものの違いを反映する，あるいは文脈に基づいて同じ物理的刺激にも異なった活動を示すニューロンのあることを示した．ルール依存的前頭連合野ニューロンの活動は，こうした文脈に関係したはたらきの 1 側面を表していると考えることができる．

5.5 行動の抑制とスイッチング

前頭連合野の損傷患者は，してはいけないとされること，あるいは通常なら普通の人はしないようなことを，躊躇なくしてしまう傾向にある．何かが目に入ると，それで何かしなさいとも，手を触れていいとも言われていないのに，躊躇なくそれを取り上げ，いじる，というような行動が損傷患者にはよく見られる．Lhermitte はこうした行動を「利用行動 (utilization behavior)」と名づけているが (Lhermitte, 1983)，前頭連合野損傷患者にはこのように行動の「抑制」がきかない，という傾向が見られる．前頭連合野損傷患者はまた，事態が変化して，それに応じて行動を変えなければならないという場合でも，いつまでも以前の行動を変化させない，という傾向がみられる．それゆえ前頭連合野は行動の抑制や切り替えに重要な役割を果たしているわけである．Go-NoGo 課題，Stop 信号課題，Stroop 課題などは行動抑制のメカニズムを調べるために，ウィスコンシン・カード分類課題は行動の切り替えのメカニズムを調べるためによく用いられる．ここではこうした課題遂行に関連させて前頭連合野のはたらきを調べた研究を紹介することにする．

5.5.1 Go-NoGo 課題の障害と前頭連合野

「Go-NoGo 課題」ではある刺激には一定の運動反応 (Go 反応) をし，別の刺激には運動反応を一切しないようにする (NoGo 反応) ことが要求される．前頭連合野に損傷のある患者は，NoGo 反応が求められても，運動反応をしないように抑制することが困難である (Drewe, 1975)．

また「Stop信号課題」と呼ばれる課題でも損傷患者，とくに前頭連合野腹外側部（図5.14参照）の後ろ部分の損傷患者は障害を示す（Aron et al., 2003）．これはたとえば遅延反応課題（図5.11(a)参照）で，手がかりが出た後に右に行くか左に行くかを覚え，反応の準備をしている遅延期間中のある時点で「Stop信号」が出ると，準備していた反応を抑制することが要求される課題である（信号が出ない試行では，そのまま準備していた右か左に行く反応をすることが要求される）．この「Stop信号」が遅延期間のはじめのころに呈示される場合は，準備した反応の抑制は困難ではないものの，終了間際に呈示されると，準備していた反応の抑制が（前頭連合野損傷患者では特に）困難になる．

Go-NoGo課題を行っている被験者の脳活動もfMRIを用いて調べられており，NoGoという行動抑制に関係して前頭連合野の活性化が報告されている（Konishi et al., 1998）．とくに右側の前頭連合野背外側部，前頭連合野腹外側部，前部帯状皮質[6]で活性化が大きい．またStop信号課題では，運動反応をうまくストップできたときには前頭連合野腹外側部の後ろ寄りがより大きく活性化する（Rubia et al., 2003）．

反応抑制に関係して，Go-NoGo課題下でサル前頭連合野のフィールド電位[7]を記録した研究によると，運動を抑制しなくてはならないときに限って前頭連合野外側部の皮質において表面―陰性，深部―陽性の大きな電位が現れることが示されている（Gemba & Sasaki, 1990）．この電位は「NoGo電位」と呼ばれ，運動反応の抑制に重要な役割を果たしていると考えられている．なお，Go反応をサルに要求したときに，こうしたNoGo電位が観察される部位を電気刺激すると，Go反応が阻害されることも示されている．

またニューロン活動を記録した研究によると，前頭連合野外側部には，NoGo反応が要求されたときに選択的に活動を示すニューロンが多数あることも示されている（図5.17）．

こうした研究から，前頭連合野の外側部は行動抑制に重要な役割を果たしているといえる．ただ，人の非侵襲的脳活動計測研究で示されるように，行動抑

---

[6] 帯状皮質：図5.1の脳の内側面の「帯状回」と，その上にある帯状溝（内側に折り込まれており，外からは1本の線状にしか見えない）を合わせて帯状皮質と呼ぶ．前頭葉内にある帯状皮質を前部帯状皮質，それ以外の帯状皮質を後部帯状皮質と呼ぶ．

[7] フィールド電位：神経細胞の集団がほぼ同時に興奮性入力を受けた場合や，同期して発火した場合，それらの活動を場の電位変化（フィールド電位）として細胞外から捉えるもの．

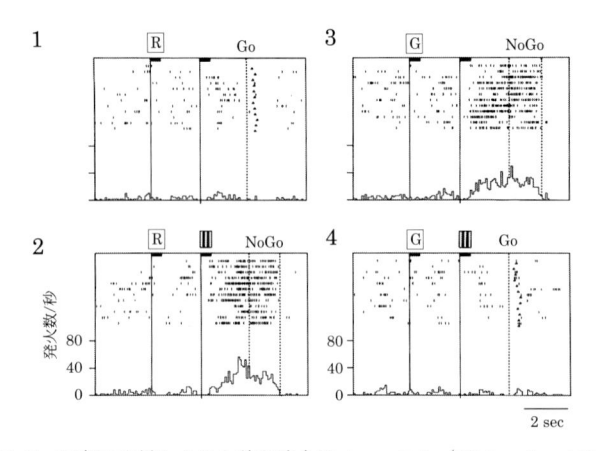

図 5.17 NoGo 反応に関係したサル前頭連合野ニューロン（Watanabe, 1986 より改変）
　1 と 4 が Go 試行での，2 と 3 が NoGo 試行での活動を示す．各列が 1 試行を示し，各パルスがニューロン活動を示す．下のヒストグラムは，上のパルスを 12 試行分加算したもの．

制が腹外側部の後ろ寄り，というような機能の限局が見られるかどうかに関しては，NoGo に関係したニューロンは外側部のいろいろな部位で見いだされているなど，動物実験の結果は必ずしも支持していない．

5.5.2 Stroop 課題の障害と前頭連合野

「Stroop 課題」と呼ばれる課題は，赤，青，緑などの文字がいろいろな色彩で印刷されており，被験者はその「文字」ではなく，文字が印刷してある「色彩」を答える，というものである．色と文字が一致していれば間違った回答をすることはほとんどなく，また反応時間も短い．しかし，たとえば赤という文字が緑色で印刷されている場合，「緑」と答えるには反応時間がかなり長くなる．この Stroop 課題では，前頭連合野の損傷患者は誤りが多くなり，かつ反応時間もより長くなるが (Perret, 1974)，損傷が右半球側にある場合，左半球側にある場合より障害はより大きくなることが示されている (Vendrell et al., 1995)．この障害は，自動的に生じる優勢な反応（文字を読む）を抑制することが困難なために生じると考えられている．

　Stroop 課題に関係した非侵襲的脳活動計測研究は多く，色と文字が一致しないときに色名を答えるときは，一致するときに色名を答えるときと比較して，前頭連合野外側部，前部帯状皮質，運動前野，島皮質，頭頂連合野などで活性

化が見られる．前頭連合野外側部と前部帯状皮質はほとんどの研究で活性化が見られるが，両部位はこの課題遂行に異なった役割を果たすことも示されている．ある fMRI 研究 (MacDonald et al., 2000) では，Stroop 刺激の出る前に，被験者に「文字を読むように」（葛藤はほとんどない），あるいは「色名を答えるように」（色と文字が異なっているときは大きな葛藤がある）という教示を与えておき，反応は 11 秒後に呈示される刺激（色のついた文字）に対して行うように求めた．その結果，色名を答えるように，という教示に対して特に左半球の前頭連合野背外側部で活性化が見られた．しかもこの活性化が大きいほど，Stroop 効果は小さく（反応時間は短く）なった．この脳部位はどこに注意を向けたらいいのかという情報を表象，維持することにより Stroop 課題における（葛藤を克服するという）反応を促進するようにはたらくと考えられる．一方，前部帯状皮質では教示刺激に対する応答はほとんどなかった．それに対し，ここでは葛藤のある状況で反応するときに大きな活性化が見られた．そしてこの脳部位の活性化が大きいほど Stroop 効果は大きかった（反応時間は長くなった）．これは前頭連合野背外側部が十分にはたらかないような場合，文字を読むという自動的に生じる反応と，色名を答えるという課題の要請との間に大きな葛藤が生じ，その結果として大きな活性化が生じたものと解釈されている．

なお，前部帯状皮質が選択的に損傷を受けることはきわめてまれなため，この脳部位の損傷により Stroop 課題の遂行に障害が生じるかどうかを調べる試みはきわめて少ない．治療目的でこの脳部位を切除する，という手術を受けた 1 人の患者で調べた研究では，確かに Stroop 課題の障害は見られている (Ochsner et al., 2001)．

こうした Stroop 課題における研究から，前部帯状皮質は「葛藤のモニターと解決」に関わり，前頭連合野外側部はそれに基づき行動制御を行うとする「前部帯状皮質葛藤モニター仮説」が提唱されている (Botvinick et al., 2004)．それを支持する研究 (Kerns et al., 2004) では，葛藤状態で誤りを犯したときの前部帯状皮質の活動量が大きいほど次の試行における行動の改善が見られるとともに，前頭連合野外側部の活動量も大きくなることが示されている．

しかしながら，葛藤事態が起こる事態でサルのこの脳部位におけるニューロン活動を調べた研究では，葛藤に特異的な活動は見いだされていない (Ito et al., 2003; Nakamura et al., 2005)．またこの前部帯状皮質葛藤モニター説によれ

ば，前頭連合野外側部そのものは葛藤の予測や検出は担っていないとみなされているが，両部位ともに葛藤の予測とそれに基づく行動の制御に関わるという非侵襲的脳活動計測研究もあり (Sohn et al., 2007)，この説は十分な支持を受けているわけではない．

5.5.3　反応の切り替えと前頭連合野

前頭連合野損傷患者はまた，「反応基準の切り替え」を要求される事態で障害を示す．反応基準の切り替えに関係して最もよく用いられる課題にウィスコンシン・カード分類課題と呼ばれるものがある．

これは，図 5.18 のように色（赤，緑，黄，青），形（三角，星，十字，丸），数 (1, 2, 3, 4) がそれぞれ違う 128 枚のカードを，被験者に「色」か「形」か「数」のどれか1つを基準に分類していくことを求めるものである．被験者は分類の基準については知らされない．正答が 6 回続くと，被験者に知らせることなく突然分類の基準が変えられるので，被験者はフィードバックに従って新しい分類基準を見いだし，それに基づいて反応しなければならない．

この課題は，分類基準を必要に応じて更新するという「操作」をしながら，更新された分類基準を頭の中に「表象」として「保持」し続けなければならない，という意味でワーキングメモリーが要求される課題でもある．前頭連合野に損傷のある患者は，分類の基準が変わっても，いつまでも前の基準に固執する傾向を示し，この課題の遂行に障害を示す (Milner & Petrides, 1984)．この障害

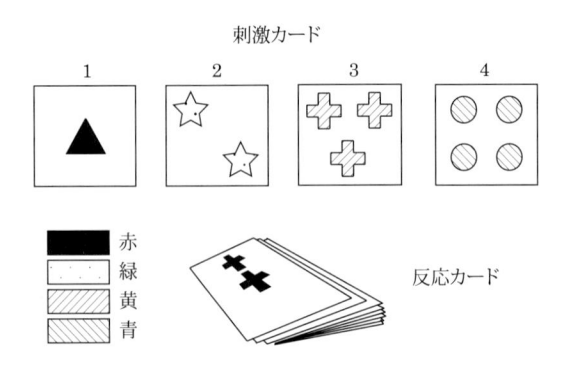

図 **5.18**　ウィスコンシン・カード分類テスト (WCST)（Milner & Petrides, 1984 を参考）
被験者は選択カードを「色」か「数」か「形」のどれかの次元で分類することを求められる．

はワーキングメモリーの障害とともに，反応基準をスイッチしたり，すでに有効ではなくなっている反応傾向を抑制したりするという，前頭連合野の他の高次機能の障害にも関係していると考えられる．

　非侵襲的脳活動計測研究によると，この課題の遂行に関係して，他のワーキングメモリー課題と同様，前頭連合野背外側部，頭頂連合野，視覚前野，小脳などが活性化する．一方，この課題遂行には新しい分類基準を見いだしたり，それに基づいて反応基準を切り替えたりするという多様な機能が関係している．なかでも「反応基準の切り替え」は，この課題遂行に最も重要な側面である．fMRI研究では，この切り替えに関係して前頭連合野の腹外側部の後ろ寄りと背外側部，前部帯状皮質で活性化が見いだされている (Monchi et al., 2001)．この課題では分類の基準が予告なく変化するため，基準が変わった直後には被験者は必ずエラーをすることになる．この「エラー情報を捉える」には前部帯状皮質とともに「右側」前頭連合野腹外側部の後ろ寄りが，「分類基準の切り替え」には「左側」前頭連合野腹外側部の後ろ寄りがより重要な役割を持つとされる (Konishi et al., 2002)．

　同じグループによる最近の研究によれば，以前のルールに従って反応しようとする傾向の抑制には前頭極（前頭連合野の一番前の部分：10野）の外側部が重要な役割を果たすことが明らかにされている (Konishi et al., 2005)．この課題では，ルールが変化すると，以前のルールに基づく反応は「抑制」しなければならない．そうした抑制をしながら課題を行っている間には，ときとして現在のルールに従って正しく反応する場合はもちろんのこと，以前のルールに従ったとしても正解となる試行が存在する（たとえば，以前は色での分類が要求されていたのに，現在は形に基づく分類が要求されるような場合，ときには現在の分類基準である形で分類しても，以前の分類基準である色に基づいて分類しても結果的には同じく正解になるカードも存在する）．そうした場合には以前のルールを抑制する，ということから「解放」されることになり，反応時間は短くなる．脳活動を見ると，抑制が要求される（以前の分類基準に基づく反応は誤りになる）場合に比べて，抑制から開放される（以前の分類基準に基づいたとしても反応は正解となる）場合は，とくに前頭極（10野）の外側部で活動性の減少が見られる．つまり抑制をしなくてもよいことから，その部位の活動が減少したものと考えられる．

以上の実験事実から，前頭連合野の腹外側部，とくにその後ろ寄りの部分は反応基準の切り替えに重要な役割を果たしていると考えられる．また，とくに基準が変わった後に，以前の基準に基づく反応を抑制するうえで，前頭極部位の重要性が指摘されている．

　ウィスコンシン・カード分類課題に類似した課題を訓練したサルにおいてfMRI実験を行った研究では，反応基準の切り替えに関係して，ヒトと同様に前頭連合野腹外側部の後ろ寄りに活性化が見られている (Nakahara et al., 2002)．また同じく類似課題を訓練したサルからニューロン活動を記録した研究 (Mansouri et al., 2006) によると，現在の分類基準を保持する，それぞれの分類基準に基づく反応が正しかったか誤っていたのかを捉える，というはたらきをするニューロンが前頭連合野外側部に見いだされている．

　ごく最近報告された同じグループの研究によると，サルの前頭連合野背外側部を破壊しても，前帯状皮質を破壊しても，分類基準が色と形の2種類というサル版ウィスコンシン・カード分類課題の遂行に障害は見られないことが示された (Mansouri et al., 2007)．この課題においては葛藤のある試行と葛藤のない試行がある．すなわち色と形という2つの分類基準のもとでの各試行で呈示される刺激は，色で分類するのと形で分類するのでは正解が異なるという葛藤のある場合と，色で分類しても形で分類しても正解になるという葛藤のない場合がある．脳破壊をしていないコントロール群のサルでは，葛藤のある試行に続く葛藤のある試行での応答スピードは，無葛藤試行に続く葛藤試行でのものよりも速くなる現象が見られた．これは葛藤経験が次の試行に活かされたためと考えられる．前帯状皮質を破壊したサルでも葛藤経験は次の試行に活かされたが，前頭連合野背外側部を破壊したサルでは，両条件間で応答スピードに差がみられなくなった．これは葛藤の経験を次の応答に活かすのに，前帯状皮質ではなく，前頭連合野背外側部が重要な役割を果たしていることを示すものである．

　この葛藤経験の応用に関して，前頭連合野背外側部のニューロン活動を記録したところ，葛藤のある試行の後の次の試行までの間，その経験を保持するはたらきをするニューロンがあることが明らかになった．なお，こうしたニューロンとともに，葛藤のなかった試行の後にも，その情報を保持するはたらきをするニューロンも見いだされた．こうした前頭連合野背外側部ニューロンのはたらきにより，葛藤経験の有無が次の反応に有利に作用すると考えられる．

5.5.4 フィードバックと前部帯状皮質

行動のスイッチングが要求される事態では，次の反応を決めるうえで，行ったばかりの反応が正しいものであったか誤ったものであったかを正しく捉えることが必須となる．PET や fMRI が開発される以前から，スイッチングが要求される事態であるかどうかに関わりなく，ヒトが誤りを犯したときには特徴的な脳波変化が見られることが知られていた．この脳波変化はエラーに伴ってマイナスの側に振れた電位変化を示すことから error related negativity (ERN) と呼ばれ，その脳波変化の源は前部帯状皮質にあると考えられてきた．最近の fMRI を用いた研究においても，人が課題を行っている間にエラー反応をしたときには，前部帯状皮質に活性化が見られている (Keihl et al., 2000)．ところが，この脳部位では，エラーのときだけでなく，正解になるかどうか不確定なときに，正解であったというフィードバックに対しても活性化が見られる (Carter et al., 1998)．またサルの前部帯状皮質ではエラーだけでなく，正解に対して応答するニューロンが多数ある (Niki & Watanabe, 1979; Matsumoto et al., 2007) ことも示されている．それゆえこの脳部位はエラーを捉えることのみに関係しているとはいえない．ニューロンレベルの研究では，この脳部位が報酬期待に基づく選択行動を担っているのではないかとする主張もある (Matsumoto et al., 2003)．

この脳部位は，Stroop 課題遂行に関係して活性化することはすでに述べたが，Stroop 課題のように，「優勢で自動的に生じるような反応傾向と，求められる反応が葛藤する」事態では，エラーがなくても活性化が見られるのである．エラーでこの部位が活性化するのは，正解をしようとして反応したのに，エラーだった場合には葛藤が生じるわけであり，それ故エラーに関係した脳活動が見られるとする考えもある (Botvinick et al., 2004)．一方，前部帯状皮質の中でさらに機能分化があり，この部位の前よりの部位はエラー検出に，後よりの部分は葛藤の検出に関係している，という fMRI 研究もある (Garavan et al., 2003)．

前部帯状皮質はエラー検出や葛藤の対処に関係していることはいくつかの研究で明らかになっているが，この部位内での機能分化に関しては十分なデータはまだない．この脳部位はエラー検出や葛藤への対処以外にも，苦痛体験や他人への共感，あるいはことを為すのに必要な労力の評価など，実に多様な機能

に関係している．ヒトにおける損傷研究と非侵襲的脳活動計測研究，ラットやサルにおける損傷研究とニューロン活動を記録する研究のなかから，この脳部位が「過去の自らの行為がどのような報酬をもたらしたのかという経験に基づいて，報酬を期待して行為の選択を行う」という機能をもっており，エラーの検出や葛藤への対処などは前部帯状皮質のそうした一般的機能の1つの側面として捉えるべき (Rushworth et al., 2007) とする考えが現在の段階では妥当な結論と考えられる．

5.5.5 セルフコントロール

「目の前に魅力的なものがあり，それを手に入れることは難しくないが，それを手に入れることを我慢すると，もっと魅力的なものが手に入る」というように，「より大きな利益を得るために，小さな利益を得ることは我慢する」ことを「セルフコントロール」と呼ぶ．たとえば「今ここにあるおいしいケーキを食べれば，それは直ちに満足を与えてくれるが，そうしたことが重なると，長期的には肥満や不健康という大きなマイナスがもたらされる．そこで，より好ましい体型と健康を得るために，今ここでケーキを食べるのを我慢する」というような場合である．セルフコントロールに関係して行われた fMRI 研究では，「小さいが手に入れやすい報酬と，大きいが手に入れにくい報酬の選択場面」において，前頭連合野の特に内側部，眼窩部で活性化が見られている (Rogers et al., 1999)．別の fMRI 実験では，短期的なストラテジーが最適な条件と，短期的には損をした方が長期的には得をするという長期的なストラテジーが最適な条件が設けられた (Tanaka et al., 2004)．短期報酬条件では前頭連合野眼窩部の外側寄り[8]と腹側線条体（図 5.19，図 5.2 も参照のこと）で，長期報酬条件では前頭連合野外側部，頭頂連合野，背側線条体で活動性がより大きくなることが示された．さらにセルフコントロールに関係して行われた別の fMRI 実験においては，情動に関わる脳部位である辺縁系，腹側線条体，前頭連合野内側部，後部帯状皮質，前頭連合野眼窩部の内側寄りは短期的，衝動的な選択に関係するのに対し，認知的な機能に関わる部分とされる前頭連合野背外側部，眼窩部の

---

[8] 前頭連合野眼窩部の外側と内側：前頭連合野の眼窩部はそのなかでさらに外側部と内側部に分けられることがある．外側部には，ヒトでは 11, 13 野が，サルでは BA12 野が含まれる．内側部には，ヒトでは 12, 14 野が，サルでは 11, 13, 14 野が含まれる（図 5.6 参照）．

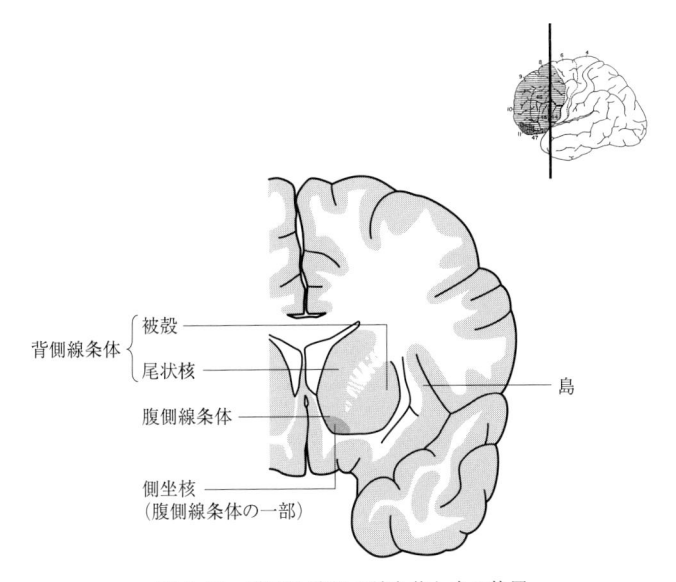

図 5.19 背側と腹側の線条体と島の位置
右上の図は脳を左から見た図で，その脳を縦線の面で切った断面図で示す．大脳基底核の主要部位である背側線条体は尾状核と被殻からなる．側坐核は腹側線条体の一部である．

外側寄りは「自制心のある選択」に関係することが示されている (McClure et al., 2004)．

こうした結果から，少なくてもよいから早く報酬が欲しい，というときには主に前頭連合野の内側部，眼窩部と腹側線条体が，待ってもいいからたくさんの報酬が欲しいときには主に前頭連合野の外側部と背側線条体が，より大きく関わると考えられている．

5.6 トップダウン的注意と前頭連合野

前頭連合野の損傷患者は注意の集中が困難であることはすでに述べたが，注意にはいろいろな側面がある．とくに空間内のどこかに注意を向ける，というような認知制御には，頭頂連合野が重要な役割を果たすことが知られている．一方，前頭連合野（の主に外側部）は，特定の対象に注意を向けたり，逆に注意を意図的にそらしたり，という形で認知制御に関わっている．ここではトッ

プダウン的注意とボトムアップ的注意の違いについて説明し，トップダウン的注意に果たす前頭連合野の役割について述べることにする．

5.6.1　トップダウン的注意とボトムアップ的注意

　注意の対象になったものは，注意しなかったものより内容をよく見たり聞いたりすることができる．注意が向けられる原因として2つのものがある．1つは刺激の持つ固有の特性で，突然大きな音がする，あるいは一様な光景の中に特徴のある物体がある，というような場合で，その刺激が浮き出し（ポップアウトし）てきて，我々の注意は自動的にその刺激に向けられる．このように呈示された刺激が我々の注意を半ば強制的に引き付ける場合の注意をボトムアップ的注意と呼ぶ．それに対し，何かの探しものをしているときのように，特定の対象に対して，それを見つける，あるいは出たらしっかり捉える，というような準備状態のもとに刺激を受容するための注意をトップダウン的注意と呼ぶ．

　最近の非侵襲的脳活動計測研究では，トップダウン的な注意に伴って脳活動の変容することが示されている．たとえば「顔」を写したものと「家」を写したものという透明な2枚の写真がオーバーラップした刺激がある動きをしているとき，被験者にそのうちのどれか（顔，家，動き）の側面に注意を向けることを求めるというfMRI実験がある．それによると，注意を向ける対象の違いにより，視覚系連合野（視覚前野）の中の，それぞれ紡錘状回顔領域（顔認知に重要な部位），海馬傍回場所領域（場所認知に重要な部位），MT/MST領域（動き認知に重要な部位）と呼ばれる視覚系領野が選択的に活性化することが示されている (O'Craven et al., 1999)．さらに，被験者が視野内の特定の位置に視覚刺激が呈示されることを期待すると，その呈示予定位置を受け持つ網膜部位が表象される視覚皮質部位に活性化が見られた，という報告もある (Kastner et al., 1999)．こうした活性化は，これから呈示される刺激を効率的に処理するうえでのバイアスをかけるはたらきをすると考えられる．しかも，こうした視覚皮質の（刺激呈示前の）活動性の変容が見られるときには，前頭連合野を含む前頭葉の多くの部位が活性化することから，視覚野における活性化は，前頭連合野からのトップダウン信号を受けた結果生じたのではないかと想定される (Kanwisher & Wojciulic, 2000)．

5.6.2 動物実験にみられるトップダウン的注意と前頭連合野

動物実験においてもトップダウン処理における前頭連合野の重要性が示されている．ごく最近のサルを用いた実験では，モニターの中心に小さな色刺激がまず呈示された．サルがその色刺激を見つめている間にモニターの周辺部に色つきの線分刺激がいくつか呈示された．サルは中心に呈示された色に合致した色を持つ線分刺激の傾きが垂直であるかどうかを答えるよう求められた．中心に出される色が一定の試行数の間は変化しない条件に比べて，試行ごとに変化する条件では，前頭連合野外側部を破壊したサルは線分の傾きを答える課題に著しい障害を示した (Rossi et al., 2007)．試行ごとのはじめに小さな色刺激は呈示されず，いくつかの刺激の中から1つだけ違う色の線分の傾きを答える，というボトムアップ的注意の要求される課題では損傷ザルにも障害は見られなかった．各試行ごとに，色の異なる小刺激が最初に呈示されるという条件で見られた障害は，前頭連合野破壊により，選択すべき色の線分を見つけるというトップダウン信号がなくなったために生じたのではないかと解釈できる．

別の実験では，特定の空間的部位に注意を向けるように要求すると，刺激が呈示されていない状態でも，その部位を受容野とする視覚前野のニューロンの活動が，注意を向けていない場合に比べて 30–40%，大きくなることが示されている (Luck et al., 1997)．

また，視覚前野の V4 と呼ばれる領域の視覚刺激応答が，前頭連合野外側部の特定部位に微小電気刺激をすることにより，部位により促進されたり，抑制されたりすることが示されている[9]．この応答変化は前頭連合野からのトップダウン信号を受けて生じていると考えられている (Moore & Armstrong, 2003)．

こうしたトップダウン信号は，課題に関係した刺激の処理を効率化することにより，適切な反応に導くというかたちで認知制御を担っていると考えられる．さきに紹介した前頭連合野におけるルールや文脈を表象することに関係するニューロンも，前頭連合野以外の部位にその表象に関するトップダウン信号を発して

---

9) この実験で刺激した部位は前頭連合野外側部の中の前頭眼野と呼ばれる領域で，眼球運動の制御に重要とされる部位である．この前頭眼野のニューロンは，視覚性受容野を持っている．この実験において，記録している V4 のニューロンの受容野に相当する視覚上の位置に受容野を持つ前頭眼野ニューロン付近の電気刺激は，その V4 ニューロンの活動を促進し，受容野が異なる前頭眼野ニューロンの電気刺激は V4 ニューロンの活動を抑制した．

いると考えられる．

5.6.3　情動・動機づけとトップダウン処理

　人はパニックに陥ったり，怒り心頭に達したりしたときには前後の見境もない行動をとることがある．こうした状況においては，前頭連合野の正常なはたらきが阻害され，生存に関わる脳部位である大脳辺縁系の活動に身を任せてしまう，というようなことが考えられる．一方適度な情動は認知制御を促進する可能性も指摘されている．たとえば，被験者の動機づけを操作することにより，前頭連合野の活動性が変化するとともに，ワーキングメモリー課題の成績も変化することが示されている．ある研究では，n-バック（n は 1, 2 または 3）課題（図 5.8 参照）を遂行中の被験者に対して，正解に対して「とくに報酬なし」，「わずかなお金の報酬」，「かなりの額のお金報酬」，という異なった動機づけレベルのもとで fMRI 実験が行われた (Pochon et al., 2002)．n-バックの n が大きくなり，記憶負荷が大きくなるほど前頭連合野の活動性は上昇した．そこに大きな動機づけが付与されるとワーキングメモリーに関係した前頭連合野の活動性はさらに大きくなるとともに，課題の成績も向上することが示された．このワーキングメモリーと動機づけの統合は，前頭連合野の背外側部の前方部や前頭極（10 野）でより顕著に認められた．こうした前頭連合野における活動は，トップダウン信号として脳の後ろの部位に伝えられ，認知制御に重要な役割を果たしていると考えられる．

5.6.4　認知制御と情動・動機づけ

　こうした情動，動機づけ要因がワーキングメモリーにどのように関わるかをニューロンレベルで調べる研究も筆者のグループを中心として行われている．
　サル前頭連合野には空間的遅延反応課題を遂行中にワーキングメモリーに関係した活動を示すニューロンが多数あることはすでに述べた（5.3 節参照）．一方，サル前頭連合野には，これから起こることや，これから出される刺激の予測，期待に関係して「予期的」な活動変化を示すニューロンが見いだされる．とくに学習課題を行っているときに，正反応に対して与えられるであろう報酬の期待に関係した活動を示すニューロンも多数見られる．おもしろいことに，前頭連合野ニューロンの中には，より好ましい報酬が期待できるときには，ワー

キングメモリーに関係した活動が促進されるもののあることが明らかになった(Watanabe, 1996)．

　この実験ではいろいろな報酬を用いて，遅延反応課題の1つの変形（図5.20(a)）を訓練したサルの前頭連合野外側部からニューロン活動が記録された．図5.20(b)に示したニューロンは，報酬の違いに関係なく，遅延期間中は常に右試行より左試行で大きな発射活動を示した．この活動の差は，空間的ワーキングメモリーの保持に関係していると考えられる．一方，このニューロンは報酬がレーズンよりもサツマイモで，サツマイモよりもキャベツでというように，サルがより好んだ報酬が用いられたときには，遅延期間中により大きな発射活動を示した．この遅延期間中の活動は，異なった報酬に対する期待過程に関係していると考えられる．つまり，このニューロンにおいては，ワーキングメモリーに関係した活動が，報酬期待により変容を受けていたわけである．より好ましい報酬への期待は，より大きなトップダウン信号を発することにより認知制御を促進するようにはたらくのではないかと考えられる．

　別の課題事態では，報酬が期待できるときと，できない（無報酬の予期）ときがある，という状況でワーキングメモリー関連活動が調べられた(Kobayashi et al., 2002)．ほとんどの前頭連合野外側部ニューロンでは，報酬が期待できないときには，期待できるときに比べて，ワーキングメモリー関連活動が抑制された．それでは好ましい報酬ではなく，嫌悪刺激の到来（あるいはその回避）が予測されるときには，ワーキングメモリーに関係した前頭連合野のニューロンの活動はどのような変容を受けるであろうか？

　最近の研究では，ワーキングメモリー課題の正解に対して，①ジュース報酬が与えられる，②嫌悪刺激が回避できる（誤りには顔への不快な空気の吹き付け刺激が与えられる），③ジュースも嫌悪刺激もなく，正解であったという音の合図のみ与えられる，という条件で実験が行われた(Kobayashi et al., 2006)．前頭連合野背外側部ニューロンでは，報酬が期待できる条件で最もワーキングメモリーに関係した活動の促進が見られた．しかしごくわずかのニューロンでは，嫌悪刺激の回避を予期する条件で，報酬が期待できる条件よりもワーキングメモリー関連活動の促進が見られた．前頭連合野において動機づけが認知制御を修飾するのは，好ましいものに関する動機づけだけでなく，嫌悪的なものも関係すること，しかしその割合はかなり小さいことが示された．無報酬の予

242　第 5 章　行動の認知科学

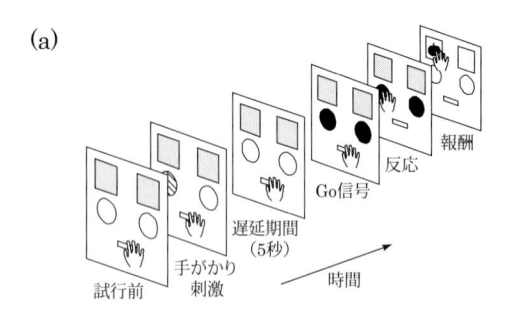

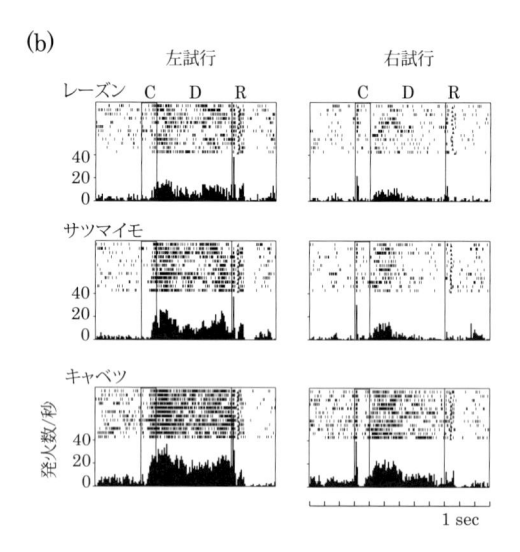

図 5.20　実験で用いた遅延反応課題 (a) と，報酬期待ならびにワーキングメモリーの両方に関係した活動を示した前頭連合野ニューロンの例 (b)

(a) サルの前にはパネルがあり，そこには 2 つの四角の「窓」と，2 つの丸い「ボタン」，それに 1 つの「ホールドレバー」があった．サルがホールドレバーを何秒か押していると，右か左の「ボタン」に赤いランプが 1 秒間点灯した．その後 5 秒間の遅延期間があった．遅延期間終了までサルがホールドレバーを押し続けていると，左右のボタンに同時に白いランプが点灯した．この合図に対してサルがホールドレバーから手を離して，手がかりが与えられた側のボタンを押すと，その上の窓が開いてあらかじめ用意してある餌が与えられた．報酬としては，レーズン，サツマイモ，キャベツ，リンゴ（のそれぞれ一片）が用いられた．約 50 試行を 1 つのブロックとして，同じブロック内では常に同じ 1 種類の報酬が用いられた．(b) 図の左列は左試行における，右列は右試行におけるニューロン活動を示す．1 行目はレーズン報酬の，2 行目はサツマイモ報酬の，3 行目はキャベツ報酬の場合の活動を示す．なおこのサルはレーズンよりサツマイモ，サツマイモよりキャベツをより好んだ．C：手がかり刺激．D：遅延期間．R：反応．

期や嫌悪刺激回避の予測に比して，報酬期待がより多く前頭連合野で表現され，かつワーキングメモリーの変容に関わっているのは，生き残りのために適応的な機能として，進化の過程でその特性が獲得されたと考えられる．

報酬条件をいろいろ変化しながら，サルに選択課題をさせているときの前頭連合野背外側部のニューロン活動を記録した研究もある (Barracloug et al., 2004). この実験でサルは呈示された2つある標的刺激のうちの1つを選ぶことを要求されたが，サルの選択が，あるルールに基づいてなされたコンピューターの選択と等しければ報酬が与えられた．コンピューターの選択には3つのルールがあった．①左右の標的をランダムに選ぶ，②サルの過去の反応履歴を考慮し，その傾向と反対の選択を行う（サルが80％の確率で左を選ぶなら80％の確率で右を選ぶ），③サルがどちらに反応したのかだけでなく，その結果報酬が得られたかどうかまで考慮してサルの報酬獲得率が最小になるように選択，の3つである．①条件では，サルはどの反応をしても報酬がもらえる確率は0.5であり，このような場合はサルの反応は右か左かどちらかの側に偏る傾向を示した．②，③条件では前に行った反応とは無関係に，ランダムに同じ確率で左右の標的を選択するのが報酬を最大限（0.5の割合）にする方略となるが，サルの反応はおおむねこの最適方略を反映したものであった．③の条件で前頭連合野背外側部のニューロン活動を記録したところ，前の試行でどちらの標的を選んだか，前の試行で報酬が得られたか，そしてその両方を反映した活動を示すニューロンが見いだされた．この研究は，動機づけ要因と認知制御要因が相互に関係しながら前頭連合野背外側部で統合されることを示している．

このように前頭連合野外側部で動機づけ要因と認知制御要因の統合されることにより，その情報はトップダウン信号として脳の後ろに伝えられ，行動を促進（ときには抑制）するようにはたらくと考えられる．

5.7 意思決定，道徳的判断，経済的判断と脳活動

自由意志に基づく行動選択，道徳的判断，経済行動を規定する要因など，従来の脳科学ではほとんど問題とされることがなかったようなテーマに関して，最近の非侵襲的脳活動計測研究では次々にいろいろな発見がなされている．こうした選択，判断場面も，「自動的には対処できない，認知制御の必要な事態」で

ある.こうした研究で得られた発見は,哲学,心理学,経済学の考え方にまで大きなインパクトを与えるまでになっている.ここでは非侵襲的脳活動計測法によって得られた成果を中心に,最近この分野でなされた研究を紹介することにする.

5.7.1 意思決定と前頭連合野腹内側部

私たちは日々,いろいろな意思決定場面に遭遇するが,「これしかない」というような解は見つからない場合も多い.それでも現実には,私たちはそのときどきに意思決定を行っている.いろいろな選択肢がありうるなかで「正解」というべきものがそもそもあるかどうかはっきりしないような状況で人の行う選択には,ある特有の傾向が見られることも知られている.こうした傾向について詳しく分析したのが Toversky と Kahneman という2人の心理学者である (Toversky & Kahneman, 1974)[10].彼らは人の意思決定の過程が必ずしも論理的な道筋に沿ったものではなく,一見論理的に見えながら,かなりの部分が背後の知識,文脈,期待,そのときの感情などに依存した,直感的で「ヒューリスティック」[11]なものであることを示した.そのヒューリスティックな結論は,最適解ではないまでも,「適解」に近い場合が少なくないとされる.

ところが意思決定において,いつも適解とはほど遠い結論を出してしまう人たちもいる.Damasio がその著『*Descartes' Error*』(Damasio, 1994) で紹介しているエリオットの名前で知られる患者がその1人である.かつては商社マンとして活躍していた彼は脳腫瘍のため前頭連合野の一部の切除手術を受けた.手術後も知能指数は正常以上であり,認知や記憶の障害は見られなかった.しかし,当面している事態が重要なものなのか些細なものなのかを評価したり,これからやらなければならないいくつかの事柄の間に優先順位をつけたりする場合,社会的な常識から大きくかけ離れた判断をしてしまうようになった.

こうした行動傾向を持つ人たちに損傷が見られるのが,前頭連合野の「腹内側部」と呼ばれる部位である(図5.21).この部位は情動・動機づけに関わる前頭連合野眼窩部および内側部の前部(10, 12野)からなる.この部位はいろい

---

[10] Kahneman は意思決定のメカニズムに関する心理学的分析を人の経済行動に応用し,優れた成果を得,2002年のノーベル経済学賞を受賞した.
[11] 論理的思考が容易ではない,あるいはそうしている時間的余裕がないときなどに,差し当たって到達する「それなりにもっともらしい」解決策.

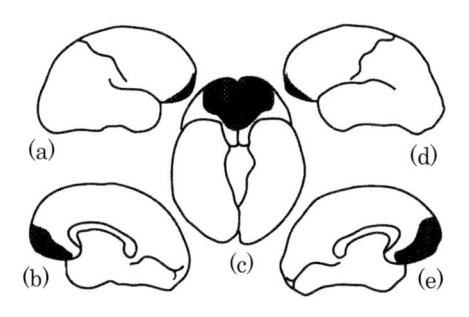

図 5.21 前頭連合野腹内側部（黒塗り部分）の位置を示す（Damasio et al., 1994 より改変）
(a), (d) は脳をそれぞれ右から，あるいは左から見た図．(c) は真下から見た図（上が前）．
(b), (e) は脳を真上から左右に割ってみたもので，(b) が右脳，(e) が左脳．

ろな感覚情報を受け取る部位であるとともに，扁桃核を中心とした辺縁系と密接に結びつき，体内，内臓情報や感情，動機づけ情報も受け取っており，外的刺激と情動，動機づけ情報を結びつけるのに最も重要な役割を果たしていることが示されている．

5.7.2 ソマティック・マーカー仮説

こうした意思決定の障害が生じるメカニズムに関し，Damasio は「ソマティック・マーカー仮説」を提唱している．Damasio は情動，動機づけには常に身体的，内臓系の反応が付随すると考え，そうした身体的，内臓系の反応を「ソマティック反応」と呼んだ．①前頭連合野腹内側部は外的な刺激とそれに伴う情動，動機づけを連合する場所と考えられている，②そしてこの連合が成立している場合には，外的な刺激が認知されると，腹内側部でその連合に基づいたソマティック反応を身体，内臓系に生じさせる信号が出るが，その信号は「良い」あるいは「悪い」という価値に従いマークされている，③このマーク機能は意思決定を効率的にするように作用する，と考えるのである．

腹内側部に損傷をもつ患者においては，外部状況が認知されても通常なら生起するソマティック・マーカーが起こらないため，多数存在する選択可能性のある行動とその帰結が「同様な」情動的な意味や価値しか持たないことになる．その場合は意思決定の過程はもっぱら論理操作の過程となり，マーカーがあれば可能であるような迅速，かつ適切な行動ができなくなると考えるわけである．なお Damasio はこのマーカーが意識されることもあれば無意識に作用する場

合もあると考えている．

　Damasio の説は，思考における感情の果たす役割や，無意識的判断というものについて 1 つの神経的基礎を与えるもので，大いに注目を集めている．しかし，彼の説に批判がないわけではない．前頭連合野腹内側部の損傷患者では判断過程に障害があることは事実として認められているものの，この脳部位のはたらきによるソマティック・マーカーが，我々の判断の過程に実際に重要な役割を果たしているのかどうかについては，皮膚電位反応による傍証がある程度で，実証されているとは言い難い．Damasio の説は，「悲しいから泣くのではなく，泣くから悲しいのである」という，情動の身体起源説である James-Lange 説の焼き直しに過ぎないとも批評されることがある (Rolls, 1999)．

　さらに最近の研究によると，前頭連合野腹内側部損傷患者は，確実な情報がないような条件での意思決定場面だけでなく，単純な「好き/嫌い」の判断にも一貫性のないことが示されている．検査対象者に食べ物，有名人，色見本紙につき，6 つの中から 2 つの間でどちらが好きかを何度も尋ねると，この脳部位の損傷患者では，反応の一貫性に乏しく，聞くたびに好みが変化する，というような傾向が見られた (Fellows & Farah, 2007)．これは，ソマティック・マーカーがないと適切な反応ができない，というような事態でなくても，損傷患者の判断に障害が見られることを示し，逆に損傷患者の不確定事態における判断の障害も，こうした「好き/嫌い」の判断の非一貫性の反映に過ぎない可能性も指摘されている．

5.7.3　道徳的判断と脳活動

　フィネアス・ゲージやエリオットの例に示されるように，前頭連合野腹内側部損傷患者では道徳感が乏しくなることが知られている．最近は道徳的判断，というきわめて高次な認知制御に関しても非侵襲的脳活動計測研究が行われるようになった．

　最近の fMRI 研究では，被験者にディレンマが伴うような事態で道徳的判断を求める，という場面が用いられている．たとえばブレーキが故障して走り続けている列車があるとする．列車の先に 5 人の人がいて，このままではその 5 人を殺すことになる．その 5 人がいる手前に分岐点があり，そこで進路を変更すれば，その先は 1 人の人がいるだけである．このような事態で，あなたなら

5.7 意思決定，道徳的判断，経済的判断と脳活動

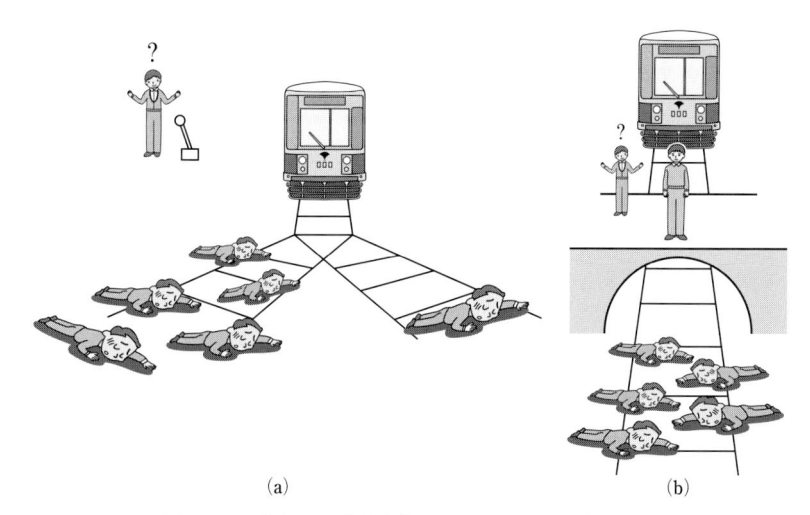

図 5.22 非個人的葛藤事態 (a) と個人的葛藤事態 (b)
図の説明は本文参照．

進路変更をするかどうか（すればその 1 人は死ぬことになるが，5 人は助かる）の判断を迫るのである（図 5.22(a)）．

一方，次のような選択場面もある．あなたは線路を見下ろす歩道橋にいるとしよう．進行中の列車の先には線路上で動けない 5 人が助けを求めている．その 5 人を助けるために，あなたができることがあるとしたら，歩道橋の上から，隣にいる人を線路上に突き落として列車を止めるしかない．このような事態で，5 人を助けるために隣にいる 1 人の人間の命を奪うべきか否かという判断を迫るのである（図 5.22(b)）．

多くの被験者は前者の問いには 5 人を助ける方の，後者では 5 人を助けない方の選択をする．後者では，自分の近くの人を自分の手で殺すか否か，というきわめて私的，個人的なディレンマとなっている．しかし前者では，自分が直接 1 人の人を殺すわけではなく，1 人の人の死は全体としての利益から考えて出た結論（実利的判断）の帰結に過ぎない，という「非個人的」なディレンマとなっている．個人的な道徳的ディレンマ事態では，「隣にいる人を突き落として殺す」というような思いに伴う「情動的反応」が大きな役割を果たして，そうしないような判断を促すのに対し，非個人的なディレンマ事態では，情動的要素は少なく，もっぱら認知的操作だけで結論を出すことになると考えられる．

実際，fMRI で調べると (Greene et al., 2001)，個人的なディレンマ事態では，何もしていない安静時に比べて，前頭連合野の内側部前部 (9, 10 野)，後部帯状皮質 (31 野)，角回 (39 野) などの「情動」に関係する部位において活動性が高くなった．一方，非個人的なディレンマ事態においては，ワーキングメモリーで活性化することが知られている前頭連合野背外側部 (46 野) や，頭頂連合野 (7, 40 野) で活性化が見られた．なお，個人的なディレンマ事態においても感情に支配されない「実利的な」判断を下すようなときには，そうでないときより反応時間が長くなった．これは感情的な要因と，認知的な要因の間にある葛藤のために生じたと考えられる．このように，より「困難な」(葛藤が大きい) 事態で「実利的な」判断をするときには，そうでないときに比べて前頭連合野背外側部，前部帯状皮質，後部帯状皮質，頭頂連合野下部などで活動が大きくなった (Greene et al., 2004).

ごく最近，個人的な道徳的ディレンマに関係して活性化する部位の中心的存在である前頭連合野腹内側部 (5.7.1 項参照) に損傷のある患者において，道徳的判断のテストがされた (Koenigs et al., 2007)．図 5.22(b) のような事態では，健常人なら突き落とす相手に感情移入を起こし，論理的には最適解である「隣の人を突き落とす」という選択肢を取るのが困難になる．しかし患者たちは感情に流されることなく，最適解を選ぶ割合が有意に高いことが示された．

5.7.4 経済的判断と脳活動

従来の経済学では，個人は自分の利益だけを考える，という前提からなるモデルでほぼ経済活動は説明できると仮定していた．しかし，意思決定に関する Kahneman らの研究に示されるように，経済的な判断にも経済「外」的な感情や他者との関係が関わるのである．

たとえば「最後通牒ゲーム」と呼ばれるゲームがある．これは次のようなものである．A さんと B さんの 2 人がいるとしよう．実験者が A さんに 1 万円を渡して，そのお金のうちの一部を B さんに渡してくれ，と頼む．A さんは B さんに 1 円を渡してもいいし，5000 円を渡してもいい．B さんは「A さんが 1 万円をもらって，そのなかから一部を自分にくれる」という状況は理解している．

A さんからいくらかを渡す，という申し出があったときに，B さんはそれを

受け入れてもいいし，拒否してもいい．受け入れればBさんはその額を受け取り，残りはAさんの取り分となる．拒否すれば2人とも0円になる，というゲームである．従来の「個人の利益」のみが経済的判断を決めるとする経済学の立場に立てば，Aさんはできるだけたくさん自分のものにしようとするだろうし，AさんからBさんへ渡す金額が0円でない限り，Bさんは（それがどんな額でも）価値があると認めて受諾するだろう，と考える．ところが実際に実験をしてみると，Aさんが申し出るのが4000円程度以下の場合，Bさんは拒絶する場合が多いのである．拒絶すればBさんは1円ももらえないのであるから，理屈からいえば賢明な選択とはいえないことになる．しかし「不公平な」申し出に対しては，自分の取り分がなくなることがわかっていながら，そうした申し出は「許せない」という感情はどうしてもわき上がるようである．

　このゲームをしているときの脳をfMRIで調べたところ(Sanfey et al., 2003)，不公正な申し出に対し脳の「島」と呼ばれる部位（図5.19参照）の前部と前部帯状皮質で活性化が見られた．島の活性化の大きさは不公正の程度が大きいほど大きかった．島は痛みを感じるときに活性化する部位である．前部帯状皮質は先に述べたように葛藤の検出に関係すると考えられており（5.5.2項参照），この脳部位の活性化は，不公正な申し出は拒否したいという感情と，受諾しなければ自分の取り分はゼロになるという認知，という両者の葛藤状況を反映していると考えられる．なお，前頭連合野の背外側部は，不公正さの程度と関係なく，不公正な申し出があると常に活性化した．この脳部位は葛藤状況の中で意思決定をしなければならない，という状況で重要な役割を果たすと考えられる．

　一方，このゲームの相手（Aさんに相当する）はコンピューターで，プログラムに従ってある額の申し出をする，という条件にすると，申し出に相当する額がかなり小さくてもBさんの拒絶は少なくなる．申し出が公正か不公正かの判断には，相手が「ヒト」であるか否かが重要であることがわかる．

　この最後通牒ゲームに関連して，ごく最近TMS（経頭部磁気刺激）を用いた研究が行われ，右側の前頭連合野背外側部が，このゲームにおいて申し出を受容するか拒否するかの意思決定に重要な役割を果たしていることが明らかになった(Knoch et al., 2006)．実験では，ゲーム前にあらかじめ前頭連合野の背外側部の右側（左側では効果はなかった）に15分間，低頻度 (1 Hz) のTMSを与えて活動を阻害したところ，不公正な申し出の拒否は少なくなった．おも

しろいことに，申し出の公正さについて評価を求めると，TMSを受けても受けなくても差はみられなかった[12]．

　前頭連合野の腹内側部の損傷患者が最後通牒ゲームではどのような判断をするのかを調べた研究によると，患者は不公正な反応にイライラや怒りを顕わにし，フラストレーションをコントロールすることができず，拒否率が高くなることが示された (Koenigs & Tranel, 2007)．これは損傷患者の感情が平板化する，という多くの報告と矛盾している．彼らによると，腹内側部の損傷患者は，自分の個人的な利益に関わる事柄になると大変感受性が高くなるが，個人的でない事柄には（ギャンブルゲームは個人的な事柄に関する判断を求められてはいない），感情反応が鈍くなる，と説明されているが，一見矛盾する結果の説明のためにはさらなる研究が必要とされる．

5.7.5　購買行動と脳活動

　近年は経済学の中にも神経経済学 (neuroeconomics) と呼ばれる分野ができ，多くの研究がなされている．そして，ヒトの経済的判断の脳メカニズムに関して興味ある知見が示されている．しかし，たとえば最後通牒ゲームのような事態は現実社会ではほとんどありえない事態であり，そうした事態における脳研究は（それはそれで脳のはたらきについて新しいことを教えてくれるものの），現実のヒトの経済行動の脳メカニズムについてはほとんど何も教えてくれない．

　より現実に近い事態で経済的判断に関わる脳活動を調べる試みとして，購買行動に伴う脳活動を調べた研究がある (Knutson et al., 2007)．そこではfMRI装置内にいる被験者に，いろいろな商品を実際に呈示した後にその値段を呈示し，購入するかどうか決めさせるという実験が行われた．被験者はまず20ドルを与えられ，一般的に魅力的とされる商品をときにはかなりお買い得な値段で呈示された．被験者が購入を決めた商品は後に実際に被験者に渡された．脳活動を調べると，商品の魅力が高いほど，腹側線条体の側坐核（報酬を得たときに活動することが知られている）と呼ばれる部位（図5.19参照）で活性化が見

---

[12]　ここにどのような機構がはたらいているのかは必ずしも明らかではない．Knochらは，「前頭連合野背外側部の右側は，自分の利益を得たいという衝動性を排し，公平性という目標を達成するうえで重要な役割を果たしている」とし，「磁気刺激によって生じるこの脳部位の機能不全はそうした機構を阻害する」ために，不公正な申し出に対しても，公平性を犠牲にして自己の利益を優先する（申し出を受け入れる）行動をとらせることになる，と解釈している．

られた．「高すぎる」と思われる値段が呈示されると「島」（図5.19参照，嫌悪刺激の呈示で活性化が見られる）で活性化が見られ，逆に前頭連合野内側部で活動が減少した．これらの部位の活動から被験者の行動を予測することができた．すなわち，商品呈示期の側坐核の活性化と，値段呈示期の前頭連合野内側部の活性化は被験者が購入行動をとることを，値段呈示期の島の活性化は購入しないことを予測した．こうした研究は，実際に商品開発や広告戦略に利用され始めている．

現金よりクレジットカードを使用すると，ヒトの消費行動は増大することが広く知られているが，そうした脳メカニズムに対しても研究は始められている．逆にいうと，我々が意識していないところで行う経済行動も，脳を知ることで，ある意味で制御する方法がわかることになり，いかにこうした情報を販売に結びつけるのかという試みも実際に始まっている．

5.7.6 慈善行為と脳活動

慈善行為をするか否かの判断には，道徳的判断と経済的判断の両方の要素が含まれる．fMRI装置内にいる被験者に，実在する慈善団体に寄付をするかどうかを決めることを求め，慈善行為に関係した脳メカニズムを調べた研究もある（Moll et al.,2006）．実験のなかで被験者は，実在する慈善団体の個々に対して5ドルの寄付が行われることに賛成か反対かの選択を求められ，賛成すれば実際にその金額が実験者の側から匿名でその財団に寄付された．その他の条件も含め，被験者は以下の4つの種類の提案に対して賛成か反対かの選択をした．

①賛成/反対にかかわらず慈善団体への寄付がなされることはないが，賛成すれば被験者は2ドルのお金がもらえる，という条件（被験者は当然，賛成することになる）．

②寄付に賛成すれば，対象となった慈善団体に5ドルの寄付がなされるが，賛成しても反対しても，被験者の懐具合には関係しない（コストなし）条件．

③寄付に賛成すると，そのたびに自分の持分のお金（①条件などで得られる）から2ドル差し出さなければならない（コストあり）ため，被験者は，自分の持ち分のお金を削ってまで寄付に賛成するか否かの選択を迫られる条件．

④対象となった慈善団体の主張に反対でなければ，その団体への寄付に賛成するだけで被験者は2ドルのお金がもらえるが，その団体への寄付に反対する

と，賛成すればもらえる2ドルを放棄しなければならない（コストあり）条件．

①の，団体への寄付はなく，被験者が賛成と答えるだけでお金がもらえるときには，報酬系脳部位である中脳の腹側被蓋，腹側，背側の線条体（図5.19参照）で活性化がみられたが，おもしろいことに②のコストなしで寄付に賛成するときも，③のコストのかかる寄付に賛成するときも，同じ部位が活性化した．寄付に賛成するとこれらの報酬部位が活性化するということは，寄付することが「快」をもたらすことを示していると考えられる．一方，①の単なる報酬がもらえる場合に比較して，コストの有無にかかわらず，寄付に賛成するときに特異的に活性化したのが，膝下帯状皮質（subgenual area：25野，図5.6参照）と呼ばれる部位である．この部位は「社会的愛着」に関わるとされる部位である[13]．

趣旨に賛同できない団体への寄付には当然反対するわけであるが，そのときに活性化したのが島領域（図5.19参照）の一部を含む前頭眼窩野の外側寄りの部分である．この部位は嫌悪刺激や罰に対して活性化することが知られている．

この実験で注目すべき活性化部位として，さらに背側帯状皮質と前頭連合野腹内側部（内側前頭極と内側前頭眼窩野の前部，図5.21参照）の一部を含む前頭連合野の前方部がある．これらの部位は，コストのかかる寄付に賛成したり，コストがかかっても寄付に反対すると決めたりするときに活性化した．コストがかかる選択事態におけるこれら前頭連合野の前方部の活動と，日常生活における寄付への積極性との間には良い相関がみられた．前頭連合野の前方部は，目標志向行動において複雑な状況を考慮しながら意思決定が求められるときに活性化がすることが知られている（5.4.2項参照）．寄付を求められる，というのは，道徳的信念，金銭的な損失，寄付する（しない）ことに伴う社会的評価など，まさにいろいろな要因を考慮しなければならない場面である．

また，背側帯状皮質の活性化の大きさと，反応時間の間に相関がみられたが，この脳部位はコンフリクトの検出，モニターに関わっているとされている（5.5.4項参照）．道徳的には寄付をするのはいいことだとわかっていても，それには自分のお金を出さなければならないという状況での選択事態では，反応時間が長

---

[13] この脳部位はオキシトシンと呼ばれる物質の分泌を制御する部位であるが，このオキシトシンを投与したヒトでは，経済的実験状況で，他人に対する信頼感や相互協力が多くなったという報告もある (Kosfeld et al., 2005).

くなることに示されるように，葛藤が生じることになる．この部位の活性化は，葛藤に関係しているのではないかと考えられる．

5.7.7 不公正なものを罰する行為と脳活動

ところで，不公正な申し出をするような相手には，単に拒否するだけでなく，許されればなんらかの罰を与えたい，というのがヒトの情である．「ただ乗りは許さない」ということでコストがかかっても（罰するためには自分の持ち分を一部失うことになる）相手を罰するのは，直接自分の利益につながらない行為であり，「利他的な罰」ともいわれる．最後通牒ゲーム課題下で，不公正な相手には利他的な罰を与えることを許すような事態で行われた研究もある (de Quervain et al., 2004)．そこでは，多くの被験者が，コストがかかる（相手に科す罰金の2分の1に相当する額を，事前に与えられている自分のお金から払わなければならない）場合ですら，不公正な相手を罰することを選んだ．PETを用いた実験によると，（コストがかかる，かからないにかかわらず）罰を与えようと考えているときには，背側線条体（図5.19参照）で活性化が見られた．さらにこの脳部位の活性化が大きいほど，罰を与えるために自分の持ち分を削ってまでそうしようとする割合が多くなった．ここで活性化した部位は，おいしいものが食べられる，あるいは，お金の報酬が得られる，という期待に関係して活性化する部位でもある．つまり，不公正なものを罰しようという場合には，報酬を期待するのと同じメカニズムがはたらいているのではないかと考えられる．なお罰が許される場合でも，相手にどのくらいの罰を与えるのかは，それにコストがかかる場合とかからない場合では異なっていた（コストがかからない方が大きな罰を科す）．この，相手を罰するのにコストがかかる事態の脳活動を，コストがかからない事態のそれと比較してみると，前頭連合野の腹内側部の特に前の方で大きな活動が見られた．この部位は自分の持ち分を削ってまで相手を罰すべきか否かを考えるのに重要な役割を果たしていると考えられる．

この研究をさらに発展させたものとして，前のゲームで自分に対して公正，あるいは不公正な反応をした相手のヒトが痛い目にあう（右手の手背に電気ショックが与えられる）様子を観察しているときの被験者の脳活動をfMRIで調べる，という研究もなされている (Singer et al., 2006)．公正な反応をしたヒトに対して電気ショックが与えられるのを見ると，痛み刺激を自分が受けたときに活性

化する島領域と前部帯状皮質で活性化が見られた．この活性化は，公正な反応をしたヒトなのに電気ショックが与えられたことに関し同情し，感情移入していることを反映していると考えられる．一方，不公正な反応をしたヒトに電気ショックが与えられても，とくに男性では，痛みに関係する部位の活性化はみられなかった．それだけではなく，男性被験者に限っては，不公正に対する電気ショックが与えられるのを見ると，報酬が与えられたときに活性化することが知られている腹側線条体と前頭連合野眼窩部の内側で活性化がみられた．これらの男性被験者にとっては，不公正が罰せられるのをみるのは，ある意味で報酬になっているという言い方もできるかもしれない．実際，不公正な目にあわせたヒトにどれくらい復讐してやりたいのか，という質問に対して大きな答えをした被験者ほど報酬関連脳部位の活性化は大きかったのである．

5.8　行動の認知科学と非侵襲的脳活動計測法

認知制御の脳メカニズムを調べる最近の研究で最も多く行われているのは，非侵襲的脳活動計測法を用いたものである．実際，従来は脳科学の扱える対象とは見なされなかった道徳的判断，経済的判断というような認知制御の脳メカニズムに関しても，多くの知見が次々に得られている．しかし，非侵襲的脳活動計測法は，脳活動そのものを捉えるものでもないし，脳活動をリニアーに反映するものでもない．報告された結果を見るときには我々はいくつかの点に注意を払うべきなのである．

まず，PETやfMRIで得られる数値は，脳内に入った放射能量や，磁場の強さなどの変数によって左右される相対値に過ぎない．つまり，活動の変化はすべてコントロールのときとの比較でしか意味を持たないわけである．それゆえ，コントロールをどのようにとるのかが，実験で得られたデータを解釈するうえで決定的に重要な意味を持つ．PETやfMRIのデータは，心的過程にも足し算が当てはまり，そのために引き算をすれば特定の心的過程を抽出できる，という前提のもとに解析が行われている．非侵襲的脳活動計測研究法で得られたデータは，「その前提が合っていれば」，という大きな仮定に基づいていることに注意する必要がある．

非侵襲的脳活動計測法を用いる研究においては，個人差の問題を捨象するた

めに多人数のデータを合わせて解析するという方法が一般に用いられている．そこで用いられるのがタライラッハの脳図譜 (Talairach & Tournoux, 1988) である．どんな人の脳もこの図譜の「標準脳」に変換することにより，データを個体間で比較できるようになる．ただこの図は 60 歳のフランス人女性 1 人の死後脳を下に作成されているため，「標準脳」とするには不適当であるとの指摘もなされている．また，標準化にはいくつかの方法があり，どの方法を用いたとしても誤差（約 15 mm 程度）の生じるのが避けられない．

個人差の問題と関連して，多人数のデータを合わせて解析する（ほとんどの非侵襲的脳活動計測法ではその方法をとっている）ことで誤ったデータが得られる可能性も指摘されている．ものを見たり，聞いたりする脳部位に関しては，構造的な側面では個人差はあるものの，機能的には個人差は少ない．ところが認知制御に関わる脳部位，とくに前頭連合野などでは，個人個人のデータ間に相当なばらつきがある．最近の研究によれば，多人数のデータを集めて得られた「活性化」部位につき，個人レベルでもその部位に活性化が見られる例はそれほど多くないことが示されているのである (Feredoes & Postle, 2007)．つまり，かなりばらつきの多いデータを加算することにより，本質的なものが見失われる可能性が大きいのである．

また，fMRI 装置はかなりの騒音を発するので，被験者は狭いチューブの中で相当な騒音に耐えながら，ときとして難しい課題を解くことを求められるわけである．こうした実験状況にある，ということは，普段とはかなり違った心的過程が関与していると考えなければならない．心理学の実験では，被験者が意図する，しないにかかわらず，実験者の期待するデータを出すように反応する傾向 (demand characteristics) が指摘されている．非侵襲的脳活動計測研究のように，半ば拘束状態にある被験者では，装置に対する不安感もあいまって，そうした傾向はより強まると考えられる．また，匿名性が保たれる，というインフォームドコンセントがあったとしても，道徳的判断，慈善行為というような微妙な側面のある認知制御に関係して実験が行われる場合，他人の存在は反応に大きな影響を与えると考えられる．

非侵襲的脳活動計測法による研究では，同じ精神活動を調べても，実験が違うとまったく異なった脳部位が活性化することもある一方，同じ部位がまったく異なっていると思われる機能に関係して同じように活性化した，という報告

も多い.たとえば前頭連合野の腹外側部の44,45野はブローカ野に相当し,言語機能に大きく関わっている.一方,この部位は先に述べたように,ウィスコンシン・カード分類課題における分類基準の変化に伴う行動の切り替えに関係しても活性化する.前部帯状皮質についても,エラーの検出,葛藤の制御,痛み認知や共感,過去経験に基づく選択など,必ずしも共通項があるとはいえないいくつかの機能に関係して活性化が報告されることが多い[14].これらの脳部位は,お互いにあまり関係のないいくつもの機能を持つのか,非侵襲的脳活動計測法がより進歩すればこれらの部位内でさらに細かい機能分化のあることが見つかるのか,あるいはこれらの機能は本質的に共通のものなのか,などの疑問に回答が得られるまでは,非侵襲的脳活動計測法で得られた研究結果に基づいて,安易に応用に結びつけるような試みは慎むべきであろう.

参考文献

[1] Aron AR, Fletcher PC, Bullmore ET, Sahakian BJ, Robbins TW (2003) Stop-signal inhibition disrupted by damage to right inferior frontal gyrus in humans. *Nature Neuroscience* **6**: 115–116.

[2] Baddeley A (1986) *Working Memory* Oxford Univ Press, Oxford.

[3] Barraclough DJ, Conroy ML, Lee D (2004) Prefrontal cortex and decision making in a mixed-strategy game. *Nat Neurosci.* **7**: 404–410.

[4] Beauchamp MH, Dagher A, Aston JA, Doyon J (2003) Dynamic functional changes associated with cognitive skill learning of an adapted version of the Tower of London task. *Neuroimage* **20**: 1649–1660.

[5] Botvinick MM, Cohen JD, Carter CS (2004) Conflict monitoring and anterior cingulate cortex: an update. *Trends in Cognitive Sciences* **12**: 539–546.

[6] Brodmann K (1909) *Vergleichende Lokalisationlehre der Grosshirnrinde in ihren Prinzipien dargestellt auf Grund des Zellenbaues* Leipzig: Barth.

---

14) 前部帯状皮質背側部は,高次精神活動の有無にかかわらず,被験者を身体鍛錬や困難な暗算課題など,心拍や血圧を上げるような状況において交感神経系を興奮させれば常に活性化するという結果が報告されている (Critchley et al., 2003).葛藤事態やエラーをすると交感神経が興奮することから,この脳部位は活性化するのかもしれない.

[7] Cabeza R, Anderson ND, Locantore JK, McIntosh AR (2002) Aging gracefully: compensatory brain activity in high-performing older adults. *Neuroimage* **17**: 1394–1402.

[8] Carey J (ed.) (1990) *Brain facts: A primer on the brain and nervous system*, Society for Neuroscience.

[9] Carlson S, Martinkauppi S, Rama P, Salli E, Korvenoja A, Aronen HJ (1998) Distribution of cortical activation during visuospatial n-back tasks as revealed by functional magnetic resonance imaging. *Cerebral Cortex* **8**: 743–752.

[10] Carter CS, Braver TS, Barch DM, Botvinick MM, Noll D, Cohen JD (1998) Anterior cingulate cortex, error detection, and the online monitoring of performance.*Science* **280**: 747–749.

[11] Christoff K, Prabhakaran V, Dorfman J, Zhao Z, Kroger JK, Holyoak KJ (2001) Gabrieli JD. Rostrolateral prefrontal cortex involvement in relational integration during reasoning. *Neuroimage* **14**: 1136–1149.

[12] Critchley HD, Mathias CJ, Josephs O, O'Doherty J, Zanini S, Dewar BK (2003) Cipolotti L, Shallice T, Dolan RJ. Human cingulate cortex and autonomic control: converging neuroimaging and clinical evidence. *Brain* **126**: 2139–2152.

[13] Damasio AR (1994) *Descartes' Error Grossset*, Putnam, New York（田中三彦訳（2000）『生存する脳』講談社）.

[14] Damasio H, Grabowski T, Frank R, Galaburda AM, Damasio AR (1994) The return of Phineas Gage: clues about the brain from the skull of a famous patient. *Science* **264**: 1102–1105.

[15] de Quervain DJ, Fischbacher U, Treyer V, Schellhammer M, Schnyder U, Buck A, Fehr E (2004) The neural basis of altruistic punishment. *Science* **305**: 1254–1258.

[16] D'Esposito M, Aguirre GK, Zarahn E, Ballard D, Shin RK, Lease J (1998) Functional MRI studies of spatial and nonspatial working memory. *Cognitive Bran Research* **7**: 1–13.

[17] Drewe EA (1975) Go-no go learning after frontal lose lesions in humans. *Cortex* **11**: 8–16.

[18] Elliot HC (1970) *Textbook of Neuroanatomy*. Philadelphia: Lippincott.

[19] Evarts EV (1973) Brain mechanisms in movement. *Scientific American* **229**: 96–103（『日経サイエンス』1973 年 9 月号, 30–38）.

[20] Fellows LK, Farah MJ (2007) The Role of Ventromedial Prefrontal Cortex in Decision Making: Judgment under Uncertainty or Judgment Per Se? *Cerebral Cortex* **17**: 2669–2674.

[21] Feredoes E, Postle BR (2007) Localization of load sensitivity of working memory storage: quantitatively and qualitatively discrepant results yielded by single-subject and group-averaged approaches to fMRI group analysis. *Neuroimage* **35**: 881–903.

[22] Fincham JM, Carter CS, van Veen V, Stenger VA, Anderson JR (2002) Neural mechanisms of planning: a computational analysis using event-related fMRI. *Proc Natl Acad Sci USA* **99**: 3346–3351.

[23] Freedman DJ, Riesenhuber M, Poggio T, Miller EK (2001) Categorical representation of visual stimuli in the primate prefrontal cortex. *Science* **291**: 312–316.

[24] Freeman W, Watts JW (1942) *Psychosurgery: Intelligence, Emotion, and Social Behavior Following Prefrontal Lobotomy for Mental Disorders.* Springer IL Thomas.

[25] Fuster JM (1997) *The Prefrontal Cortex. Anatomy, Physiology and Neuropsychology of the Frontal Lobe.* 3rd ed. Lippincott-Raven, New York.

[26] Garavan H, Ross TJ, Kaufman J, Stein EA (2003) A midline dissociation between error-processing and response-conflict monitoring. *Neuroimage* **20**: 1132–1139.

[27] Gemba H. Sasaki K (1990) Potential related to no-go reaction in go/no-to hand movement with discrimination between tone stimuli of different frequencies in the monkey. *Brain Res* **537**: 340–344.

[28] Goel V, Dolan RJ (2003) Reciprocal neural response within lateral and ventral medial prefrontal cortex during hot and cold reasoning. *Neuroimage* **20**: 2314–2321.

[29] Goal V, Gold B, Kapur S,Houle S (1997) The seats of reason? An imaging study of deductive and inductive reasoning. *NeuroReport* **8**: 1305–1310.

[30] Goldman-Rakic PS (1996) The prefronal landscape: implications of functional architecture for understanding human mentation and the central executive. *Philosophical Transactions of the Royal Society of London* **B351**: 1445–1453.

[31] Greene JD, Sommerville RB, Nystrom LE, Darley JM, Cohen JD (2001) An fMRI investigation of emotional engagement in moral judgment. *Science* **293**: 2105–2108.

[32] Greene JD, Nystrom LE, Engell AD, Darley JM, Cohen JD (2004) The neural bases of cognitive conflict and control in moral judgment. *Neuron* **44**: 389–400.

[33] Harlow JM (1848) Passage of an iron rod through the head. *Boston Medical and surgical Journal* **39**: 389–393.

[34] Hoshi E, Shima K, Tanji J (2000) Neuronal activity in the primate prefrontal cortex in the process of motor selection based on two behavioral rules. *Journal of Neurophysiology* **83**: 2355–2373.

[35] Ito S, Stuphorn V, Brown JW, Schall JD (2003) Performance Monitoring by the Anterior Cingulate Cortex During Saccade Countermanding *Science* **302**: 120–122.

[36] Kanwisher N, Wojciulik E (2000) Visual attention: insights from brain imaging. *Nature Review Neuroscience* **1**: 91–100.

[37] Kastner S, Pinsk MA, De Weerd P (1999) Desimone R, Ungerleider LG. Increased activity in human visual cortex during directed attention in the absence of visual stimulation. *Neuron* **22**: 751–761.

[38] Kerns JG, Cohen JD, MacDonald AW 3rd, Cho RY, Stenger VA, Carter CS (2004) Anterior cingulate conflict monitoring and adjustments in control. *Science* **303**: 1023–1026.

[39] Kiehl KA, Liddle PF, Hopfinger JB (2000) Error processing and the rostral anterior cingulate: an event-related fMRI study. *Psychophysiology* **37**: 216–223.

[40] Knoch D, Pascual-Leone A, Meyer K, Treyer V, Fehr E (2006) Diminishing reciprocal fairness by disrupting the right prefrontal cortex. *Science* **314**: 829–832.

[41] Knutson B, Rick S, Wimmer GE, Prelec D, Loewenstein G (2007) Neural predictors of purchases. *Neuron* **53**: 147–156.

[42] Kobayashi S, Lauwereyns J, Koizumi M, Sakagami M, Hikosaka O (2002) Influence of reward expectation on visuospatial processing in macaque lateral prefrontal cortex. *Journal of Neurophysiology* **87**: 1488–1498.

[43] Kobayashi S, Nomoto K, Watanabe M, Hikosaka O, Schultz W, Sakagami M (2006) Influences of rewarding and aversive outcomes on activity in macaque lateral prefrontal cortex. *Neuron* **51**: 861–870.

[44] Koechlin E, Basso G, Pietrini P, Panzer S (1999) Grafman J.The role of the anterior prefrontal cortex in human cognition.*Nature* **399**: 148–151.

[45] Koenigs M, Tranel D (2007) Irrational economic decision-making after ventromedial prefrontal damage: evidence from the Ultimatum Game. *J Neurosci* **27**: 951–956.

[46] Koenigs M, Young L, Adolphs R, Tranel D, Cushman F, Hauser M, Damasio A (2007) Damage to the prefrontal cortex increases utilitarian moral judgements. *Nature* **446**: 908–911.

[47] Konishi S, Chikazoe J, Jimura K, Asari T, Miyashita Y (2005) Neural mechanism in anterior prefrontal cortex for inhibition of prolonged set interference. *Proc Natl Acad Sci USA* **102**: 12584–12588.

[48] Konishi S, Hayashi T, Uchida I, Kikyo H, Takahashi E, Miyashita Y (2002) Hemispheric asymmetry in human lateral prefrontal cortex during cognitive set shifting. *Proc Natl Acad Sci USA* **99**: 7803–7808.

[49] Konishi S, Nakajima K, Uchida I, Sekihara K, Miyashita Y (1998) No-go dominant brain activity in human inferior prefrontal cortex revealed by functional magnetic resonance imaging. *European Journal of Neuroscience* **10**: 1209–1213.

[50] Kosfeld M, Heinrichs M, Zak PJ, Fischbacher U, Fehr E (2005) Oxytocin increases trust in humans. *Nature* **435**: 673–676.

[51] Kroger JK, Sabb FW, Fales CL, Bookheimer SY, Cohen MS (2002) Holyoak KJ.Recruitment of anterior dorsolateral prefrontal cortex in human reasoning:

a parametric study of relational complexity. Cereb *Cortex* **12**: 477–485.

[52] Lhermitte F (1983) 'Utilization behaviour' and its relation to lesions of the frontal lobes. *Brain* **106**: 237–255.

[53] Luck SJ, Chelazzi L, Hillyard SA, Desimone R (1997) Neural mechanisms of spatial selective attention in areas V1, V2, and V4 of macaque visual cortex. *Journal of Neurophysiology* **77**: 24–42.

[54] MacDonald AW 3rd, Cohen JD, Stenger VA, Carter CS (2000) Dissociating the role of the dorsolateral prefrontal and anterior cingulate cortex in cognitive control. *Science* **288**: 1835–1838.

[55] Mansouri FA, Buckley MJ, Tanaka K (2007) Mnemonic function of the dorsolateral prefrontal cortex in conflict-induced behavioral adjustment. *Science* **318**: 987–990.

[56] Mansouri FA, Matsumoto K, Tanaka K (2006) Prefrontal cell activities related to monkeys' success and failure in adapting to rule changes in a Wisconsin Card Sorting Test analog. *Journal of Neuroscience* **26**: 2745–2756.

[57] Matsumoto K, Suzuki W, Tanaka K (2003) Neuronal correlates of goal-based motor selection in the prefrontal cortex. *Science* **301**: 229–232.

[58] Matsumoto M, Matsumoto K, Abe H, Tanaka K (2007) Medial prefrontal cell activity signaling prediction errors of action values. *Nat Neurosci* **10**: 647–656.

[59] McClure SM, Laibson DI, Loewenstein G, Cohen JD (2004) Separate neural systems value immediate and delayed monetary rewards. *Science* **306**: 503–507.

[60] Miller EK, Erickson CA, Desimone R (1996) Neural Mechanisms of visual working memory in prefrontal cortex of the macaque. *Journal of Neuroscience* **16**: 5154–5167.

[61] Milner B, Petrides M (1984) Behavioral effects of frontal-lobe lesions in man. *Trends in Neurosciences* **7**: 403–407.

[62] Moll J, Krueger F, Zahn R, Pardini M (2006) de Oliveira-Souza R, Grafman J. Human fronto-mesolimbic networks guide decisions about charitable donation. *Proc Natl Acad Sci USA* **103**: 15623–15628.

[63] Monchi O, Petrides M, Petre V, Worsley K, Dagher A (2001) Wisconsin Card Sorting revisited: distinct neural circuits participating in different stages of the task identified by event-related functional magnetic resonance imaging. *Journal of Neuroscience* **21**: 7733–7741.

[64] Moore T, Armstrong KM (2003) Selective gating of visual signals by microstimulation of frontal cortex. *Nature* **421**: 370–373.

[65] Nakahara K, Hayashi T, Konishi S, Miyashita Y (2002) Functional MRI of macaque monkeys performing a cognitive set-shifting task.*Science* **295**: 1532–1536.

[66] Nakamura K, Roesch MR, Olson CR (2005) Neuronal activity in macaque SEF and ACC during performance of tasks involving conflict. *Journal of Neurophysiology* **93**: 884–908.

[67] Nieder A, Freedman DJ, Miller EK (2002) Representation of the quantity of visual items in the primate prefrontal cortex. *Science* **297**: 1708–1711.

[68] Niki H, Watanabe M (1979) Prefrontal and cingulate unit activity during timing behavior in the monkey. *Brain Res* **171**: 213–224.

[69] Ochsner KN, Kosslyn SM, Cosgrove GR, Cassem EH, Price BH, Nierenberg AA, Rauch SL (2001) Deficits in visual cognition and attention following bilateral anterior cingulotomy. *Neuropsychologia* **39**(3): 219–230.

[70] O'Craven KM, Downing PE, Kanwisher N (1999) fMRI evidence for objects as the units of attentional selection. *Nature* **401**: 584–587.

[71] Owen AM, Downes JJ, Sahakian BJ, Polkey CE, Robbins TW (1990) Planning and spatial working memory following frontal lobe lesions in man. *Neuropsychologia* **28**: 1021–1034.

[72] Owen AM, Stern CE, Look RB, Tracey I, Rosen BR, Petrides M (1998) Functional organization of spatial and nonspatial-working memory processing within the human lateral-frontal cortex. *Proc Natl Acad Sci USA* **95**: 7721–7726.

[73] Parsons LM, Osherson D (2001) New evidence for distinct right and left brain systems for deductive versus probabilistic reasoning. *Cer Cortex* **11**: 954–965.

[74] Perret E (1974) The left frontal lobe of man and the suppression of habitual responses in verbal cate-gorical behavior. *Neuropsychologia* **12**: 323–330.

[75] Pochon JB, Levy R, Fossati P, Lehericy S, Poline JB, Pillon B, Le Bihan D and Dubois B (2002) The neural system that bridges reward and cognition in human: An fMRI Study. *Proc Natl Acad Sci USA* **99**: 5669–5674.

[76] Pressman JD (1998) *Last Resort: Psychosurgry and the Limits of Medicine.* Cambridge Univ Press, Cambrige UK.

[77] Rogers RD, Owen AM, Middleton HC, Williams EJ, Pickard JD, Sahakian BJ, Robbins TW (1999) Choosing between small, likely rewards and large, unlikely rewards activates inferior and orbital prefrontal cortex. *Journal of Neuroscience* **19**: 9029–9038.

[78] Rolls ET (1999) *The Brain and Emotion.* Oxford Univ Press Oxford.

[79] Rossi AF, Bichot NP, Desimone R, Ungerleider LG (2007) Top down attentional deficits in macaques with lesions of lateral prefrontal cortex.*J Neurosci* **27**: 11306–11314.

[80] Rubia K, Smith AB, Brammer MJ, Taylor E (2003) Right inferior prefrontal cortex mediates response inhibition while mesial prefrontal cortex is responsible for error detection. *Neuroimage* **20**: 351–358.

[81] Rushworth MF, Behrens TE, Rudebeck PH, Walton ME (2007) Contrasting roles for cingulate and orbitofrontal cortex in decisions and social behaviour. *Trends in Cognitive Sciences* **11**: 168–176.

[82] Sanfey AG, Rilling JK, Aronson JA, Nystrom LE, Cohen JD (2003) The neural basis of economic decision-making in the Ultimatum Game. *Science* **300**: 1755–1758.

[83] Sawamura H, Shima K, Tanji J (2002) Numerical representation for action in the parietal cortex of the monkey. *Nature* **415**: 918–922.

[84] Shallice T (1982) Specific impairments of planning. *Phil Trans R Soc Lond B* **298**: 199–209.

[85] Shima K, Isoda M, Mushiake H, Tanji J (2007) Categorization of behavioural sequences in the prefrontal cortex. *Nature* **445**: 315–318.

[86] Singer T, Seymour B, O'Doherty JP, Stephan KE, Dolan RJ, Frith CD (2006) Empathic neural responses are modulated by the perceived fairness of others. *Nature* **439**: 466–469.

[87] Sirigu A, Zall T, Pillon B, Grafman J, Dubois B, Agid Y, Dubois B (1995) Encoding of sequence and boundaries of script following pre-frontal lesions. *Cortex* **32**: 297–310.

[88] Smith EE, Jonides J, Koeppe RA (1996) Dissociating verbal and spatial working memory using PET. *Cerebral Cortex* **6**: 11–20.

[89] Sohn MH, Albert MV, Jung K, Carter CS, Anderson JR (2007) Anticipation of conflict monitoring in the anterior cingulate cortex and the prefrontal cortex *Proc Natl Acad Sci USA* **104**: 10330–1033.

[90] Talairach J, Tournoux P (1988) *Co-planar stereotaxic atlas of the human brain*, Thieme, New York.

[91] Tanaka SC, Doya K, Okada G, Ueda K, Okamoto Y, Yamawaki S (2004) Prediction of immediate and future rewards differentially recruits cortico-basal ganglia loops. *Nature Neuroscience* **7**: 887–893.

[92] Tomita H, Ohbayashi M, Nakahara K, Hasegawa I, Miyashita Y (1999) Top-down signal from prefrontal cortex in executive control of memory retrieval. *Nature* **401**: 699–703.

[93] Toversky A, Kahneman D (1974) Judgment under uncertainty: Heuristics and biases. *Science* **185**: 1124–1131.

[94] van den Heuvel OA, Groenewegen HJ, Barkhof F, Lazeron RH, van Dyck R, Veltman DJ (2003) Frontostriatal system in planning complexity: a parametric functional magnetic resonance version of Tower of London task. *Neuroimage* **18**: 367–374.

[95] Vendrell P, Junque C, Pujol J, Jurado MA, Molet J, Grafman J (1995) The role of prefrontal regions in the Stroop task. *Neuropsychologia* **33**: 341–352.

[96] Walker AE (1940) A cytoarchitectural study of the prefrontal area of the macaque monkey. *J comp Neurol* **73**: 87–116.

[97] Wallis JD, Anderson KC, Miller EK (2001) Single neurons in prefrontal cortex encode abstract rules. *Nature* **411**: 953–956.

[98] Waltz JA, Knowlton BJ, Holyoak KJ, Boone KB, Mishkin FS, Santos M de Menezes, Thomas CR, Miller BL (1999) A system for relational reasoning in human prefrontal cortex. *Psychol Sci* **10**: 119–125.

[99] 渡邊正孝（2005）『思考と脳』（ライブラリ脳の世紀　心のメカニズムを探る 9）サイエンス社.

[100] Watanabe M (1986) Prefrontal unit activity during delayed conditional Go/No-go discrimination in the monkey. II. Relation to Go and No-go responses. *Brain Research* **382**: 15–27.

[101] Watanabe M (1996) Reward expectancy in primate prefrontal neurons. *Nature* **382**: 629–632.

[102] Watanabe M, Hikosaka K, Sakagami M, Shirakawa S (2002) Coding and monitoring of motivational context in the primate prefrontal cortex. *Journal of Neuroscience* **22**: 2391–2400.

[103] Watanabe M, Sakagami M (2007) Integration of cognitive and motivational context information in the primate prefrontal cortex. *Cerebral Cortex* **17**: 101–109.

[104] White IM, Wise SP (1999) Rule-dependent neuronal activity in the prefrontal cortex. Experimental *Brain Research* **126**: 315–335.

[105] Wilson FAW, O Scalaidhe SP, Goldman-Rakic PS (1993) Dissociation of object and spatial processing domains in primate prefrontal cortex. *Science* **260**: 1955–1958.

索引

[あ行]

アイコニック・メモリー　131
愛着　252
アテトーシス　116
アマクリン細胞　25
アメリカカケス　166
イオンチャネル　10
意思決定　203, 244
異シナプス性促通　130, 133
一次運動野　94, 96
遺伝子操作法　17
意味記憶　142
意味性痴呆　145
意欲　208
色の恒常性　43
ウィスコンシン・カード分類課題　228, 232, 256
ウェルニッケ失語　2
ウェルニッケ脳症　128
運動学習　107
運動記憶　109
運動系の逆モデル　112
運動系列の概念　226
運動亢進　116
運動失調　111
運動司令　95, 112
運動性失語　2
運動性領野　8
運動前野　98, 101, 215, 230
運動単位　83
運動低下　116
運動の内部モデル　112
運動パターン発生装置　80
運動方向選択性　35
運動方向選択的な周辺抑制　36
運動野　204
エコイック・メモリー　131

エピソード記憶　142, 165
エピソードバッファー　135, 212
「エピソード様」記憶　166
エラー　235, 256
　　──検出　235
演繹推論　222
遠心性コピー　87, 88
延髄　6
音恐怖条件付け　187
オフ中心型　22
オフ反応　26
オペラント条件付け　128, 187
音韻ループ　134, 212
　　──バッファー　153
オン中心型　22
オン反応　23, 26

[か行]

介在細胞　10
外傷後ストレス障害　185
回想性　147
　　──記憶　123
　　──想起　147
外側膝状体　25, 27
外側部　208, 219
概念　220, 225
　　──形成　225
海馬　205
　　──の記憶見出し仮説　183
顔細胞　46
下オリーブ核　103
学習万能論　4
獲得　124
カクテルパーティー効果　56
数の概念　226
葛藤　231, 235, 248, 249, 256
活動電位　10
下頭頂葉　65

下辺縁皮質　170, 190
顆粒細胞　102
感覚記憶　131
感覚性失語　2
感覚性領野　8
感覚野　204
眼窩部　208, 244, 254
間在細胞　190
感作　130
間接路　114
間脳　6
記憶痕跡の移動　110
記憶の再固定化　185
記憶の組織化　210
記憶の多重痕跡仮説　164, 183
期待　244
拮抗作用　23
基底樹状突起　10
機能円柱　94
機能局在　2
帰納推論　222
機能的磁気共鳴画像　16, 53, 124, 213, 254, 255
逆ダイナミックス　108
逆モデル　112
逆向性健忘　127
強化学習　118
共感　235, 256
教師信号　118
恐怖条件付け　157
局在論　2
極小電極法　13, 14
曲率　44
切り替え　228, 232
筋紡錘　84
空間コントラスト　20
空間作業記憶　139
空間参照記憶　139
空間的遅延反応課題　217
空間的注意　58
屈曲反射　85
クラスター分析法　49
グリッド細胞　150
計画　203, 210
経済行動　243

経済的判断　250, 251
系統発生的　205
ゲインコントロール　111
ゲシュタルト心理学　3
嫌悪刺激　241, 252
顕在記憶　124
健忘症　127
後期選択説　58
交叉伸展反射　85
高次視覚野　30
広視野パターン　37
行動主義　5
行動の切り替え　228, 256
後頭葉　7, 204
行動抑制　203, 221
購買行動　250
興奮性シナプス　11
合理的推論　224
個人的意味的知識　145
個人的なディレンマ事態　248
個体発生的　205
骨相学　2
固定　124, 150
　——化　126
古典的条件付け　129, 141, 187
コラム　28, 35
コルサコフ症候群　128, 148
ゴルジ染色法　3
痕跡恐怖条件付け　158
痕跡瞬目反射条件付け　158
痕跡条件付け　157

［さ行］

最後通牒ゲーム　248, 250
　——課題　253
サイズプリンシプル　84
再認記憶　147, 155
細胞イメージング法　15
細胞外記録法　14
細胞内記録法　14
作話　128, 151
サーチ課題　59
サッケード眼球運動　87
左右眼視差　33, 39, 42, 46
　——選択性　40

索引　267

視蓋脊髄路　86
視覚　19
　　──野　204
視空間的記銘メモ　134
視空間メモ　212
軸索　9
自己順序づけ課題　212
視細胞　21
視床　25, 205
　　──下核　114
　　──枕　31, 67
慈善行為　251, 255
膝下帯状皮質　252
失見当識　128
実行抑制　203
シナプス　10
　　──後細胞　11
　　──後電位　11
　　──電位　11
　　──の可塑性　133
　　──の発芽　130, 179
自発性回復　190
自発的回復　129
指鼻試験　111
社交的接触を介した食物選好度学習　157, 158
視野マップ　25, 53
従属システム　212
主観的輪郭　40
樹状突起　9
出典記憶　210
出典健忘　151, 210
受動（抑制性）回避　187
受動性逃避課題　157
受容器　11
受容野　22
順序制御　98
順序の記憶　210
順応　25
瞬膜反射　109
上丘　87
消去　66, 124, 129
上側頭溝　45, 47
情動　240, 244
　　──的推論　224

　　──・動機づけ機能　208
小脳　6, 81, 101, 215
　　──核　101
症例 H.M.　126
徐波睡眠　176
親近性　147
　　──想起　147
神経経済学　250
神経細胞　9
神経節細胞　22
伸張反射　84
随意運動　80, 96, 110
髄鞘化　206
錘状体　23
錐体細胞　9, 96
推尺異常　112
随伴発射　87, 88
水平細胞　23
推論　203, 220, 222
スキナー箱　128
スキーマ　136, 184
　　──理論　136, 184
静止膜電位　10
生体リズム発生装置　80
生得論　4
赤核脊髄路　86
脊髄反射　84
節約法　126
セルフコントロール　236
宣言的記憶　123, 141, 143
　　──仮説　151, 154
前向性健忘　127
潜在記憶　124
線条体　114
全体論　2
選択的注意　55
前庭脊髄路　86
前庭動眼反射　106, 107
前頭顆粒皮質　205
前頭極　222, 224, 233, 240, 252
尖頭樹状突起　9
前頭前皮質　204
前頭前野　8, 136, 137, 151, 204
前頭側頭型痴呆　151
前頭葉　7, 204

——ロボトミー手術　207
前頭連合野　203, 208
　　——外側部　230
　　——背外側部　215
前部帯状皮質　229, 230, 233, 235, 249, 254
前辺縁皮質　170, 190, 191
想起　124
早期選択説　56
双曲細胞　23
層構造　10
操作　211, 212, 220
相反抑制　85
側座核　250
側頭葉　7, 204
　　——下部　31
側頭連合野　204, 218
側副路　105
ソマティック・マーカー　246
　　——仮説　245

[た行]

第一次視覚野　25, 32
帯状回　205
苔状線維　102
帯状皮質運動野　94, 99, 101
体性感覚野　204
大脳　6
　　——基底核　81, 114, 205, 222
　　——連合野　8
大脳—小脳ループ　110
タイミングコントロール　110
第IVB層　33
タライラッハの脳図譜　255
短期記憶　123, 126, 132
短期報酬条件　236
単純型受容野　28
単純発射　103
淡蒼球　114, 205
タンパク質合成阻害剤　180
遅延型条件付け　109
遅延交替反応課題　217
遅延反応課題　241
遅延非見本合わせ課題　156, 217
遅延見本合わせ課題　155, 217, 227

チトクローム酸化酵素　32
知能指数　209
知能テスト　209
緻密部　114
注意　203, 209, 221, 237
　　——の容量モデル　134
中央実行系　134, 212
中間記憶　138
中脳　6
虫部　101
聴覚野　204
長期記憶　123, 126
長期増強　130, 177, 179
長期報酬条件　236
長期抑圧　103, 105, 130, 177, 179
直接路　114
ディレンマ　246
適応　107
　　——制御　109
手続き記憶　141, 142
デュレ・ブリオン回路　149
伝達物質　11
展望記憶　210
展望的認知　123
島　249, 251, 252, 254
動機付け　240, 244
登上線維　102
頭頂葉　7, 31, 204
頭頂連合野　204, 215, 218, 230, 237
道徳的ディレンマ　247
道徳的判断　243, 246, 251, 255
島皮質　230
頭部磁気刺激　215, 249
動物学習理論　5
トップダウン信号　152, 153, 238, 239
トップダウン的注意　237
ドーパミンニューロン　115

[な行]

内因性信号イメージング法　15
内側部　208, 244, 251
二重過程信号検出モデル　147
二重貯蔵モデル　131
ニッスル染色法　2
ニューロン　9, 217

──説　3
認知・実行機能　208
認知制御　203
認知マップ　163
　──仮説　160
猫の問題箱　128
脳幹　6
脳磁測定　16

[は行]

背外側部　219, 233, 240, 249
背景記憶　144
背側運動前野　98
背側視覚経路　31, 33
背側線条体　236, 253
背側ルート　220
橋　6
場所細胞　160, 171, 172
場所受容野　161
パターン発生装置　88
罰　252, 253
発散的思考　209
パッチ記録法　14
パブロフ型条件付け　109
バリスム　116
斑　115
反回抑制　85
半球　101
反響回路　133
反射　79, 141
半側空間無視　65
範疇化　225, 226
ハンチントン舞踏病　116
反応基準　232
反応時間　58
被殻　114, 205
光計測法　28
非個人的なディレンマ事態　247
皮質核微小複合体　105
皮質脊髄路　86
尾状核　114, 205
微小帯域　106
非侵襲的な脳活動計測法　16, 53, 213, 214
非錐体細胞　9
非宣言的記憶　123, 141

非陳述記憶　109
ヒューリスティック　244
標準脳　255
フィードバック型　107
フィードバック制御　81
フィードフォワード　82, 107
　──連合学習　112
フィネアス・ゲージ　206
フィールド電位　229
腹外側部　219, 229, 233
複雑型受容野　28
複雑発射　103
腹側運動野　98
腹側視覚経路　40
腹側線条体　236, 250, 254
腹側被蓋　252
腹側ルート　220
腹内側部　244, 245, 250
プッシュプル　90
物体カテゴリー　48
プライミング　141
　──効果　142
プラトー電位　90
プラニング　220, 221
ブランチング課題　224
フーリエ表現素　45
プルキンエ細胞　102
ブローカ失語　2
ブローカの言語野　215
分散表現　161
文脈　221, 227, 244
　──性記憶　157
　──性恐怖条件付け　157
ヘブ則　129, 130
辺縁系　205, 245
扁桃核　205, 245
片葉　101
方位コラム　28
方位選択性　26
報酬期待　235, 241
報酬の予測　116
紡錘状回顔領域　54
保持　211, 212, 220
補足運動野　94, 98, 101, 215
ポップアウト　238

ボトムアップ的注意　238
[ま行]
前向き制御　112
────器　83
マカク属サル　19
マジカルナンバー　132
マトリックス　115
水迷路　→　Morris の水迷路
ミラーニューロン　99
無意識的な複合運動　80
命題記憶　142
メタ認知　166
網膜　20
網様体脊髄路　86
網様部　114
モニター　220
モンドリアン模様　43

[や行]
誘発脳波　62
陽電子放出断層撮影　16, 214, 254
抑制　228, 233
────性シナプス　11
────性逃避課題　182
予測制御　111

[ら行]
利他的な罰　253
リマッピング　161
利用行動　228
ルール　210, 220, 227
レーヴン漸進マトリックス　223
レセプター　11
レム (REM: Rapid eye movement) 睡眠　176
連合野　204
レンショー抑制　85
ロンドン塔課題　221

[わ行]
ワーキングメモリー　123, 126, 134, 136, 210, 240

[欧文]
α-γ 連関　84
α 運動ニューロン　83, 84
γ 運動ニューロン　83, 84

Aggleton と Brown の仮説　148, 150
AMPAR　104

Baddeley, A.　134, 136, 211
BOLD　215
Brodmann, K.　2, 215

caudate nucleus　114
cellular consolidation　177
comparator 仮説　173
configural association 仮説　170
CO 小斑　32

Dysmetria　112

EBA　54
ERN (error related negativity)　235

FFA　→　紡錘状回顔領域
Flocculus　101
fMRI　→　機能的磁気共鳴画像
FRA (flexor reflex afferents)　85
functional connectivity　153

globus pallidus　114
Go 反応　228
Goldman-Rakic, P.　136, 137
Go-NoGo 課題　228

Harlow, J.M.　207
head direction 細胞　150
H.M.　126, 140, 151, 156
hyperkinesia　116
hypokinesia　116

Ia 抑制　85
Inferior olive　103

James-Lange 説　246

Lhermitte 228
LOC 54
LTD (long-term depression) → 長期抑圧
LTP (long-term potentiation) → 長期増強

matrix 115
MEG 214
Microzone 106
Mishkin, M. 155, 156
Morris の神経生物学仮説 177
Morris の水迷路 151, 162–164, 179
motor unit 83
MST 野 37
——背側部 39
——腹側部 39
MT 野 33, 34

NIRS 214
NoGo 電位 229
NoGo 反応 228
novelty detection 仮説 173
n-バック課題 136, 212, 215

Olton の放射状迷路 162

P1 成分 63
Papez の回路 149
pars compacta 114
pars reticulata 114
patch 115
pattern association 168
pattern completion 168, 171, 172

pattern separation 168, 171, 172
PET (positron emission tomography) → 陽電子放出断層撮影
PPA 55
PTSD → 外傷後ストレス障害

relational processing 仮説 170
RK judgement 147, 165

SAS モデル 136
「Simple Memory」理論 168, 170
SPI モデル 143, 144
Squire, L. 141, 154, 156
standard consolidation model 159
Stop 信号課題 228, 229
striatum 114
Stroop 課題 228, 230
subsequent memory 課題 138
subthalamic nucleus 114
synaptic tagging & capture model 181
systems consolidation 170, 177, 182

temporoammonic pathway 164, 170, 173
tetrode 174
TE 野 44
TMS → 頭部磁気刺激
trisynaptic pathway 170, 173
Tulving, E. 142

V2 野 32, 40
V4 野 33, 42

Yonelinas, A. 147

監修者略歴
甘利俊一（あまり・しゅんいち）
理化学研究所脳科学総合研究センター長
1936 年　生まれ
1958 年　東京大学工学部卒業
1963 年　九州大学工学部助教授
1967 年　東京大学工学部助教授
1982 年　同教授
2003 年より現職
著書『神経回路網の数理』（産業図書，1978），『情報幾何の方法』（共著，岩波書店，1993）ほか多数

編者略歴
田中啓治（たなか・けいじ）
理化学研究所脳科学総合研究センター副センター長
1951 年　生まれ
1975 年　大阪大学大学院基礎工学研究科修士課程修了
1989 年　理化学研究所国際フロンティア研究システムチーム・チームリーダー
2003 年　理化学研究所脳科学総合研究センター
　　　　　認知脳科学研究グループ・ディレクター
2008 年より現職
著書『脳神経科学』（三輪書店，2003，共著）など

認識と行動の脳科学　シリーズ脳科学 2
　　　　　　2008 年 7 月 22 日　初　版
　　　　　　2009 年 8 月 21 日　第 2 刷
　　　　　　[検印廃止]

監修者　甘利俊一
編　者　田中啓治
発行所　財団法人　東京大学出版会
　　　　代表者　長谷川寿一
　　　　〒 113-8654 東京都文京区本郷 7-3-1 東大構内
　　　　電話 03-3811-8814　　Fax 03-3812-6958
　　　　振替 00160-6-59964
印刷所　三美印刷株式会社
製本所　矢嶋製本株式会社

©2008 Keiji Tanaka *et al.*
ISBN978-4-13-064302-3　　Printed in Japan

R＜日本複写権センター委託出版＞
本書の全部または一部を無断で複写複製（コピー）することは，著作権法上での例外を除き，禁じられています．本書からの複写を希望される場合は，日本複写権センター（03-3401-2382）にご連絡ください．

脳の謎はどこまで解明されたのか
広大な脳科学研究をはじめて体系化！

甘利俊一 監修
シリーズ 脳科学 ［全6巻］
●各巻 3200 円（本体予価）　●A5 判上製・カバー装／平均 256 頁

① 脳の計算論　　　　　　　　　　　　　　深井朋樹 編

② 認識と行動の脳科学　　　　　　　　　　田中啓治 編

③ 言語と思考を生む脳　　　　　　　　　　入來篤史 編

④ 脳の発生と発達　　　　　　　　　　　　岡本　仁 編

⑤ 分子・細胞・シナプスからみる脳　　　　古市貞一 編

⑥ 精神の脳科学　　　　　　　　　　　　　加藤忠史 編

ここに表示された価格は本体価格です．ご購入の
際には消費税が加算されますのでご了承ください．